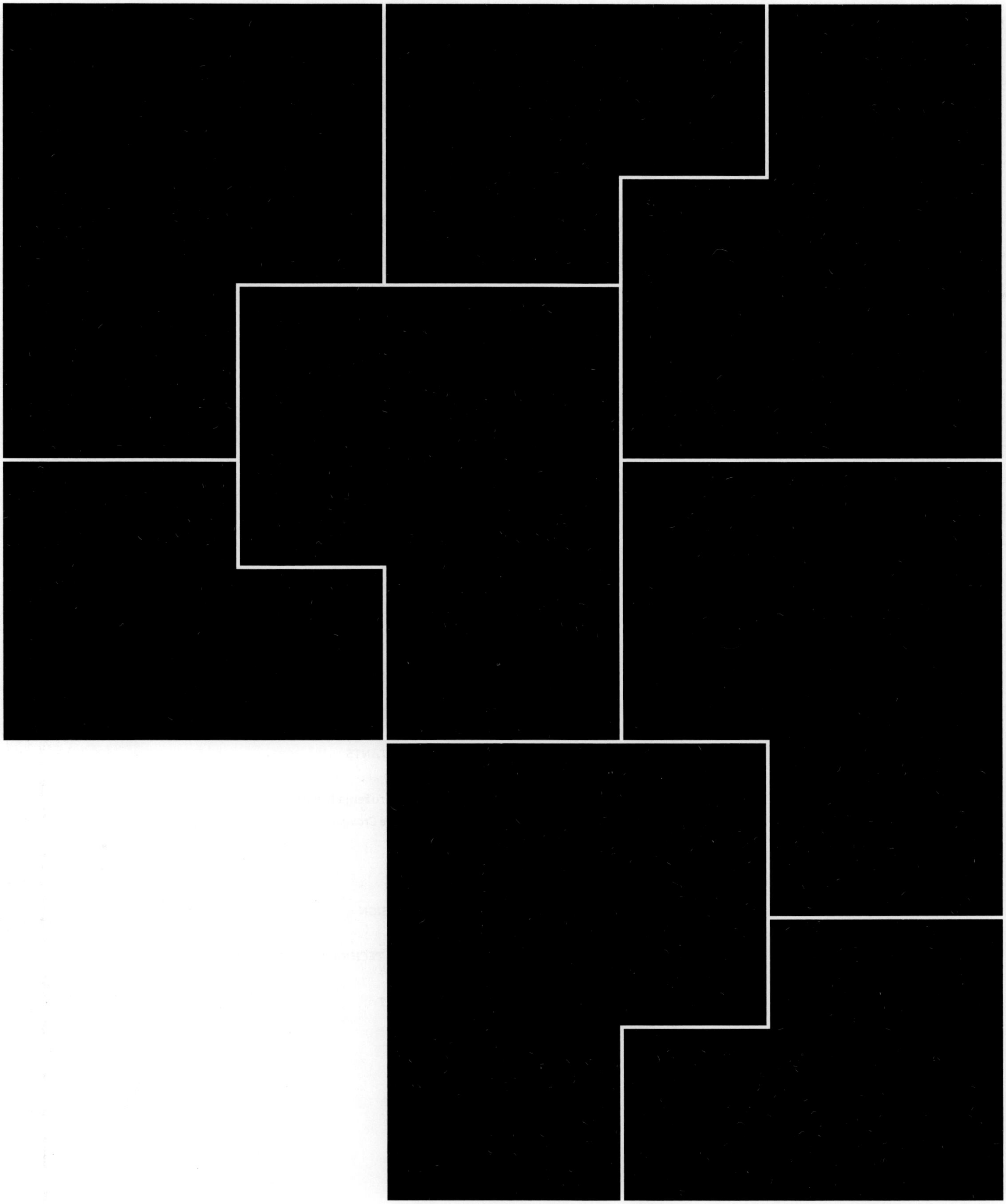

IMPRESSUM

Zagrebački salon je reprezentativna godišnja izložba suvremenog likovnog stvaralaštva Republike Hrvatske koju je 1965. utemeljila Skupština grada Zagreba. Na izložbi se u trijenalnom ritmu izmjenjuju različite likovne discipline: vizualna umjetnost, primijenjena umjetnost /dizajn i arhitektura. Grad Zagreb povjerio je organizaciju Zagrebačkog salona – arhitektura Udruženju hrvatskih arhitekata (UHA). 44. zagrebački salon – arhitektura 06-09 financijski je poduprijet od Gradskog ureda za obrazovanje, kulturu i šport Grada Zagreba i Ministarstva kulture Republike Hrvatske.

Zagreb Salon is a representative annual exhibition of contemporary art of the Republic of Croatia, established by the Zagreb City Council in 1965.Different visual discipline alternate in the triennal rhythm of the exhibition: visual arts, applied arts/design and architecture. The city of Zagreb has entrusted the Croatian Architects' Association (CAA) with the organisation of the Zagreb Salon – Architecture. The 44th Zagreb Salon – Architecture 06-09 was funded by the City Office for Education, Culture and Sports of the city of Zagreb, and the Ministry of Culture of the Republic of Croatia.

ORGANIZATOR ORGANISED BY
Udruženje hrvatskih arhitekata (UHA)
Croatian Architects' Association (CAA)
ORGANIZACIJSKI ODBOR ORGANISATIONAL BOARD
Goran Rako (predsjednik *President*), Mirna Sabljak (Ministarstvo kulture RH *Ministry of Culture of the Republic of Croatia*), Vlasta Gracin (Gradski ured za obrazovanje, kulturu i šport *City of Zagreb Culture, Education and Sport Office*), Nikola Albaneže (ULUPUH), Ivan Fijolić (HDLU *Croatian Artists Association*), Nenad Kondža (UHA CAA), Borka Bobovec (UHA CAA), Damir Ljutić (UHA CAA), Tea Horvat (UHA CAA)

PRODUKCIJA PRODUCTION
Udruženje hrvatskih arhitekata (UHA) *Croatian Architects' Association (CAA)*
VODITELJICA SALONA CO-ORDINATOR
Ana Šilović
MARKETING
Tamara Domljanović
SURADNIK ASSISTANT
Monika Hrubi

SELEKTOR SELECTOR
Hans Ibelings
ASISTENTI SELEKTORA SELECTOR'S ASSISTANTS
Miranda Veljačić, Dubravko Bačić
(uredništvo časopisa "Čovjek i prostor" Udruženja hrvatskih arhitekata
Editors of the "Men and Space", Magazine of the Croatian Architects' Association)

VIZUALNI IDENTITET *VISUAL IDENTITY*
Damir Gamulin
LIKOVNI POSTAV IZLOŽBE *EXHIBITION DESIGN*
Damir Gamulin, Igor Presečan
TEHNIČKA IZVEDBA IZLOŽBE *EXHIBITION TECHNICAL PRODUCTION*
Idryma gradnja d.o.o.
WEB ADMINISTRATOR *WEB DEVELOPMENT*
Miron Sršen

44. ZAGREBAČKI SALON
44th Zagreb Salon

ARHITEKTURA *Architecture* 06—09
01.— 25. 10. 2009.

SADRŽAJ
Contents

PREDGOVOR
Foreword

Prostor koji nas okružuje neprestano se preobražava i mijenja. Silinu promjena mnogi ljudi doživljavaju kao vožnju autobusom nizbrdo bez kočnica. No, promjene kojima svjedočimo i kojima nekad samo naslućujemo smjer te nam se čini da ih je nemoguće kontrolirati nisu nikakva novost nego stalni pratitelj ljudske djelatnosti na planetu Zemlji.

Možemo li danas sa sigurnošću tvrditi kojim smjerom 'vozimo'? Jesmo li na autocestu ušli u pravi ili krivi smjer? Drže li urbanisti i arhitekti uopće 'volan'? Usmjeravaju li procese koji određuju budućnost? Ako u tome ne sudjeluju, koliko su sami za to krivi? Prostor i vrijeme u kojem djelujemo posebno su dramatični, a transformacije je još teže kontrolirati, čak i u onim kratkim razdobljima koja možemo nazvati idiličnima. U tom polukaosu instinkt se pokazuje presudnim, vremena za sakupljanje mudrosti nikada nema dovoljno. U okolnostima u kojima se pravila mijenjaju prije nego što zažive pojedinci reagiraju neusporedivo brže od struktura. Pojedinačni iskoraci hrvatskih arhitekata postižu su energijom koja više priliči borbi za opstanak.

Svaka značajnija arhitektonska realizacija u Hrvatskoj mogla bi imati popratnu knjigu koja bi opisala seriju preokreta koji su se odigrali između prve skice i uporabne dozvole. Pa ipak, živeći i gradeći u takvom okruženju i u tim okolnostima, hrvatski arhitekti dolaze do rezultata koje ne ostvaruju mnogi u znatno sređenijim sredinama. Ili ih možda postižu upravo boreći se protiv osjećaja inferiornosti?

Neupitna spoznaja da naša struka ima moć kojom može kvariti svijet ujedno je dokaz da ga može popravljati. Radovi koji su pred nama afirmiraju optimizam i vjerovanje da hrvatski arhitekti posjeduju alate i znanja kojima mogu unaprijediti ili barem kojima neće unazaditi mjesta na kojima grade svoje male svjetove.

Ukazujući na pojave koje se mogu sagledati samo unutar većih vremenskih razmaka i naglašavajući ih, Zagrebački salon arhitekture selekcija je pozitivnih pomaka kako ih vidi selektor. Treći put zaredom (Boeri, Gausa, Ibelings) selektor je afirmirani arhitektonski kritičar koji ne gleda kroz 'hrvatske naočale', a glavni zadatak mu je da na našoj sceni otkrije i ono što nam je preblizu da bismo sami vidjeli.

Strani kritičari često traže nekakvu 'balkansku' posebnost ili egzotičnost hrvatske arhitekture. No, upoznavajući se s njenom starijom i novijom poviješću, uviđaju da je ne trebaju očekivati. Dubrovnik i Firenca dio su istog 'filma', Turina i Le Corbusier također itd.

Naravno, postoje posebnosti, ali samo kao podvrsta dominirajućeg europsko-mediteranskog arhitektonskog koncepta. Ono najvrjednije u hrvatskoj arhitekturi njezin je kontekstualizam. I potraga za 'megaronskom jasnoćom' koja će barem u malom dijelu kaosa uspostaviti red. Arhitektonske 'naplavine' koje se u golemim količinama šire internetom i časopisima oni najbolji znaju prosijati i prilagoditi novim okolnostima, stvoriti novu vrijednost. Hrvatski su arhitekti gradeći hrvatsku gradili i grade europsku kulturu. Rekao bih značajnije nego mnoge druge grane umjetnosti. Hoće li tako biti u budućnosti, i dalje će ovisiti o uloženoj energiji i strasti pojedinaca.

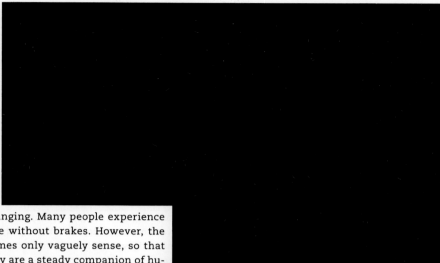

Our environment is constantly transforming and changing. Many people experience the impact of these changes like a downhill bus ride without brakes. However, the changes we witness and whose direction we sometimes only vaguely sense, so that they seem impossible to control, are nothing new; they are a steady companion of human activities on the planet Earth.

Can we today with certainty assert in which direction we are 'driving'? Have we entered the highway in the right or wrong direction? Are city-planners and architects holding the 'steering wheel' at all? Do they direct the processes that determine the future? If they do not participate in them, to what extent is this their fault?

Time and space in which we participate is especially dramatic and transformations are especially difficult to control, even during the short periods that we can call idyllic. In this semi-chaos, instinct proves to be essential and there is never enough time for accumulation of wisdom. In the circumstances in which rules change before they are implemented into practice, individuals react much faster than social structures. Individual achievements of Croatian architects require energy that resembles a struggle for survival.

Each major architectural realization in Croatia could be accompanied by a book that would describe a series of turnovers that happened before the first sketch and operating permit. Still, while they live and build in such environment and under these circumstances, Croatian architects achieve results that are not attained by many in much better ordered environments. Or do they achieve these results because they try to fight the inferiority complex?

The doubtless fact that our profession has the power to corrupt the world is also a proof that it can improve it. The works now before us affirm the optimism and belief that Croatian architects possess the tools and the knowledge with which they can improve or at least not set back the places where they build their small worlds.

The Zagreb Salon of Architecture is a selection of progressive achievements as seen by the Commissioner. It points to and stresses the occurrences that can be assessed only in larger time spans. For the third time in a row (Boeri, Gausa, Ibelings), the Commissioner is a renowned architecture critic who does not see things with 'Croatian eyes'. His principal task is to discover things in our environment that are too close to us that we could see them ourselves.

Foreign critics often search for a 'Balkan' particularity or exoticism of Croatian architecture, but as they get acquainted with its distant and recent past, they realize that this should not be expected. Dubrovnik and Florence are parts of the same 'story', Turina and Le Corbusier as well.

Of course, particularities exist, but only as a sub-species of the dominant European-Mediterranean architectural concept. What is most valuable in Croatian architecture is its contextualism and the quest for 'megaron-like clarity' that would establish order at least in a small part of the chaos. The best ones know how to select and adapt to new circumstances the architectural 'deposits' that spread on the Internet and in the magazines in large quantities, and thus create new values.

Building Croatia, Croatian architects have built and are still building European culture. In a more important way than many other arts, I would add. If that will remain so in the future still depends on the energy involved and individual passion.

Upravo onako kako je Nikolaus Pevsner svojedobno pitao što je englesko u engleskoj umjetnosti, 44. zagrebački salon prigoda je da se upitamo što je hrvatsko u hrvatskoj arhitekturi, pod pretpostavkom da takvo što doista postoji. Postoji rizik da će odgovor biti jednako neobičan kao u Pevsnerovu slučaju, no još ima smisla potaviti to pitanje u kontekstu ovogodišnjeg salona – ne bi li se okarakterizirala situacija u suvremenoj arhitekturi na potezu od Zagreba do Dubrovnika i od Rovinja do Osijeka.

Postoji li nešto poput tipičnog stila hrvatske arhitekture što bi se moglo razlikovati u okviru međunarodnih arhitektonskih trendova? I s druge strane, kako se hrvatska arhitektura odnosi prema međunarodnoj? Na prvome mjestu mora biti jasno da 44. salon daje nepotpunu sliku hrvatskih građevina, jednostavno zbog toga što odabir napravljen između 556 radova nije reprezentativan uzorak svega što se gradi. U najboljem je slučaju reprezentativan uzorak projekata i građevina koje su tijekom posljednje tri godine realizirali članovi Udruženja hrvatskih arhitekata. No, čak ni to nije istina s obzirom na to da nije svaki član UHA-e predao rad, a ni svi projekti koji su mogli biti uključeni nisu doista dostavljeni. Činjenica da nema gotovo završenog Muzeja suvremene umjetnosti u Zagrebu samo je jedan primjer. U najboljem slučaju, radovi prijavljeni za Salon, uključujući i one koji nisu odabrani, predstavljaju mali dio realiziranih projekata za koje se može smatrati da pripadaju arhitektonskoj domeni. Radovi prijavljeni za Salon, uključujući i one koje nisam odabrao, mnogo su kvalitetniji od reprezentativnog presjeka svih realiziranih građevina. Moj posao u ovom odabiru nije bio pitanje izbora između dobrog i lošeg, nego između dobrog i boljeg. Čak i oni radovi na Salonu koji nisu posve uvjerljivi u svim aspektima, u svim slučajevima daleko nadmašuju standardne građevine kod kojih je arhitektonski sadržaj vrlo nizak ili jednak nuli.

U tome pogledu definitivno postoji razlika između arhitekture i građenja. Kao što je spomenuti Pevsner napisao u ORISU ZAPADNE ARHITEKTURE:

'Spremište za bicikle je građevina; katedrala u Lincolnu je arhitektonsko djelo. Iako je tipološka razlika možda zastarjela, jer spremište za bicikle također može biti arhitektonsko djelo, definicija arhitekture kao onog djelića građevne produkcije pri kojemu kulturna promišljanja i motivi igraju ulogu nesporno je relevantna. Ne može se sve ono što je napisano svrstati u književnost, iako se sve može čitati iz književnog očišta. Isto tako se sve što je izgrađeno može gledati iz arhitektonskog očišta, a da se automatski ne uzdiže u domenu arhitekture. Za razliku od postmodernog kulturnog relativizma šezdesetosmaša, koji – riječima Hansa Holleina - kažu da je sve arhitektura, postoji ograničenja definicija arhitekture koja obuhvaća građevine osmišljene i projektirane s kulturnim nakanama. Posljedica toga jest da sve nije arhitektura.

To, naravno, znači da se ni arhitektonska kritika ne bavi svačim. Činjenica da se arhitektonska kritika bavi samo onim najposebnijim, i da zapravo jedino tako i može postupati, ilustrira prilično neobičnu poziciju te discipline. Arhitektonska kritika govori mnogo o vrlo malo toga, no kaže iznenađujuće malo o onome čega ima mnogo. Usredotočuje se na mali dio građevina o kojima se može govoriti s kulturološkog aspekta, o kojima se već govorilo i ranije i gdje je moguće pronaći riječi da se o njima nešto kaže. Najveći dio izgrađenog okoliša osuđen je na šutnju ili ga se jednostavno ignorira. Disciplina arhitektonske kritike nema niti resursa niti volje da mu da mogućnost izraza. Kao i arhitektu koji gotovo po definiciji ne može napraviti nešto obično (arhitekt uzdiže obično), kritičaru je gotovo nemoguće govoriti o običnome. To arhitekturu i arhitektonsku kritiku stavlja u potpunu izolaciju.

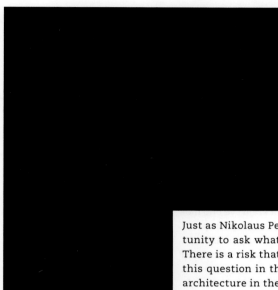

Just as Nikolaus Pevsner once asked what the Englishness of English Art was, the 44th Salon is an opportunity to ask what is Croatian about Croatian architecture, assuming that such a thing actually exists. There is a risk that the answer will be just as peculiar as in Pevsner's case, but it still makes sense to ask this question in the context of this year's Salon – to characterise the present state of affairs of modern architecture in the area between Zagreb and Dubrovnik and between Rovinj and Osijek.

Is there any such thing as a typical style of Croatian architecture which can be distinguished within the framework of international developments in architecture? And vice versa, how does architecture in Croatia relate to international architecture?

In the first place, it has to be clear that the 44th Salon gives an incomplete picture of the buildings constructed in Croatia, simply because the selection made from the 556 entries is not representative of everything being built. At most, it is a representative sample of the projects and structures realised over the last three years by members of the Croatian Association of Architects (CAA). But even that is not true, as not every CAA member has submitted an entry and not all the projects that could have been submitted were actually submitted. The fact that the Museum of Contemporary Art in Zagreb, which has finally been completed, is missing is just one example of this.

At the very best, the entries submitted for the Salon, including those that were not selected, are representative of the small fraction of buildings constructed which can be considered to belong to the architectural domain. The entries submitted for the Salon, including all those which I have not selected, are of a much higher quality than a representative cross-section of all the buildings constructed. My work in putting together this selection was not a matter of choosing between good and bad but between good and better. Even those works within the Salon which are not completely convincing in all respects always stand head and shoulders above the run-of-the-mill buildings produced, of which the architectural content is very low or even zero. In this respect, there is definitely a difference between architecture and building. As the same Pevsner wrote in his AN OUTLINE OF WESTERN ARCHITECTURE: 'A bicycle shed is a building; Lincoln Cathedral is a piece of architecture.' The typological differentiation may be outdated – a bicycle shed can also be architecture – the definition of architecture as that fraction of the building production whereby cultural considerations and motives play a role is certainly relevant. Not everything which is written can be classified as literature, even though everything can be read from a literary perspective. Similarly, everything that is built can be viewed from an architectural perspective without automatically elevating it to the domain of architecture. In contrast to the postmodern cultural relativism of the 1968 generation that everything is architecture – to cite Hans Hollein – there is a more limited definition of architecture which encompasses structures that are conceived and designed with cultural intentions. A consequence of this, is that not everything is architecture.

This, of course, implies that architectural criticism also does not deal with everything. The fact that architectural criticism only deals with the most exceptional, and actually can only do so, illustrates the rather peculiar position of this discipline. Architectural criticism says a great deal about very little and says amazingly little about a great deal. It focuses on the small fraction of structures about which things can be said in cultural terms, about which things have already been said previously, and about which words can be found to say something. The vast majority of the built environment is condemned to silence or simply ignored. The discipline of architectural criticism lacks the resources and the will to give them a voice. Like the architect, who almost by definition is not able to make something ordinary (the architect elevates the ordinary), critics find it almost impossible to talk about the ordinary. This places architecture and architectural criticism in a splendid isolation.

Jedna je stvar to što radovi za Salon nisu tipični za hrvatsku gradnju, a druga je da sam iz prijavljenih radova napravio subjektivan izbor. Ovo drugo automatski proizlazi iz radne procedure koju je Salon usvojio prije šest i tri godine sa Stefanom Boerijem i Manuelom Gausom kao selektorima. Čast mi je biti na njihovom trag izborom koji ne predstavlja nijansiranu i intersubjektivnu vrstu kompromisa kakav može biti rezultat rada ocjenjivačkog suda. Ovaj izbor stotinu projekata moj je osobni izbor, sa svim mojim predrasudama i nedostacima u poimanju, obojen mojim sklonostima i viđenjem onoga što se događa u Hrvatskoj te u kakvom je to odnosu prema međunarodnom europskom kontekstu, što je moj najvažniji orijentir kao urednika časopisa A10 new European architecture.

Izbor između tolikih projekata po sebi je bespredmetan ako se u njega ne uvede nekakav red, konzistencija ili osjećaj koherentnosti. Isto tako, činjenice po sebi nisu novost: postaju smislenima samo onda ako ih predstavimo na koherentan i dosljedan način. Zbog toga knjige koje jednostavno naređaju stotine ili tisuće projekata jedan do drugoga djeluju tako prazno.

Red koji je ovdje uveden postignut je podjelom u kategorije, na način koji bismo mogli opisati kao induktivan, temeljen na projektima prijavljenima za Salon. Nije riječ o deduktivnoj i sustavnoj klasifikaciji arhitektonskog univerzuma, kao da je u pitanju periodički sustav elemenata sastavljen od kategorija koje bi na kraju sve bilo moguće popuniti. Prije bismo mogli reći da je riječ o neusustavljenom skupu kategorija, pri čemu je smjer postupanja od pojedinačnog k općem umjesto obrnuto. Moj izbor također nije napravljen na temelju cjelovitog promišljanja, nego se zasniva na nizu argumenata. Ponekad je jedini faktor iza izbora nekog projekta njegova arhitektonska ili urbanistička kvaliteta u obliku kako je ja vidim. U nekim drugim slučajevima ulogu su odigrali i drugi argumenti budući da se činilo kako su određeni projekti za nešto tipični, da ilustriraju općenitiju tendenciju, odnosno da proširuju ili dopunjuju ostatak moga izbora.

Pri definiranju kategorija nisam išao onoliko daleko kako to čini poznata kineska enciklopedija, Nebesko carstvo dobronamjernog znanja, kako je opisuje J. L. Borges u Analitičkom jeziku Johna Wilkinsa: 'Na kasnijim je stranicama zapisano da se životinje dijele u: a) one koje pripadaju caru, b) preparirane, c) pitome, d) odojke, e) sirene, f) fantastične, g) pse lutalice, h) one koje ova podjela obuhvaća, i) poludjele, j) bezbrojne, k) naslikane vrlo tankim kistom od devine dlake, l) ostale, m) one koje su upravo razbile vrč s vodom, n) one koje izdaleka izgledaju poput muha.'

Naravno, neke nedosljednosti postoje unutar i između kategorija u koje su podijeljeni radovi prijavljeni za Salon. Projekte sam podijelio u devet skupina: a) projekte u povijesnom kontekstu, b) međunarodnu arhitekturu, c) mjesta na kojima se ljudi okupljaju, d) kulturni objekti, e) arhitektura za fizičko i mentalno zdravlje, f) arhitektura za obrazovanje i sport, g) zajedničko stanovanje, h) urbanizam, i) privatne kuće.

Bez obzira na osobnu prirodu ovoga izbora, dok listam kataloge dvaju prethodnih salona, upada mi u oči da postoji sličnost između izbora mojih prethodnika i mojega. To možemo gledati kao znak međunarodnog suglasja o tome što je u hrvatskoj arhitekturi važno, no i kao dokaz perceptivne prilagodbe.

Moj je pogled na hrvatsku arhitekturu onaj s pozicije vanjskog pomatrača. Na njega manje utječe sve ono što se događa unutar Hrvatske od onih elemenata koji prodiru u vanjski svijet i mogu odoljeti usporedbama s međunarodnim trendovima u pripadnom kontekstu. Međunarodno gledano, Hrvatski dosezi uopće nisu loši. Uz glavne arhitektonske zemlje s vodećim položajem u arhitektonskoj diskusiji, poput Švicarske i Španjolske, Hrvatska je, zajedno sa Slovenijom i Estonijom, jedna od manjih europskih zemalja koja je posljednjih godina izazvala priličnu međunarodnu pozornost.

S međunarodnog stajališta, uloga koju igra hrvatska arhitektura pod jakim je utjecajem ograničenog broja arhitekata i arhitektonskih ureda. Ne može se zanijekati da unutar okvira arhitektonske kritike postoji zatvoreni krug pozitivne reakcije koja omogućava da slavni arhitekti postanu još slavniji. Također nije jednostavno izbjeći utjecaj rada koji je već poznat, jer u konačnici će kvaliteta takvog rada biti lakše shvaćena i priznata od kvalitete nepoznatih radova manje istaknutih projektanata. Osim toga, arhitekti s većom reputacijom često dobivaju veće narudžbe za važnije zgrade, što opet rezultira zatvorenim krugom pozitivnog odjeka. Međunarodno poznata imena hrvatske arhitekture, dobro zastupljena na ovome salonu, mogu se smatrati referentnim točkama i orijentirima, a često i posrednicima između hrvatskog i međunarodnog konteksta. Prilično je uočljivo da je Hrvatska igra istaknutiju međunarodnu ulogu u svijetu arhitekture od mnogo većih zemalja kao što je Poljska. To govori o kvaliteti ovdašnje arhitekture, kao i o uspjehu medijskih i marketinških strategija koje se ovdje koriste.

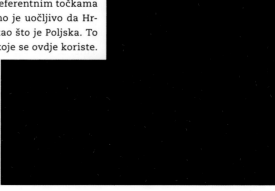

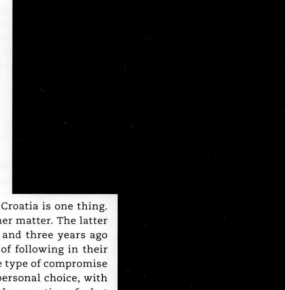

That the entries for the Salon are not typical of the buildings being constructed in Croatia is one thing. The fact that I have made a subjective selection from the entries submitted is another matter. The latter follows automatically from the working procedure adopted by the Salon six years and three years ago with Stefano Boeri and Manuel Gausa respectively as curators. I have the honour of following in their footsteps with a selection which does not represent the nuanced and inter-subjective type of compromise which can be realised via a committee. This selection of a hundred projects is my personal choice, with all the prejudices and blind spots that I have, and is coloured by my preferences and perception of what is happening in Croatia and how that relates to the international European context, which is my primary point of reference as editor of A10 new European architecture.

A selection from so many projects is, in itself, meaningless if no order, consistency or sense of coherence is introduced. Similarly, facts in and of themselves are not news: they become meaningful only when presented in a coherent and consistent fashion. That is also why books which simply set hundreds of thousands of projects next to each other seem so empty.

The order introduced here was realised by a division into categories in a manner which can be described as inductive, based on the projects submitted for the Salon. It is not a deductive and systematic classification of the universe of architecture, as if it were a periodic table of the elements, consisting of categories which could all eventually be filled in. Rather, it is an unsystematic set of categories, with the working direction going from specific to general instead of vice versa. My selection was also not made on the basis of uniform considerations but rather based on a variety of arguments. Sometimes, the only factor behind the selection of an entry was its quality in terms of architecture or urban design as I saw it. At other times, secondary arguments played a role as well, as certain projects seemed to typify something, to illustrate a more general tendency, or to supplement or complement the rest of my selection.

In defining categories, I did not go as far as does the famous Chinese encyclopaedia, the Celestial Empire of Benevolent Knowledge, as described by J.L. Borges in The Analytical Language of John Wilkins: 'In its remote pages it is written that the animals are divided into: (a) belonging to the emperor, (b) embalmed, (c) tame, (d) sucking pigs, (e) sirens, (f) fabulous, (g) stray dogs, (h) included in the present classification, (i) frenzied, (j) innumerable, (k) drawn with a very fine camelhair brush, (l) et cetera, (m) having just broken the water pitcher, (n) that from a long way off look like flies.'

Of course, some inconsistencies exist within and between the categories into which the entries for this Salon were divided. I divided the projects into nine groups: a) projects in a historical context, b) international architecture, c) settings where the public can gather, d) cultural buildings, e) buildings for physical and mental health, f) buildings for education and sport, g) collective housing, h) urban design, i) private houses.

Regardless of the personal nature of this choice, it strikes me, as I thumb through the catalogues of the two previous Salons, that there is convergence between the selections made by my predecessors and by me. This can be viewed as a sign of international consensus on what is significant in architecture in Croatia , but it can also be seen as proof of filtered perceptions.

My view of Croatian architecture is that of an outsider. It is influenced less by everything going on inside Croatia than by those elements which penetrate to the outside world and which can withstand comparisons with international developments in that context. Internationally, Croatia is not doing badly at all. Next to major architectural countries with a dominant position in the architectural debate, such as Switzerland and Spain, Croatia is one of the smaller European countries, together with Slovenia and Estonia, which have caused quite an international furore in recent years.

Oni projekti iz Hrvatske koji su poznati van njenih granica uklapaju se u europsku arhitekturu na različitim razinama, počevši od prirode narudžbi. U središtu pozornosti su građevine javne ili kolektivne naravi. Javne zgrade, javni prostori i kolektivno stanovanje čine većinu prijavljenih radova na Salonu, kao i onih odabranih.

Javna priroda arhitekture također igra temeljnu ulogu u europskoj arhitekturi. Od početka 19. stoljeća diljem Europe postoji barem latentno uvjerenje da arhitektura pripada društvu u cjelini i želi mu služiti, iako to uvjerenje nije uvijek primjenjivano u praksi na tako otvoren način, a svakako ne uvijek s istim uvjerenjem. S povijesnog stajališta, mišljenje da arhitektura ima odgovornost prema društvu može se gledati kao značajka prijelaza u građansko društvo, koji je počeo sredinom 18. stoljeća. Općenito govoreći, otada se uloga arhitekta počela mijenjati. Od nekoga tko je projektirao kuće za pojedince i institucije kao što su crkva i država, on je (arhitektura je u to doba još uvijek bila muško zvanje) postao netko tko pomaže u oblikovanju društva. Od 19. stoljeća arhitektura je prije svega gradsko umijeće, a ukorijenila se i ideja da arhitekturu (a kao posljedicu i urbanizam i krajobraznu arhitekturu) možemo gledati kao matricu i sadašnjeg i budućeg društva.

U toj europskoj perspektivi arhitektura i urbanizam nisu zamišljeni samo za naručitelja ili izvornog korisnika. Arhitektura je namijenjena i budućim korisnicima. Osim toga, zgrada ne pripada samo njezinu zakonskom vlasniku. Zahvaljujući njezinoj nezaobilaznoj i vrlo opipljivoj nazočnosti, pripada i gradu, selu i krajobrazu čiji je dio. To znači da praktično svaka građevina vidljiva s javne ceste ima javnu dimenziju. To se još više odnosi na arhitekturu koju se financira javnim sredstvima za dobrobit društva, posebno ako je i otvorena za javnost.

Činjenica da je dobar dio moderne arhitekture javne ili kolektivne prirode, te da uključuje arhitektonske i urbanističke zahvate čiji utjecaj seže mnogo dalje od pojedinačnih interesa naručitelja, jedan je od znakova da je Hrvatska u skladu s ostalim europskim trendovima. Zbog različitih razloga, uključujući i činjenicu da je razina prosperiteta u Hrvatskoj viša nego u nekim drugim dijelovima središnje i jugoistočne Europe, Hrvatska manje pati od projektnog mentaliteta 'svatko za sebe', tako duboko ukorijenjenog u praktično svim mediteranskim zemljama i na Balkanu, a posebno u onim zemljama koje su se tek nedavno oslobodile desetljeća nametnute komunističke vlasti kolektiva. U Hrvatskoj su, dakle, privatni interesi neprevidivo nazočni u izgrađenom okolišu, no upada u oči da je mnogo prostora izdvojeno za brojne kolektivne i javne građevinske projekte.

Drugi aspekt hrvatske arhitekture, vrlo u skladu s općim europskim trendovima, jest uloga povjerena suvremenoj arhitekturi u pogledu oblikovanja društva. Kao što je to slučaj i drugdje, arhitekti u Hrvatskoj često se žale na predrasude, neznanje i konzervativnost naručitelja, graditelja, vlasti i stanovništva kada je u pitanju nova arhitektura. Iako su takvi prigovori ponekad opravdani, stvara se impresivna količina nove arhitekture, pa to možemo gledati kao najbolji dokaz da takve pritužbe ne odgovaraju uvijek zbilji.

Budući da je opća razina građevinske aktivnosti u Hrvatskoj razmjerno ograničena, količina suvremene arhitekture prisutne u urbanom okolišu manja je nego u zemljama poput Nizozemske i Belgije, gdje vlada beskonačna manija gradnje i gdje se izgrađeni okoliš povećao za 50% u nekoliko desetljeća, iako je rast broja stanovnika vrlo malen.

Bilo kako bilo, posvuda u Hrvatskoj nastaje arhitektura koja može izdržati usporedbu s europskim razvojem. To se najbolje vidi na području poslovnih zgrada koje ikonički oblik spajaju s međunarodnim standardom kvalitete, što je posebno vidljivo u Zagrebu. Zapravo je opća nazočnost takvih građevina ono što otežava pouzdanu ocjenu njihove arhitektonske vrijednosti budući da projekte i građevine iste kvalitete i veličine možemo pronaći svuda u svijetu. Iako posrijedi možda i jesu jedinstveni projekti u specifičnom kontekstu, takve su zgrade iz međunarodnog očišta po prirodi generičke. Iako su projektirane za specifičnu lokaciju, daju dojam da nisu vezane uz mjesto te da ih lako možemo zamisliti na drugim lokacijama. To znači da bi se takve zgrade lako mogle zamijeniti. Ta se pojava ne odnosi samo na poslovne zgrade, nego i na druge građevine koje sežu od sportskih stadiona do aerodromskih terminala; one imaju nezavisno mjesto u urbanom krajoliku.

Takve pojedinačne objekte ne možemo bez poteškoća svrstati u primjere tipične hrvatske arhitekture. Što se onda može smatrati hrvatskim? Definiranje kulture na osnovi granica zemlje može biti vrlo problematično, posebno u regiji gdje se svaki oblik nacionalne organizacije u prošlosti pokazao vrlo privremenim. Ne iznenađuje da u 'mladoj' državi s dugom poviješću i nedavno okončanim ratom proces promišljanja vlastite kulture i povijesti te mirenja s njom ima drukčije značenje od onoga u zemljama koje su stoljećima bile stabilno strukturirane.

Još uvijek je, međutim, otvoreno pitanje što je karakteristika hrvatskog identiteta, također i na području arhitekture, posebice u zemlji gdje nacionalnost nije transparentan koncept koji je lako definirati. Oblikovanje vlastite nacionalne povijesti, poput onoga u 19. stoljeću, više nije na dnevnom redu. Prilično je jasno da se suvremeni arhitekti i kritičari arhitekture u Hrvatskoj tek povremeno referiraju na hrvatsku povijest. Definitivno ne postoji lokalni izričaj

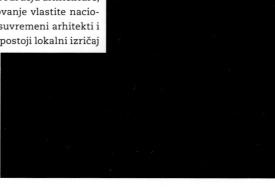

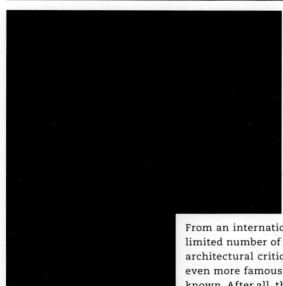

From an international perspective, the role played by Croatian architecture is strongly influenced by a limited number of architects and architectural firms. It cannot be denied that, within the framework of architectural criticism, there is a positive feedback loop which ensures that famous architects become even more famous. It is also no simple matter to escape being influenced by work which is already well known. After all, the quality of such work will be more easily understood and recognised than the quality of unknown works by less prominent designers. In addition, architects with a bigger reputation are often awarded larger commission for more prominent buildings, again resulting in a positive feedback loop. The internationally famous names in Croatian architecture, which are amply represented in this Salon, can be considered as the points of reference and benchmarks, and also often as the mediators, between the Croatian context and an international one.

It is, incidentally, quite striking that Croatia plays a more prominent international role in the world of architecture than much larger countries such as Poland. This says something about the quality of the architecture produced here as well as the success of the media and marketing strategies used here.

The elements from inside Croatia which reach the outside world fit in with European architecture at various levels, starting with the nature of the commissions awarded to architects. The focus is on buildings with a public or collective character. Public buildings, public spaces and collective housing form a majority of the entries submitted as well as of those selected.

The public nature of the architecture also plays an essential role in European architecture. Since the beginning of the 19th century, there has been the at least latent conviction throughout Europe that architecture belongs to, and is intended to serve, society as a whole, even though this conviction has not always been applied in practice in such an outspoken fashion and certainly not always with the same conviction. From a historical perspective, the view that architecture has a responsibility to society can be seen as characteristic of the transition to a middle-class society, which began in the mid-18th century. Generally speaking, from then on, the role of the architect began to change. From someone who designed buildings for individuals and for institutions such as the church and the state, he (architecture was still a profession for men at the time) became someone who helped shape society. Since the 19th century, architecture has been first and foremost a civic art, and the idea has taken root that architecture (and by extension also urbanism and landscape architecture) can be seen as a template of present as well as future society. In this European perspective, architecture and urban development are intended not only for the client or the initial user. Architecture is also for those who will use it in future. In addition, a building belongs not only to its legal owner. Due to its inevitable and very tangible presence, it also belongs to the city, the village, and the landscape of which it is a part. This means that practically every building which is visible from the public road has a public dimension. This is even truer of architecture which is funded with public resources for the benefit of society, especially if it is also open to the public.

The fact that much of the modern architecture in Croatia has a public or collective character and involves architectural and urban activities with an impact going much further than the interests of private parties alone is one of the signs that Croatia is in tune with developments elsewhere in Europe. For various reasons, including the fact that the level of prosperity in Croatia is higher than in some other parts of Central and South-eastern Europe, Croatia suffers less from the 'every man for himself' planning mentality which is so deeply rooted in practically all Mediterranean countries and the Balkans, and especially in those countries which have only recently freed themselves from decades of imposed Communist collective rule. In Croatia, private interests also definitely have an unmistakable presence in the built-up environment, but it is also a striking fact that a great deal of space is reserved for the many collective and public building projects.

ili regionalni stil gradnje, kao ni tradicija zanatstva koji bi mogli služiti kao polazište suvremenom obliku arhitekture, a da ga možemo nazvati tipično hrvatskim. Kao što je to slučaj i u mnogim drugim postkomunističkim zemljama, društveni prevrati i, u hrvatskom slučaju, posebice rat stvorili su prekid čiji je rezultat to da postoji vrlo malo očiglednih uzora i prethodnika koji bi mogli usmjeriti mlađi naraštaj. Najvećim dijelom mlađi naraštaji nisu imali izbora nego da izume vlastitu arhitekturu.

Ne želeći upasti u klopku nagađanja o masovnoj psihologiji, slaba nazočnost prošlosti mogla bi se, barem djelomice, gledati kao poslijeratna pojava, kao izraz želje, makar i vrlo nesvjesne, da se krene ispočetka i prošlost ostavi za sobom. Činjenica da 'Leksikon Atlasa arhitekture 20. stoljeća u Hrvatskoj', jedan od projekata odabranih za Salon, ne seže dalje od sedamdesetih može se gledati ne samo kao arhitektonski stav, kao implicitna prosudba kvalitete onoga što je sagrađeno kasnije, nego i kao svjesna ili nesvjesna negacija još uvijek neriješenog razdoblja. U onoj mjeri u kojoj povijest igra ulogu u oblikovanju hrvatske kulturne slike o sebi, vidljivo je da stvar nije toliko u samoj povijesti kao temeljnom procesu, koliko u promjenjivosti hrvatske povijesti. Neprestani tijek osnovna je značajka 'hrvatskosti' – što dokazuje i Saša Randić konceptom latentne nestabilnosti, Eve Blau i Ivan Rupnik u knjizi o preobrazbi Zagreba kao stanja te Krunoslav Ivanišin konceptualizacijom Hrvatske kao niza 'krajolika tranzicije'.

Ideja da je nestabilnost temeljni aspekt hrvatske arhitektonske kulture privlačna je, no donekle varljiva. Atraktivnost ideje nestabilnosti sastoji se u njezinoj sposobnosti da objasni slučajnost, improvizaciju i nesavršenost hrvatske arhitekture. Loša strana te ideje jest da je manje pogodna za objašnjavanje njezine suptilnosti, dubine i dosljednosti. Varljiva je i zbog toga što se promjenjivost također može gledati i kao tipična suvremena pojava koja znatno utječe na izgled izgrađenog okoliša, a doživljava se i u društvima koja se čine mnogo stabilnijima. To hrvatsku arhitekturu u većoj mjeri čini fenomenom suvremenosti, nego specifično hrvatskom pojavom.

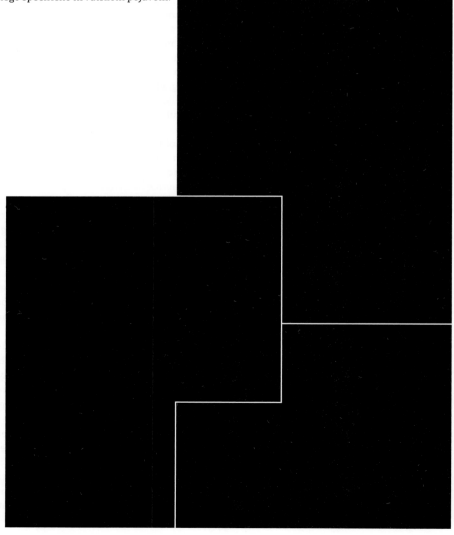

A second aspect of Croatian architecture which is very much in line with overall European trends is the role assigned to modern architecture when it comes to moulding society. As is the case elsewhere, architects in Croatia also have a tendency to complain about the prejudice, ignorance and conservatism of clients, builders, the government and the population when it comes to new architecture. Although such complaints may sometimes be justified, an impressive amount of new architecture is being created, and this can be viewed as the best possible proof that such complaints are not always in line with reality.
As the overall level of building activity in Croatia is relatively limited, the amount of modern architecture present in the urban landscape is less than in countries such as the Netherlands and Belgium, where an endless building frenzy rules and where the built-up environment has increased by 50% within a few decades even though population growth has been very limited.

Nevertheless, architecture can be seen going up everywhere in Croatia which can withstand the comparison with developments elsewhere in Europe. This can be seen most clearly in the area of corporate architecture, which combines an iconic form with an international standard of quality. This is especially visible in Zagreb. It is actually the universal presence of such buildings that makes it difficult to arrive at a reliable assessment of their architectural value, as designs and buildings of the same quality and calibre can be found all over the world. Although it may involve a unique project within a specific context, such buildings are generic in nature from an international perspective. Although designed for a specific location, they give the impression of being footloose and could easily be conceived in other locations. This means that such buildings can easily be exchanged. This phenomenon applies not only to office buildings, but also to other buildings with an inward focus, ranging from sports stadiums to airport terminals, which have an independent place in the urban landscape.

Such unique objects can not easily be classified as examples of typical Croatian architecture. What then can be considered as Croatian? Defining a culture on the basis of a country's borders can be a very tricky affair, especially in a region where every form of national status in the past has turned out to be of a very temporary nature. It is not surprising that, in a 'young' country with a long history and a recent war behind it, the process of reflecting on and coming to terms with one's own culture and history has a different meaning from in countries which have had a stable structure for many centuries.
However, we are still left with the question of what is characteristic of the Croatian identity, also in the area of architecture, particularly in a country where nationality is not a transparent and easily defined concept. The construction of one's own national history, such as took place in the 19th century, is no longer on the agenda. It is quite clear that contemporary architects and architectural critics in Croatia make only occasional references to a Croatian history. There is definitely no vernacular, no regional building style, and no tradition of skilled craftsmanship which could serve as a point of departure for a modern form of architecture which could be called typically Croatian. And as is the case in many other post-Communist countries, social upheavals and, in the case of Croatia, the war in particular have created a discontinuity as a result of which there are few obvious masters and predecessors who could serve as guides for a younger generation. For the most part, the younger generations have had no choice but to invent their own architecture.

Without wishing to fall into the trap of mass psychology speculations, the very low profile assigned to the past could, at least in part, be viewed as a post-war phenomenon, as the expression of a wish, even if very unconscious, to start over again and leave the past behind. The fact that the Lexicon Atlas of the 20th century Architecture in Croatia, one of the projects selected for this Salon, goes no further than the 1970s can be viewed not only as an architectural statement, as an implicit judgement on the quality of what was built later, but also as a conscious or unconscious negation of a still unresolved period.

To the extent that history plays a role in shaping the Croatian cultural self-image, it is not so much the history itself as the underlying process, the changeability of Croatian history, that matters. This state of flux is an essential characteristic of 'Croatianness' – as is also argued by Sasa Randic with his concept of latent instability, by Eve Blau and Ivan Rupnik in their book on Zagreb's transition as a condition and by Krunoslavs Ivanisin with his conceptualisation of Croatia as a collection of 'landscapes of transition.' The idea that instability is an essential aspect of Croatian architectural culture is enticing but also somewhat misleading. The attractiveness of the idea of instability lies in its ability to explain the incidental nature, the improvisation and imperfection of Croatian architecture. The downside is that it is less suitable when it comes to explaining its subtlety, depth and consistency. And it is somewhat misleading because changeability can also be viewed as a typically modern phenomenon, which also has a large impact on how the built environment looks and is experienced in societies which would appear to be much more stable. This would make it more of a contemporary phenomenon rather than a specifically Croatian one.

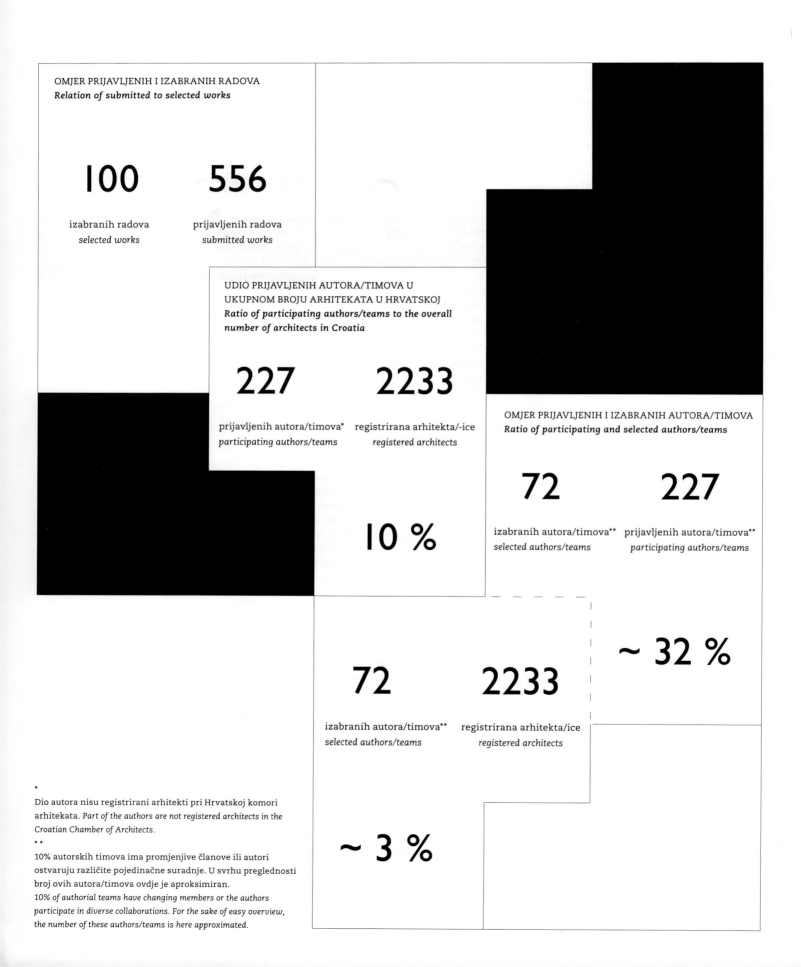

OMJER PRIJAVLJENIH I IZABRANIH RADOVA
Relation of submitted to selected works

100

izabranih radova
selected works

556

prijavljenih radova
submitted works

UDIO PRIJAVLJENIH AUTORA/TIMOVA U
UKUPNOM BROJU ARHITEKATA U HRVATSKOJ
*Ratio of participating authors/teams to the overall
number of architects in Croatia*

227

prijavljenih autora/timova*
participating authors/teams

2233

registrirana arhitekta/-ice
registered architects

10 %

OMJER PRIJAVLJENIH I IZABRANIH AUTORA/TIMOVA
Ratio of participating and selected authors/teams

72

izabranih autora/timova**
selected authors/teams

227

prijavljenih autora/timova**
participating authors/teams

72

izabranih autora/timova**
selected authors/teams

2233

registrirana arhitekta/ice
registered architects

~ 32 %

~ 3 %

*
Dio autora nisu registrirani arhitekti pri Hrvatskoj komori
arhitekata. *Part of the authors are not registered architects in the
Croatian Chamber of Architects.*
**
10% autorskih timova ima promjenjive članove ili autori
ostvaruju različite pojedinačne suradnje. U svrhu preglednosti
broj ovih autora/timova ovdje je aproksimiran.
*10% of authorial teams have changing members or the authors
participate in diverse collaborations. For the sake of easy overview,
the number of these authors/teams is here approximated.*

TOP 17 AUTORA/TIMOVA PREMA BROJU
PRIJAVLJENIH RADOVA
*Top 17 authors/teams according to the number of
submitted entries*

Otto Barić	15
3LHD	12
Projectura	11
AAG Design centar	10
NOP / Ivan Galić	10
Penezić / Rogina	9
UPI-2M	9
XYZ arhitektura	9
Bodrožić / Rališ / Ravnić [1]	8
Ćurković / Zidarić	8
Ivanišin / Kabashi	8
Mikelić / Vreš	8
Grubiša / Žalac [2]	8
Ljubomir Miščević	7
Neno Kezić [3]	7
Studio UP	7
Urbane Tehnike	7

28 %

NAVEDENI AUTORI/TIMOVI ZASTUPAJU 28% UKUPNO
PRIJAVLJENIH RADOVA. *The listed authors/teams cover
28% of all submitted entries*

TOP 17 AUTORA/TIMOVA - PREMA BROJU
IZABRANIH RADOVA
*Top 17 authors/teams according to the number of
selected entries*

Randić-Turato	5/5
3LHD	5/12
Njirić⁺ arhitekti	4/5
Goran Rako	4/5
Dinko Peračić	3/4
Studio UP	3/7
Ivanišin / Kabashi	3/8
XYZ arhitektura	3/9
Andrej Uchytil [4]	2/3
Petar Mišković [5]	2/4
Roman Šilje [6]	2/4
Grubiša / Žalac / Presečan / Gamulin [7]	2/4-8
Svebor Andrijević	2/5
Vedran Duplančić	2/5
Vladimir Kasun	2/5
Mikelić / Vreš	2/8
NOP / Ivan Galić	2/10

Pojedini radovi izabranih autora/timova ostvareni su u
različitim autorskim suradnjama *Particular entries of the selected
authors/teams were realized in different authorial collaborations*
1   sa/*with* Ivan Rališ 5/8
2   sa/*with* Marin Jelčić, Zvonimir Kralj, Igor Presečan,
     Ida Polzer, Danijela Škarica, Damir Gamulin
3   sa/*with* Emil Šverko, Nora Roje
4   sa/*with* Renata Waldgoni, Zrinka Barišić Marenić,
     Emir Kahrović
5   sa/*with* Ivana Franke, Tomislav Pavelić
6   sa/*with* Ana Kunst, Jana Dabac, Dubravko Bačić,
     Milan Štrbac, Dinka Pavelić, Boris Frgić
7   sa/*with* Marin Jelčić, Zvonimir Kralj, Ida Polzer,
     Danijela Škarica, Silvija Pranjić, Ela Prižmić

52 x 1

52% AUTORA/TIMOVA NA IZLOŽBI ZASTUPLJENO JE
JEDNIM RADOM.
*52% of authors/teams at the exhibition are
represented by one entry only.*

MJESTO RADA IZABRANIH AUTORA-TIMOVA
(IZABRANI/PRIJAVLJENI)
Office location of the selected authors/teams
(selected/participating)

mjesto location	autora-timova authors/teams
Zagreb	58/175
Split	9/15
Rijeka	2/3
Pula	1/4
Lugano	1/1
Beč	1/3

80 %

80 % IZABRANIH AUTORA/TIMOVA RADI U ZAGREBU.
80 % of selected authors/teams work in Zagreb

MJESTO RADA PRIJAVLJENIH AUTORA/TIMOVA
Office location of participating authors/teams

mjesto location	autora/timova authors/teams
Zagreb	175
Split	15
Zadar	10
Pula	4
Rijeka	3
Karlovac	2
Rovinj	2
Samobor	2
Varaždin	2
Hvar	1
Kraljevica	1
Momjan	1
Opatija	1
Osijek	1
Poreč	1
Beč	3
Oslo	2
Lugano	1

78 %

78 % PRIJAVLJENIH AUTORA/TIMOVA RADI U ZAGREBU.
78 % of participating authors/teams work in Zagreb

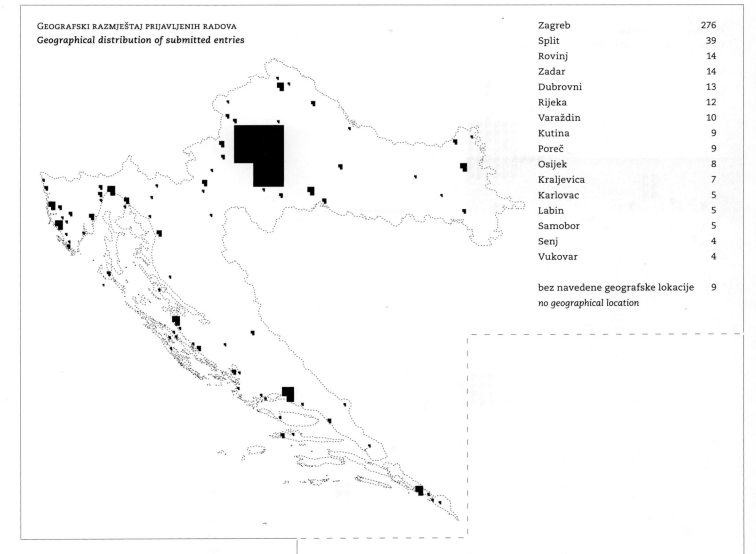

Geografski razmještaj prijavljenih radova
Geographical distribution of submitted entries

Zagreb	276
Split	39
Rovinj	14
Zadar	14
Dubrovni	13
Rijeka	12
Varaždin	10
Kutina	9
Poreč	9
Osijek	8
Kraljevica	7
Karlovac	5
Labin	5
Samobor	5
Senj	4
Vukovar	4
bez navedene geografske lokacije	9
no geographical location	

Daruvar, Koprivnica, Opatija, Šibenik

x3

Beli Manastir, Biograd N/M, Hvar, Jasenovac, Knin, Krapinske Toplice, Makarska, Mali Lošinj, Matulji, Novigrad, Pula, Sisak, Sv.Nedjelja, Vinkovci, Višnjan, Zabok, Žminj

x2

Bale, Begovo Razdolje, Bibinje, Bilice, Bribir, Cavtat, Čakovec, Čiovo, Duga Resa, Đakovo, Gruda, Ičići, Imotski, Iž, Jastrebarsko, Krapina, Marija Bistrica, Milna, Našice, Novi vinodolski, Omiš, Omišalj, Pag, Preko, Prelog, Primošten, Rakalj, Ravna gora, Sali, Seget Vranjica, Slunj, Smolići, Srebreno, Stari Grad, Sv.Lovreč, Sv.Martin, Turanj, Ugljan, Umag, Velebit, Velika Gorica, Vid, Virovitica, Vodnjan, Zmajevac

x1

Nairobi, Karaku, Hasselt, Beč, Cetinje, Ljubljana, Bamiyan, Kotka, Bjørnholt, Oslo, Alžir, Las Palmas, Linz, Gradiška, Ferizoj, Ho Shi Min, Kotor, Dubai, St.Etienne

x1

Od ukupno 556 prijavljenih radova 296 radova nalaze se u središnjoj Hrvatskoj, 96 u Dalmaciji, 73 u Istri i Kvarneru, 36 u Slavoniji i 16 u Sjevernoj Hrvatskoj.

Of the overall number of 556 submitted entries, 296 are in Central Croatia, 96 in Dalmatia, 73 in Istria and Kvarner, 36 in Slavonia, and 16 in Northern Croatia.

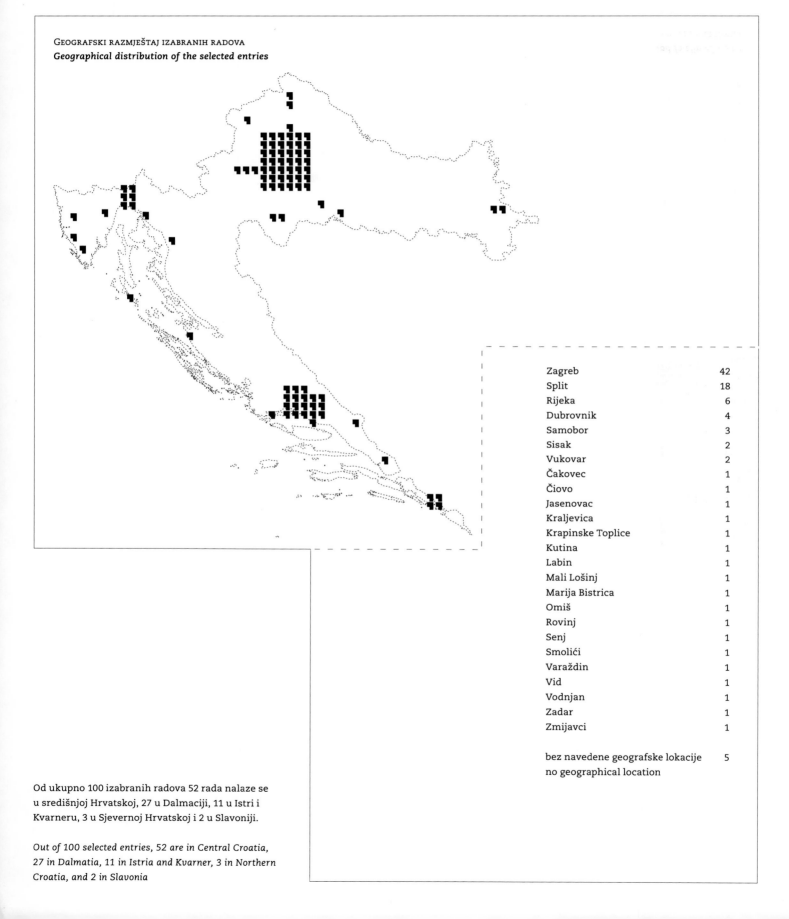

GEOGRAFSKI RAZMJEŠTAJ IZABRANIH RADOVA
Geographical distribution of the selected entries

Zagreb	42
Split	18
Rijeka	6
Dubrovnik	4
Samobor	3
Sisak	2
Vukovar	2
Čakovec	1
Čiovo	1
Jasenovac	1
Kraljevica	1
Krapinske Toplice	1
Kutina	1
Labin	1
Mali Lošinj	1
Marija Bistrica	1
Omiš	1
Rovinj	1
Senj	1
Smolići	1
Varaždin	1
Vid	1
Vodnjan	1
Zadar	1
Zmijavci	1
bez navedene geografske lokacije	5
no geographical location	

Od ukupno 100 izabranih radova 52 rada nalaze se
u središnjoj Hrvatskoj, 27 u Dalmaciji, 11 u Istri i
Kvarneru, 3 u Sjevernoj Hrvatskoj i 2 u Slavoniji.

*Out of 100 selected entries, 52 are in Central Croatia,
27 in Dalmatia, 11 in Istria and Kvarner, 3 in Northern
Croatia, and 2 in Slavonia*

PROSJEČNA STAROST PRIJAVLJENIH AUTORA-TIMOVA
Average age of participating authors/teams

godina years	autora/timova authors/teams	%
0-35	74	**32 %**
35-50	99	**54 %**
50-100	54	**24 %**

PROSJEČNA VELIČINA ARHITEKTONSKOG TIMA NA PROJEKTU / MEĐU IZABRANIM RADOVIMA
Average size of an architectural team on a project / among the selected entries

članova tima
team members

5

UDIO RADOVA PREMA KATEGORIJAMA
Share of entries in particular categories

	prijavljeni submitted	izabrani selected
arhitektura *architecture*	78%	72%
urbanizam *urban planning and design*	18%	21%
interijer *interior design*	4%	2%
ostalo *other*	0.07%	5%

45 %

45% IZABRANIH RADOVA U SPLITU SU URBANISTIČKI PROJEKTI.
45 % of the selected entries in Split are city-planning projects

OMJER REALIZACIJA I PROJEKATA MEĐU PRIJAVLJENIM RADOVIMA
Ratio of realizations and projects among the submitted entries

realizacija *realizations*	projekt *project*
165	391

37 %

37% IZABRANIH RADOVA SU REALIZACIJE.
37 % of the selected entries are realizations.

BROJ NATJEČAJNIH RADOVA / OD UKUPNO PRIJAVLJENIH RADOVA
Number of competition entries / in the total number of submitted entries

natječajnih radova *competition entries*	prijavljenih radova *submitted entries*
255	556

65 %

65% IZABRANIH RADOVA SU NATJEČAJNI PROJEKTI.
65% of selected entries are competition projects

UDJELI PROJEKATA ZA JAVNI I PRIVATNI SEKTOR /
MEĐU PRIJAVLJENIM RADOVIMA
Share of public and private investments /
among the submitted entries

49%   projekata za javni sektor
            of public investments

47%   projekata za privatni sektor
            of private investments

Kod 19 radova sektor nije određen.
In 19 entries the sphere has not been determined.

UDJELI PROJEKATA ZA JAVNI I PRIVATNI SEKTOR /
MEĐU IZABRANIM RADOVIMA
Share of public and private investments /
among the selected entries

61%   projekata za javni sektor
            public investments

31%   projekata za privatni sektor
            private investments

Kod 8 radova sektor nije određen.
In 8 entries the sphere has not been determined

UDJELI TIPOVA JAVNIH
GRAĐEVINA / MEĐU
PRIJAVLJENIM RADOVIMA
Share of the public structure
types / among the submitted
entries

prosvjeta	30%
education	
kultura	10%
culture	
sport	28%
sports	
zdravstvo	9%
health care	
uprava	11%
administration	
crkve	12%
churches	

88% škola i 70% vrtića nalazi se u Zagrebu.
88% of schools and 70% of nurseries are located
in Zagreb

UDJELI TIPOVA PRIVATNIH GRAĐEVINA / MEĐU
PRIJAVLJENIM RADOVIMA
Share of private structure types / among the
submitted entries

poslovne	33%
commercial and office	
stambeno/	
poslovne	13%
residential and office	
višestambene	20%
multi-unit residential	
individualne	24%
individual	
turizam/	
povremeno st.	10%
tourism/	
temporary dwelling	

ODNOS PREMA POVIJESTI I SJEĆANJU
Dealing with history and memory

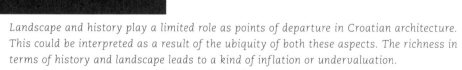

Krajolik i povijest kao polazišne točke hrvatske arhitekture imaju ograničenu ulogu. To se može protumačiti kao rezultat rasprostranjenosti oba ta aspekta. Povijesno i krajobrazno bogatstvo vodi do neke vrste inflacije ili podcjenjivanja. Postoje, naravno, projekti koji krajolik koriste kao polazišnu točku, no ima ih malo i međusobno su razdvojeni. Isto tako, nema mnogo projekata koji ulaze u smislen dijalog s poviješću i memorijom svoje specifične lokacije.

U rijetkim slučajevima gdje je stvoren poseban odnos povijesnu povezanost često obilježava određeni odmak. Rijetko je prisutna potpuna identifikacija s prošlošću ili arheološki precizna vrsta mimikrije.

Nikada nije riječ o jednostavnoj zaljubljenosti u prošlost. Gotovo je uvijek posrijedi suvremena interpretacija povijesti i memorije, što otkriva i pojačava udaljenost između sadašnjosti i prošlosti više nego što je smanjuje. Na taj se način pokazuje određena količina otpora prema prošlosti, a da ne dolazi do potpunog prekida. Koliko god to paradoksalno zvučalo, taj se aspekt suvremene hrvatske arhitekture dobro uklapa u tradiciju svjesnog stvaranja nelagodnog suglasja s prošlošću, što primjerice nalazimo i u arhitekturi moderne šezdesetih, pedesetih i tridesetih.

Landscape and history play a limited role as points of departure in Croatian architecture. This could be interpreted as a result of the ubiquity of both these aspects. The richness in terms of history and landscape leads to a kind of inflation or undervaluation.

There are of course projects which have the landscape as their point of departure, but these are few and far between. Similarly, there are not many projects which enter into a meaningful dialogue with the history and memory of their specific location.

And in those few instances where some kind of special relationship is created, the historical link is often marked by a certain detachment. Rarely is there a total identification with the past or an archaeologically precise type of mimicry. It is never just a simple love affair with the past. There is almost always a contemporary interpretation of history and memory involved, which reveals and strengthens the distance between the present and the past rather than narrowing it. In this way, a certain amount of resistance is displayed to the past without making a complete break.

As paradoxical as it may sound, this aspect of contemporary Croatian architecture fits in quite well with the tradition of creating a consciously uneasy harmony with the past which, for example, can also be found in the modern architecture situated in historic contexts in Croatia in the 1960s, 1950s and 1930s.

RIVA SPLIT
Split Waterfront

Grad Split i prostor Rive kao paradigma njegove povijesti i karaktera jedna su od najzanimljivijih i najvažnijih točaka Mediterana. Prostor Rive nalazi se ispred Dioklecijanove palače, nekadašnjeg doma rimskog cara, iz koje je tijekom stoljeća nastao grad.

Riva je fokalna točka dodira grada s morem.Riva (250 x 55 m) glavni je javni trg, prostor za odvijanje svih društvenih događanja, dnevna šetnica, noćni korzo, mjesto odvijanja sportskih događaja, crkvenih procesija, festivala i proslava. Projekt reartikulira prostor za sva navedena događanja i usklađuje ih u novu integriranu površinu. Osim oblikovanjem, arhitektonsko rješenje i materijalima odgovara na sve uporabne izazove s kojima se Riva susreće. Svi elementi i oprema su posebno dizajnirani za ovaj projekt, pokušavajući se uklopiti u lokalni duh i atmosferu.

AUTORI AUTHORS : 3LHD; Saša Begović, Marko Dabrović, Tatjana Grozdanić - Begović, Silvije Novak, Irena Mažer
Suradnici COLLABORATORS : Numen / For Use: Nikola Radeljković, Sven Jonke, Christoph Katzler - dizajn urbane opreme / urban mobiliar design), Jelenko Hercog, Ines Avdić - krajobraz / landscape architect
LOKACIJA LOCATION : Split
GODINA PROJEKTIRANJA DESIGN YEAR : 2005.
ZAVRŠETAK GRADNJE COMPLETION : 2007.
INVESTITOR CLIENT : Grad Split / City of Split
POVRŠINA PARCELE SITE AREA : 25.972 m2
POVRŠINA TLOCRTA FOOTPRINT : 14.053 m2
FOTOGRAFIJA PHOTOGRAPHY :
Domagoj Blažević, Damir Fabijanić, Mario Jelavić

The oldest depiction of Split, 1,700 years-old Diocletian's Palace with the sea in front

The sea has always been the southern border of the Palace

Pixelated sea as a pattern for the new plating

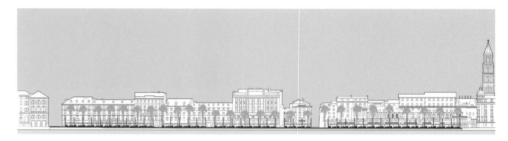

The city of Split and its waterfront as a paradigm of its history and character are one of the most interesting and most important points of the Mediterranean. The waterfront (Riva) is situated in front of the Diocletian Palace, the former home of a Roman emperor, from which the city emerged in the course of centuries.

The waterfront is the focal point where the city meets the sea. Riva (250 x 55 m) is the main city square, a space where all public events take place, a day and night promenade, a place where sporting events are organized, as well as religious processions, festivals, and festivities. The project re-articulates this area for all the mentioned events and re-aligns them into a new integrated surface. Apart from architectural design, this solution also uses adequate materials to meet all the challenges Riva encounters in its usage. All elements and equipment are specially designed for this project in the attempt to make them fit into the local spirit and atmosphere.

TRG PETRA ZORANIĆA
Petar Zoranić Square

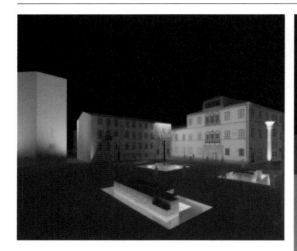
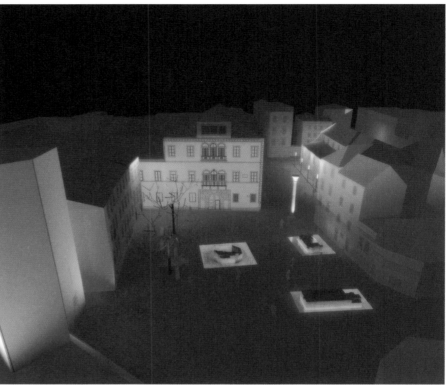

Postoje mjesta čija je ljepota skrivena ispod koprene svakodnevnog, tada arhitekt treba imati hrabrosti da poput Anne Lacaton i Jean-Philippe Vassala na uređenju trga u Bordeauxu zapravo ne učini ništa osim da pokaže ono što je već prisutno, iako skriveno.
Zadar je grad, posebice njegova povijesna jezgra, mjesto na kojem na vrlo malom prostoru istovremeno postoje različiti povijesni slojevi - od ostataka drevnog rimskog imperija, preko romanike, srednjeg vijeka do današnjih dana. Osnovni je koncept podrazumijevao da trg i dalje ostane trg sa svojim životom, a da arheološki nalazi budu uključeni u njegov život, a ne da budu 'mrtvi eksponati u vitrini' ili muzej na otvorenom. Rješenje se sastoji u ideji da se pronađeni arheološki ostaci prezentiraju na licu mjesta i da se na nekim mjestima konzervatorski rekonstruiraju do visine koja omogućuje da se na njima sjedi ili da se oko njih igraju djeca ili druže ljudi. A kako bi se pokazala stvarna kota tla na kojoj se u doba Rima nalazio trg, oko nalaza je predviđena 'staklena dilatacija' koja omogućuje da se arheologija sagleda 'kroz presjek' koji omogućuje 'pogled kroz vrijeme'. Na taj se način nenametljivo integriraju i prošlost i sadašnjost, tvoreći scenu za neku novu budućnost.

AUTORI AUTHORS :
Aleksandra Krebel, Alan Kostrenčić
SURADNICI COLLABORATORS :
Jelenko Hercog, Hrvoje Giaconi,
Bruno Lovrenčić, Slavica Polić

LOKACIJA LOCATION : Zadar
STATUS : projekt / project
GODINA PROJEKTIRANJA DESIGN YEAR : 2009.
INVESTITOR CLIENT : Grad Zadar / City of Zadar

POVRŠINA PARCELE SITE AREA : 2900 m2
POVRŠINA TLOCRTA FOOTPRINT : 2900 m2

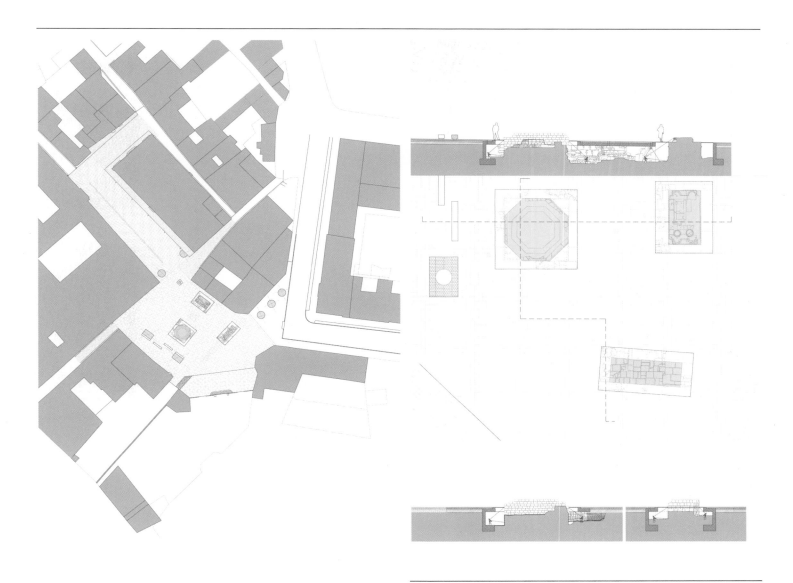

... TRY NOT TO IMPROVE THE WORLD,
YOU'LL ONLY MAKE MATTERS WORSE ...
JOHN CAGE

There are places whose beauty is hidden under the veil of everyday; in such a case the architect must have the courage to do actually nothing except to show that which is already present, although hidden, like Anne Lacaton and Jean-Philippe Vassal did during the renovation of a Bordeaux square.

Zadar is a city, especially its historical core, a place where within very limited space different historical layers exist simultaneously – from the antique remains of the Roman Imperium and Romanesque architecture to the Middle Ages and modern days. The basic concept implied that the square should remain a square with all its life and that archaeological finds should be included into its life and not become 'dead exhibits in a showcase' or a museum in the open. The solution is in the idea that the found architectural remains should be presented at the site and in some places reconstructed to the level that would enable sitting on them or that children could play around them and people meet. In order to show the actual ground level of the Roman square, around the site is envisaged a 'glass dilatation' that enables the viewing of archaeology 'through a cross-section that enables 'gazing through time'. In this way both the past and the present are unobtrusively integrated, forming a scene for a new future.

ARHEOLOŠKI MUZEJ NARONA
Narona Archaeological Museum

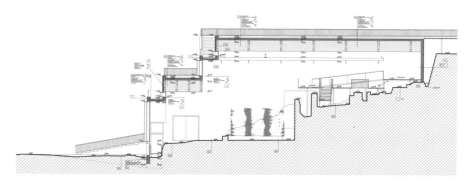

Muzej nadsvođuje ostatke rimskog hrama otkrivenog 90-ih godina. Zgrada dimenzija košarkaške dvorane na glavnom trgu maloga grada trebala je biti dovoljno mala da ne naruši postojeće odnose, ali dovoljno velika da zauzme urbanu ulogu crkve ili škole. Muzej nema pod, hoda se po kamenju složenom prije 1500 ili više godina. Galerija koja lebdi iznad arheoloških ostataka je providna. Fasada nosi stubišta koja nas vode na krovove i brisoleje koji love svjetlo sa sjevera. Jednom kad se otkupi zemljište iza nje, zgrada će srasti u vrtove koji se uspinju prema crkvi.

AUTOR AUTHOR : Goran Rako
SURADNICI COLLABORATORS :
Blanka Gutschy, Nenad Ravnić
LOKACIJA LOCATION : Vid, Metković
GODINA PROJEKTIRANJA DESIGN YEAR : 2005.

ZAVRŠETAK GRADNJE COMPLETION : 2007.
Investitor CLIENT :
RH, Ministarstvo Kulture, Grad Metković /
Ministry of Culture, City of Metković
POVRŠINA PARCELE SITE AREA : 1500 m2

POVRŠINA TLOCRTA FOOTPRINT : 1300 m2
FOTOGRAFIJA PHOTOGRAPHY : Boris Cvjetanović

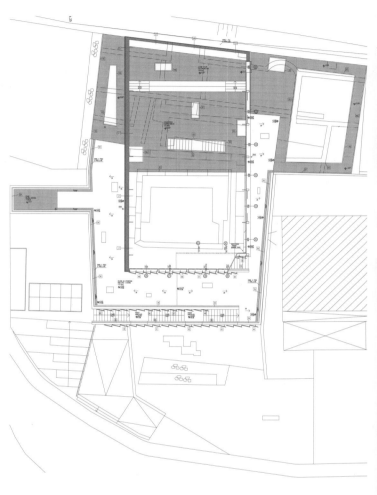

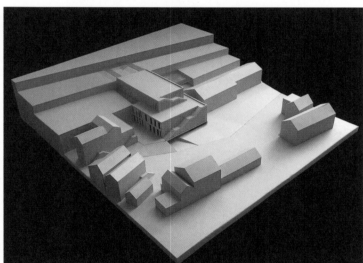

The museum is a vaulted structure over the remains of the roman temple discovered during the nineties. The structure of basketball hall dimensions on the main square of a small city should have been small enough not to disturb the existing relationships, but large enough to assume the urban role of a church or school. The museum has no floor, the visitors walk on stone paving 1,500 or more years old. The gallery that hovers over the architectural remains is transparent. The facade carries the stairs that lead us to the roofs and brise-soleils that catch the light from the north. Once that the land behind it is also bought off, the structure will melt together with the gardens that climb towards the church.

TRG I DOM KULTURE
Square and Culture Centre

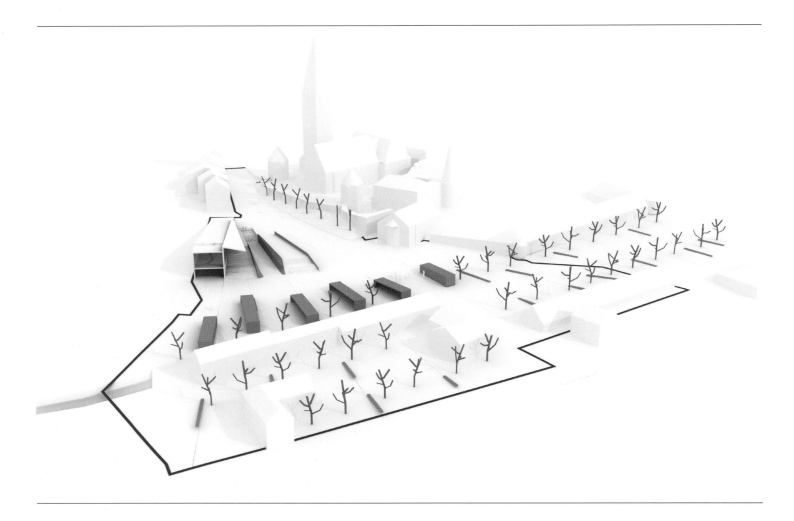

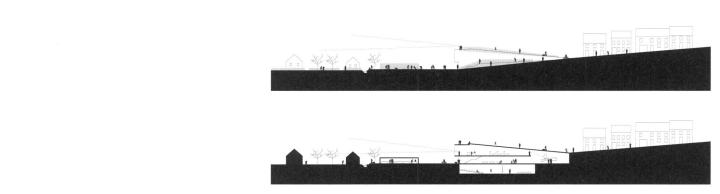

Kontekst :
Kontaktna zona dominantnog graditeljskog kulturno-povijesno-religijskog sklopa svetišta Majke Božje Bistričke sa specifičnom tipologijom stambeno-trgovačke tradicionalne arhitekture. Zona intervencije obuhvaća morfološki atipično oblikovan javni prostor – ljevkasto proširenje ulice u trg, te Dom kulture, urbanistički neartikuliranu zgradu iz prošlog stoljeća bez arhitektonsko-konzervatorskih vrijednosti i s funkcionalno nedostatnim sadržajima.

intervencija :
Artikulacija javnog prostora u globalnom smislu, umjesto kozmetičkih zahvata. Predlaže se supstitucija postojeće zgrade Doma kulture, ali ne novim arhitektonskim solidom, već tektonskom intervencijom u zatečenoj topografiji: kuća je interpolirana u konfiguraciju terena, čime je prostorno mimikrična, ali sadržajno otvorena u cilju aktiviranja javnog i kulturnog života naselja. Kuća je trg. Trg je kuća.

AUTORI AUTHORS :
Ivana Ergić, Vedrana Ergić
SURADNICI COLLABORATORS :
Marko Padovan, Željko Klemar, Hrvoje Seolić
LOKACIJA LOCATION : Marija Bistrica

STATUS : projekt / project
GODINA PROJEKTIRANJA DESIGN YEAR : 2007.
INVESTITOR CLIENT :
Marija Bistrica - Općinsko poglavarstvo /
Municipality Administration

POVRŠINA PARCELE SITE AREA : 11.700 m2
POVRŠINA TLOCRTA FOOTPRINT : 972 m2

CONTEXT :
The contact zone of the dominant cultural, historical, and religious stucture of the Holy Mother of Bistrica Sanctuary, with a specific typology of residential and commercial traditional architecture. The intervention zone encompasses the morphologically atypically shaped public space – a bellmouth enhancement of the street into a square and the Culture Centre, a functionally limited building from the last century, inarticulate in city-planning terms, without architectural or other assets worth preserving.

INTERVENTION :
Articulation of public space in global sense instead of cosmetic embellishments. We propose the substitution of the existing Culture Centre building, however not with a new architectural mass, but with a tectonic intervention in the existing topography: the house is interpolated in the configuration of the terrain, which provides it with spatial mimicry, but opens it in terms of content with the aim of activating public and cultural life of the settlement. The house is a square. The square is a house.

UREĐENJE KAPTOLA
Kaptol Makeover

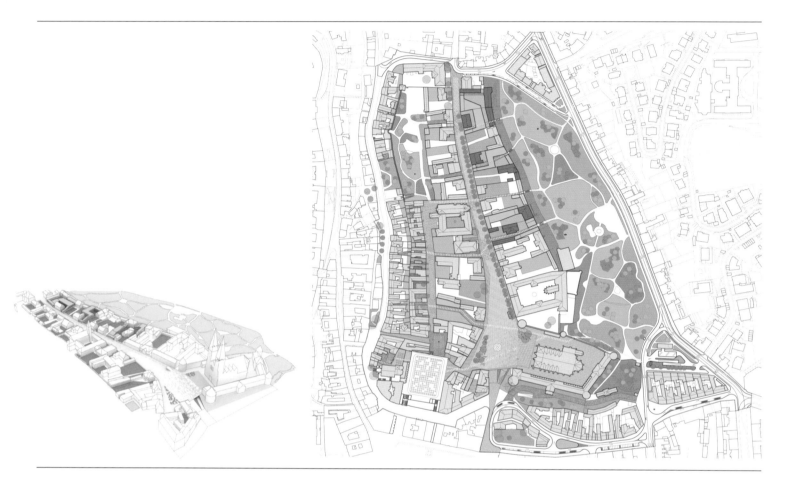

Kaptol je ishodište zagrebačkog urbaniteta i središnje mjesto u mentalnoj slici grada. Njegov je izvorni identitet obezvrijeđen neprimjerenim i agresivnim prometom svih oblika, nedovoljnom povezanošću sa susjednim gradskim cjelinama, parcijalnim rješenjima javnih površina te neplanskom i nekvalitetnom izgradnjom unutar povijesne matrice.

Projektom se promišlja Kaptol kao jedinstvena urbanistička cjelina očuvanog prepoznatljivog identiteta i složene sadržajne strukture u kojoj se preklapa sakralno i svjetovno, tradicionalno i suvremeno. Kaptolski trg ponovno postaje artikulirani javni prostor.

Navedeno se planira ostvariti kroz nekoliko točaka:

— Ukidanje kolnog prometa i reafirmacija srednjovjekovnog ljevkastog trga.

— Premreživanje - uvođenje sustava pješačkih puteva u smjeru I-Z s ciljem programskog preklapanja i boljeg povezivanja sa Gradecom i parkom Ribnjak.

— Afirmacija povijesne urbane matrice uklanjanjem nekvalitetne izgradnje uz potenciranje očuvanih i obnovljenih vrtova u unutrašnjosti parcela.

— `Tri kapitalne građevine (Dijecezanski muzej, Riznica Zagrebačke katedrale i Arhiv Prvostolnog Kaptola zagrebačkog) kao tri složene cjeline - clustera, sastavljena od zaštićenih povijesnih građevina i novopredložene izgradnje koja ih međusobno povezuje.
Niska, suvremena izgradnja svojim oblikovanjem i gabaritima ne konkurira kaptolskim kurijama.

— Radikalno i nevidljivo interveniranje - predlaže se smještaj Riznice ispod središnje plohe trga pred Katedralom, a uz sam rub nekadašnjeg kaptolskog zida. Time se otvara i mogućnost prezentacije ostataka temelja kaptolskih zidina - in situ.

AUTORI AUTHORS : Mikelić Vreš arhitekti;
Marin Mikelić, Tomislav Vreš, Josip Jerković
SURADNICI COLLABORATORS :
Ana Aščić, Luka Jonjić, Hrvoje Vidović

LOKACIJA LOCATION : Zagreb
STATUS : projekt / project
GODINA PROJEKTIRANJA DESIGN YEAR : 2008.
INVESTITOR CLIENT :
Grad Zagreb / City of Zagreb

POVRŠINA PARCELE SITE AREA : 240.000 m2
POVRŠINA TLOCRTA FOOTPRINT : 240.000 m2

Kaptol is the origin of Zagreb's urban characteristics and the central place in the mental image of the city. Its original identity is devalued by non-proportional and aggressive traffic of all kinds, by insufficient connection with neighbouring city entities, fragmented solutions of public areas, and unplanned and low quality construction within the historical matrix.

The project conceives Kaptol as a city-planning unit with preserved and recognizable identity and complex content structure in which the sacred and the secular, the traditional and the contemporary overlap. The Kaptol Square becomes articulated public space again.

The mentioned aspects should be realized through several points:

— Discontinuation of car traffic and reaffirmation of the medieval funnel-shaped square.
— Networking – introduction of a system of pedestrian paths in the east-west direction, with the aim of program overlapping and better connection with Gradec and the Ribnjak Park
— Re-establishing of the historical urban matrix by removing low quality structures with the stress on reserved and restored gardens within the parcels.
— Three major structures (the Diocesan Museum, the Treasury of the Zagreb Cathedral, and the Archives of the Zagreb Metropolitan Chapter) as three complex units – clusters, consisting of protected historical buildings and the new proposed linking structures. The low-rise, contemporary construction is not in competition with Kaptol's diocesan buildings.
— Radical and invisible intervention – proposes to place the Treasury beneath the central plateau of the square in front of the Cathedral, along the line of the former Kaptol wall. This would open the possibility of presenting the remnants of Kaptol wall foundations – in situ.

SPOMEN-PODRUČJE VODOTORANJ
Water-tower Memorial Area

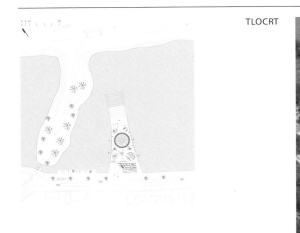

TLOCRT

VODOTORANJ VUKOVAR

Vukovarski Vodotoranj simbol je koji ne treba dodatno pojašnjavati, nego samo treba podcrtati njegovu činjeničnost. Zato projekt spomen-područja koristi minimum nove pojavnosti. Topografija nam omogućuje relativno skroman ulazak u muzej, istovremeno ističući veliko stubište koje vodi do podnožja tornja. U izložbenom prostoru, oko golemog kružnog temelja, na ekranima se prikazuju filmske i televizijske, kronološki poredane dokumentarne snimke, bez komentara. Na kraju muzeja, auditorijem čijom pozornicom ponovo dominira Toranj, penjemo se u park koji će nas odvesti do Dunava.

AUTORI AUTHORS :
Radionica arhitekture / Architecture
Workshop : Goran Rako, Nenad Ravnić,
Kristina Jeren, Kata Marunica
LOKACIJA LOCATION : Vukovar

STATUS : projekt u izvedbi /
under construction
GODINA PROJEKTIRANJA DESIGN YEAR :
2007.

INVESTITOR CLIENT :
RH, Grad Vukovar / Republic of Croatia, City
of Vukovar
POVRŠINA PARCELE SITE AREA : 1900 m2
POVRŠINA TLOCRTA FOOTPRINT : 350 m2

The Vukovar water-tower is a symbol that needs no further explanations, only its existence should be highlighted. Therefore the project of the memorial area uses the minimum of new objects. The topography enables us a relative modest entrance into the museum, at the same time stressing the large stair that leads to the base of the tower. In the exhibition area, around huge circular foundations, screens show chronologically arranged film and television documentary shots, without any comments. At the end of the museum, over an auditorium whose stage is again dominated by the tower, we climb up to the park that leads to the Danube.

HOTEL ROVINJ
The Rovinj Hotel

Ovaj je hotel spoj izvorne građevine iz šezdesetih i novijih nesretnih dogradnji koje su potakle gradsku upravu i vlasnika hotela da potraže rješenje preko javnog arhitektonskog natječaja.

Povijesno gledano, ova parcela nikada nije bila dio gusto izgrađene srednjovjekovne strukture; bila je prazna do polovice prošloga stoljeća. Za koncept projekta važno je bilo rubno stanje između izgrađene i zelene najviše gradske točke. Hotel je također građevina koja iskače iz mjerila. Zbog toga zgrada oblikuje novu topografiju nizom terasa koje se uvlače do vrha. Krovna konstrukcija spaja zelenilo s vrhovima krovova, s promjenjivim zelenim i ciglenim pokrovom terasa.

Postojeće ulice protežu se kroz parcelu do novih stepenica, spajajući povišeno područje s obalom i otvarajući se novostvorenim javnim prostorom.

AUTORI AUTHORS : Saša Randić, Idis Turato
LOKACIJA LOCATION : Rovinj
STATUS : projekt / project

GODINA PROJEKTIRANJA DESIGN YEAR : 2007.
INVESTITOR CLIENT : Hotel Rovinj d.o.o.

POVRŠINA PARCELE SITE AREA : 2670 m2
POVRŠINA TLOCRTA FOOTPRINT : 9656 m2

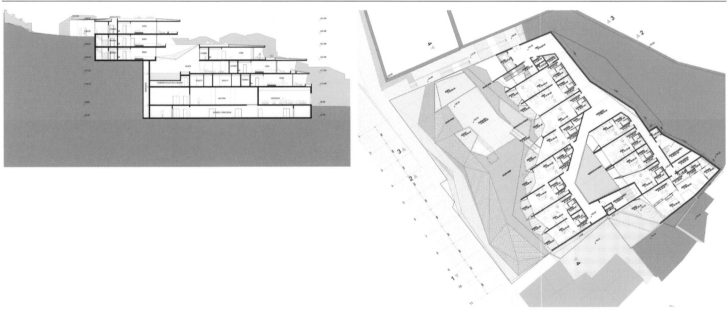

The present hotel is a mixed structure consisting of the original construction from the 1960s and recent unfortunate additions that have motivated the city's administration and the hotel owner to seek a solution by means of a public architectural competition.
Historically, the site has never been part of the densely built medieval structure; it has been vacant until the middle of the last century.
The borderline condition between the built and green peak of the city was important for the concept of the project. The hotel is also a building that is out of scale.
For that reason, the building constitutes a new topography with a series of terraces recessing to the top.
The roof structure interlocks the green area and roof tops, with changing green and bricked covering of the terraces.
The existing streets continue through the site to the new stairs, connecting the upper part and the seaside and opening with the program of the newly created public space.

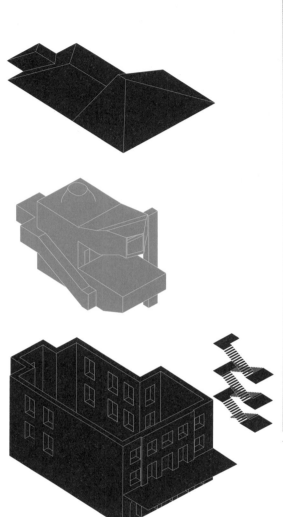

Arhitektonski konstrukt izložbenog postava ovješen je na postojećim kamenim zidovima Palače Kvarner te čeličnim bočnim rešetkama-nosačima i horizontalnim pločama definira konstruktivno-funkcionalnu cjelinu koja se spušta do prizemlja postojeće građevine. Čelični 'kavez' obložen je s vanjske strane bijelom, neutralnom glatkom oblogom, dok se u interijeru pojedine izložbene prostorije oblažu materijalima intenzivnih boja i tekstura.

Prezentacija kipa zasnovana je na sljedećem scenariju: nakon ulaska u palaču, posjetitelji uz popratni glasan zvuk klasične glazbe, miris mediteranskog bilja, te zamračenje dolaze do pokretnih stepenica. Posjetitelji će se puštati u grupama po 20, a prvo će ići u sobu koja uvodi u cijelu priču o hrvatskoj arheološkoj senzaciji, važnoj i u međunarodnim mjerilima: u toj će se sobi nalaziti stolovi koji svijetle, a na njima će biti izloženi svi elementi priče o Apoksiomenu. Napravljen je prolaz u obliku meandra, tako je osiguran dobar pogled na svaki izložak.

U amfiteatru će potom gledati film posvećen grčkoj skulpturi iz 4. stoljeća. Nakon odgledanog filma, po pet posjetitelja ulazi u sobu u kojoj preko periskopa mogu promatrati skulpturu. Kolona zatim započinje uspon uz rampu koja vodi do samog kipa. On se nalazi u bijeloj sobi s kristalično osvijetljenim zidovima, dodatno ga osvjetljavaju spot-reflektori. Sve završava na krovu s kojeg se pruža pogled na Lošinj.

Autori AUTHORS : Idis Turato, Saša Randić   Godina projektiranja DESIGN YEAR : 2009.   Površina parcele SITE AREA : 393 m2
Lokacija LOCATION : Mali Lošinj   Investitor CLIENT :   Površina tlocrta FOOTPRINT : 689,68 m2
Status : projekt / project   Grad Mali Lošinj / City of Mali Lošinj

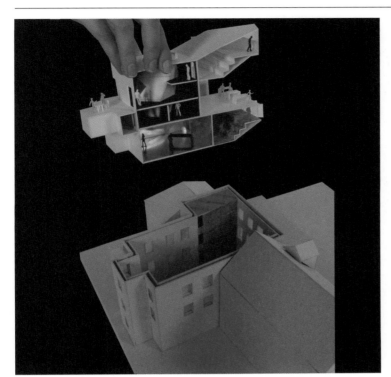

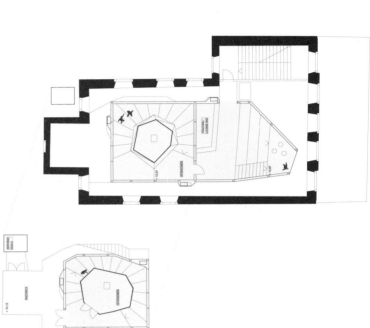

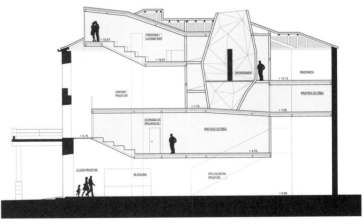

The architectural construct of the exhibition display is suspended from the existing stone walls of the Kvarner Palace. With steel lateral carrier grids and horizontal plates it defines a constructive and functional unit that descends to the ground floor of the existing building. From the outside, the steel 'cage' has a white, neutral smooth cladding, while in the interior some exhibition rooms are clad in materials of intensive colour and texture.

The presentation of the statue is based on the following scenario: after entering the palace, the visitors access an escalator with accompanying loud classical music, the scent of Mediterranean herbs, and dimmed light. The visitors will enter in groups of 20; their first station is the room that gives an introduction on the Croatian archaeological sensation, important on international scale as well. This room will contain illuminated tables and they will display all elements of the Apoxiomen story. A passage in the form of a meander has been made, which enables easy viewing of each displayed object. In the amphitheatre there will be a screening of a film on this Greek sculpture from the 4th century. After the screening, five by five visitors enter the room from which they can view the sculpture through a periscope. Then the column will begin its ascent along the ramp leading to the statue. It is situated in a white room with crystalline illumination of the walls, while there is also additional illumination by spotlights. The tour ends on the roof with a view of Lošinj.

SPOMEN-OBILJEŽJE DOMOVINSKOG RATA - VODOTORANJ VUKOVAR
Homeland War Memorial – Water Tower / Vuko-War Hemisphere

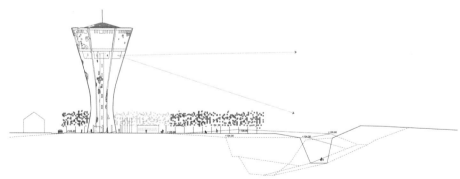

Polazeći od činjenice da je u ratu nestao 'grad', lokacija uz Vodotoranj nije pretvorena u muzej ili spomen-groblje, već je cilj bio formirati okvir koji će uz spomenik (Vodotoranj) generirati 'novi grad'.

Sadnjom stabala javora oko Vodotornja formira se fluidni sloj koji prima najrazličitije sadržaje i funkcije bez stvaranja čvrstih granica ili barijera - dok toranj ostaje iznad njega ('nad gradom'). Na taj način Vodotoranj ostaje spomen-obilježje na razini cijeloga grada, a na parceli se formira 'novi mali grad' - niz javnih prostora, parkova, promenada, niz raznolikih i intimnih gradskih sekvenci koje nisu opterećene monumentalnošću lokacije.

Sadnja u obliku kruga simbolizira 'grad': grad unutar zida, grad u okruženju, nebeski grad, moderni fragilni grad izložen svakodnevnim mijenama. Ortogonalni raster naglašava artificijelnost i red. Stabla javora mijenjaju boju tog simboličnog 'grada' - od bijele, zelene, žute do crvene, kada je obljetnica pada Vukovara.

AUTORI AUTHORS : x3m :
arhitektura+urbanizam
LOKACIJA LOCATION : Vukovar
STATUS : projekt / project

GODINA PROJEKTIRANJA DESIGN YEAR : 2007.
INVESTITOR CLIENT :
RH, Grad Vukovar / Republic of Croatia,
City of Vukovar

POVRŠINA PARCELE SITE AREA : 2 ha

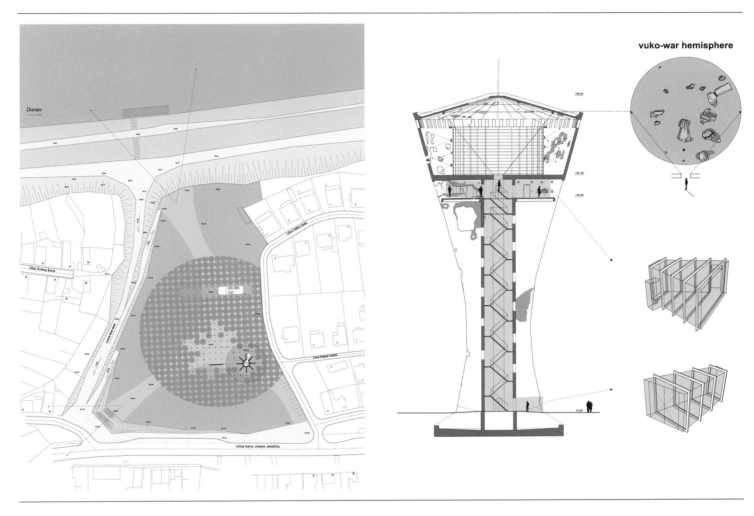

vuko-war hemisphere

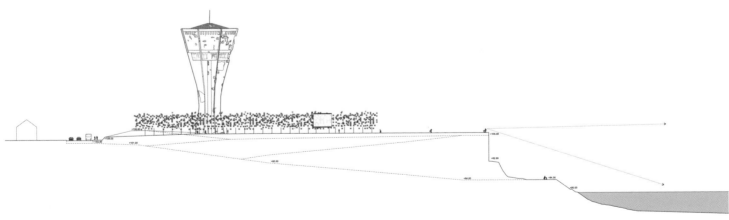

Considering the fact that during the war the 'city' was erased, the location next to the water tower was not transformed into a museum or a memorial cemetery, but the aim was to form a framework that would generate a 'new city' around the monument (water tower).
By planting maple trees around the water tower a fluid layer is formed that can embed different amenities and functions without setting fixed borders or barriers, while the tower remains above ('over the city'). In this way the water tower remains a memorial on the level of the entire city, and on the parcel a 'new small city' is formed – a series of public areas, parks, and promenades, a set of varied and intimate city sequences that are not burdened by the monumentality of the location.
Circular planting symbolizes the 'city': the city within the wall, the city under siege, the heavenly city, and the modern fragile city exposed to everyday changes. The orthogonal raster stresses artificiality and order. Maple trees change the colour of this symbolic 'city' – from white and green to yellow and red that commemorates the fall of Vukovar.

SPOMEN-SOBA OBILJEŽJE POGINULIH I NESTALIH HRVATSKIH BRANITELJA
Memorial Room for Fallen and Missing Croatian Defenders

Spomen soba/obilježje prostorna je intervencija u šumi uz lokalnu prometnicu Novska – Lipik, na prvoj liniji zapadnoslavonskog ratišta, nekoliko kilometara udaljena od urbane sredine, koja ima dvojaku funkciju: informativnu - muzej na otvorenom i memorijalnu - obilježje u prostoru. Koncepcija se bazira na individualizaciji prikaza stradalih. Vanjsku ovojnicu čini 85 poliranih metalnih okvira, odnosno 170 trapezoidnih stupova s imenima branitelja koji tvore otvoreni trijem. Svaki stup simbolizira jednog branitelja. Unutarnji volumen spomen-sobe je betonski kvadar otvoren s dvije strane. S jedne strane auditorij s projekcijom dokumentarnog filma, a s druge strane interaktivna karta s područjem djelovanja postrojbi. Memorijalni kompleks, arhetipska simbolička forma koja poliranim metalnim okvirima reflektira okoliš i svejtluca u šumi stvarajući začudni ugođaj, slučajnog prolaznika automobilom može navesti na neplanirani posjet...

AUTOR AUTHOR : Vanja Ilić
LOKACIJA LOCATION : Novska, Trokut
STATUS : projekt / project

GODINA PROJEKTIRANJA DESIGN YEAR : 2007.
INVESTITOR CLIENT :
Grad Samobor / City of Samobor

POVRŠINA PARCELE SITE AREA : 1800 m2
POVRŠINA TLOCRTA FOOTPRINT : 180 m2

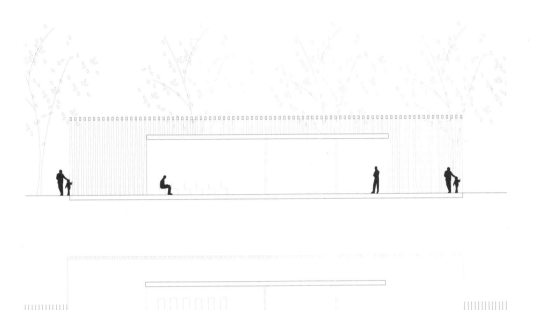

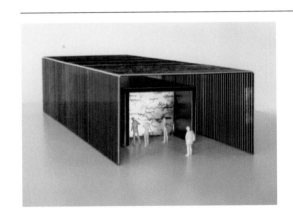

The memorial room/monument is a spatial intervention in the forest near the local road Novska – Lipik, along the front line of the West Slavonian war zone, a few kilometres away from urban environment; it has a double function: informative (a museum in the open) and memorial (spatial mark). The concept is based on the individualisation of the memory of victims. The outer envelope consists of 85 polished metal frames and 170 trapezoid posts with names of the defenders, which constitute an open porch. Each post symbolizes one defender. The inner volume of the memorial room is a concrete cuboid open on two sides. On its one side is an auditorium with a screening of a documentary, while on the other side is an interactive map with the area of military operations. The memorial complex, an archetypal symbolic form that reflects the surroundings off its polished metal frames and glitters in the woods, creating an alienation effect, can tempt a random driver into an unplanned visit...

LEKSIKON ARHITEKATA ATLASA HRVATSKE ARHITEKTURE XX. STOLJEĆA
Lexicon of Architects from the 20th Century Croatian Architecture Atlas

Objavljeno izdanje predstavlja 61 arhitekta, a raspoređeni su po uvriježenom leksikonskom abecednom ključu. Arhitekti su odabrani iz generacijskog slijeda onih koji su djelovali u 20. stoljeću, rođenih zaključno sa 1930. godinom. Selekcijskim ključem prilagođenim nastavnom programu odabrani su autori primarno kao memento studentima Arhitektonskog fakulteta, dok će buduća izdanja dopunjavati obrađeno razdoblje, ali i postupno pomicati generacijski limit. Prilozi o pojedinom autoru svedeni su na «autorski arak», odnosno činjenice o životu i djelu autora, te osam slikovnih priloga koji uz antologijski kriterij pokušavaju ilustrirati i posebnosti autorskog izraza pojedinog arhitekta.

Ovim izdanjem predstavljeni su sljedeći arhitekti: Alfred Albini, Vlado Antolić, Bela Auer, Franjo Bahovec, Helen Baldasar, Aladar Baranyai, Vjekoslav Bastl, Hinko Bauer, Miroslav Begović, Bernardo Bernardi, Zdravko Bregovac, Emil Ciciliani, Frane Cota, Andrija Čičin-Šain, Julije De Luca, Juraj Denzler, Nikola Dobrović, Aleksandar Dragomanović, Zoja Dumengjić, Hugo Ehrlich, Igor Emili, Stanko Fabris, Ignjat Fischer, Drago Galić, Marijan Haberle, Lavoslav Horvat, Drago Ibler, Mladen Kauzlarić, Josip Kodl, Viktor Kovačić, Slavko Löwy, Rudolf Lubynski, Boris Magaš, Juraj Neidhardt, Zlatko Neumann, Radovan Nikšić, Kazimir Ostrogović, Lovro Perković, Bogdan Petrović, Josip Pičman, Stjepan Planić, Vladimir Potočnjak, Zvonimir Požgaj, Ivo Radić, Božidar Rašica, Vjenceslav Richter, Josip Seissel, Egon Steinmann, Zdenko Strižić, Neven Šegvić, Edo Šen, Nada Šilović, Vladimir Šterk, Vladimir Turina, Antun Ulrich, Dinko Vesanović, Ivan Vitić, Mladen Vodička, Zvonimir Vrkljan, Ernest Weissmann, te Ivan Zemljak.

Leksikon je svojevrstan sažetak metodološke tradicije «Atlasa arhitekture» kojim se fenomen hrvatske arhitekture u svom elementarnom stadiju evidentira i sagledava kroz prizmu autorskog arhitektonskog postupka. U tom smislu ova knjiga nije zamišljena samo kao rezime proteklog vremena nego i kao inicijalna referenca gradnji hrvatskoga kulturološkog prostora.

Andrej Uchytil, Zrinka Barišić Marenić, Emir Kahrović
Arhitektonski fakultet Sveučilišta u Zagrebu, Zagreb, 2009.
Faculty of Architecture, University of Zagreb, 2009

The published edition presents sixty-one architects listed in the usual alphabetical order. The architects have been selected from the generational sequence of the ones who were active in the twentieth century, but were not born later then 1930. By using the selectional key adapted to the syllabus, the selected authors are primarily a memento to architecture students, while future editions will supplement the encompassed period, but also gradually shift the generational limit. The contributions on particular authors are reduced to about eight type-written pages with single spacing, comprising the facts on the life and work of a particular author with eight illustrations, which along with the anthology-type criteria attempt to present specific particularities of the individual architect's expression.

This issue comprises the following names: Alfred Albini, Vlado Antolić, Bela Auer, Franjo Bahovec, Helen Baldasar, Aladar Baranyai, Vjekoslav Bastl, Hinko Bauer, Miroslav Begović, Bernardo Bernardi, Zdravko Bregovac, Emil Ciciliani, Frane Cota, Andrija Čičin-Šain, Julije De Luca, Juraj Denzler, Nikola Dobrović, Aleksandar Dragomanović, Zoja Dumengjić, Hugo Ehrlich, Igor Emili, Stanko Fabris, Ignjat Fischer, Drago Galić, Marijan Haberle, Lavoslav Horvat, Drago Ibler, Mladen Kauzlarić, Josip Kodl, Viktor Kovačić, Slavko Löwy, Rudolf Lubynski, Boris Magaš, Juraj Neidhardt, Zlatko Neumann, Radovan Nikšić, Kazimir Ostrogović, Lovro Perković, Bogdan Petrović, Josip Pičman, Stjepan Planić, Vladimir Potočnjak, Zvonimir Požgaj, Ivo Radić, Božidar Rašica, Vjenceslav Richter, Josip Seissel, Egon Steinmann, Zdenko Strižić, Neven Šegvić, Edo Šen, Nada Šilović, Vladimir Šterk, Vladimir Turina, Antun Ulrich, Dinko Vesanović, Ivan Vitić, Mladen Vodička, Zvonimir Vrkljan, Ernest Weissmann, and Ivan Zemljak.
The lexicon is a compendium of the methodological tradition of the "Atlas of Architecture" that records and investigates the phenomenon of Croatian architecture in its elementary state, viewed through the prism of authorial architectural procedure. In this sense is this book not conceived only as a summary of the past time, but also as the initial reference in the construction of the Croatian cultural space.

PROMJENE OČEKIVANJA
Changing expectations

Većina je europskih gradova srednje veličine, a to vrijedi i za hrvatske. Kad je riječ o broju stanovnika, Zagreb je gotovo velegrad, no ipak je uspio zadržati značajke tipičnog europskoga grada. Međutim, čak i takvi gradovi srednje veličine ponekad postanu žrtvom velegradskih ambicija. Sudeći prema projektima nebodera i upravnih zgrada (što je često jedno te isto), arhitekti i njihovi naručitelji u mnogim slučajevima ni ovdje ne mogu odoljeti privlačnosti ikoničke građevine. Ipak, sveprisutnost takve vrste arhitekture predstavlja problem svakome tko je njome zaveden budući da je svaki pokušaj originalnosti ugrožen redundantnošću sličnih, ponekad praktično identičnih rješenja kakva se mogu naći drugdje, od Londona do Dubaija i od Tripolija do Šangaja.

Tijekom posljednjeg desetljeća razvio se arhitektonski žanr koji balansira između potpune jedinstvenosti i savršene zamjenjivosti. Takva vrsta arhitekture može uspjeti samo kada se gleda izdvojeno. Zgrade kakve često opisujemo kao ikoničke – kao da riječ emblematske nije dostatna – loše podnose postojanje drugih takvih zgrada.

Most European cities are medium-sized, and this is also true of Croatian cities. In terms of population, Zagreb is almost a big city, but it has still managed to retain the qualities of a typical European city. But even such medium-sized cities sometimes fall prey to big-city ambitions. Judging by the plans for high-rise buildings and head offices (which are often the same), architects and their clients are often unable to withstand the allure of the iconic building here as well. However, the ubiquity of this type of architecture poses a problem for everyone seduced by it, as every attempt at originality is threatened by the redundancy of similar, sometimes practically identical, solutions to be found elsewhere, from London to Dubai and from Tripoli to Shanghai.

Over the last decade, a genre of architecture has developed which balances between total uniqueness and perfect interchangeability. This type of architecture can succeed only when seen in isolation. Such buildings, often described as iconic – as if the word emblematic were not enough – do not tolerate each other's existence very well.

AAG DIZAJN
Neboder Savska / *Savska Business tower*
DAMIR MIOČ, ZVONIMIR PRLIĆ, TONČI ČERINA / XYZ ARHITEKTURA
Jugoistočni ulaz u Split sa poslovnim neboderom Elanija /
South-east Entrance to Split with Elanija Business Skyscraper
IGOR FRANIĆ
Poslovna zgrada Adris / *Adris Office Building*
NENO KEZIĆ, EMIL ŠVERKO
Gradski projekt P21
City Project P21
SVEBOR ANDRIJEVIĆ, OTTO BARIĆ, SENKA DOMBI
Stambeno-poslovna zgrada 'Ban centar' /
Ban Centre Residential and Business Building
PUBLIC DESIGN
Jadran Passage - idejna studija stambeno-poslovnog kompleksa /
Jadran Passage - Preliminary Project of a Residential and Business Complex
SAŠA RANDIĆ, IDIS TURATO
Poslovni kompleks Adris Grupe / *Adris Group Business Complex*
SAŠA RANDIĆ, IDIS TURATO
Poslovno-stambena zgrada u Agatićevoj ulici /
Residential and Business Building in Agatićeva Street
STUDIO UP
Adris 2
URBANE TEHNIKE
Crni monolit, poslovni neboder / *Black Monolith, Business Tower*

NEBODER SAVSKA
Savska Business Tower

Sjecište dviju možda najvažnijih arterija u Zagrebu: Zagrebačke avenije i Savske ulice kao pozicija budućeg poslovnog tornja T 164 potencira značenje buduće najviše zgrade u gradu. Okretna točka, znak, bitan asocijativni element koji određuje oblikovanje.
Volumen koji svojim oblikovanjem i geometrijom odaje jednaku važnost sagledava li ga se preko prilaza sa zapada, istoka, sjevera ili juga. Relativno jednostavan ekstrudirani oblik je logičan slijed zgusnute izgradnje poslovne zone u Savskoj ulici. Takav oblik omogućuje i buduću izgradnju visokih objekata u neposrednoj blizini, a istovremeno ostaje dinamičan i vidljiv znak u prostoru. Parter je otvoren posjetiteljima i volumen zgrade izvire iz partera jednostavnim potezom.

AUTORI AUTHORS :
AAG Dizajn Centar; Marko Murtić,
Željka Teskera, Bože Ćurić, Krešimir Šuto
LOKACIJA LOCATION : Zagreb

STATUS : projekt / project
GODINA PROJEKTIRANJA DESIGN YEAR : 2008.
INVESTITOR CLIENT : Autoservis Savska d.o.o.

POVRŠINA PARCELE SITE AREA : 48.492,71 m2
POVRŠINA TLOCRTA FOOTPRINT : 800 m2

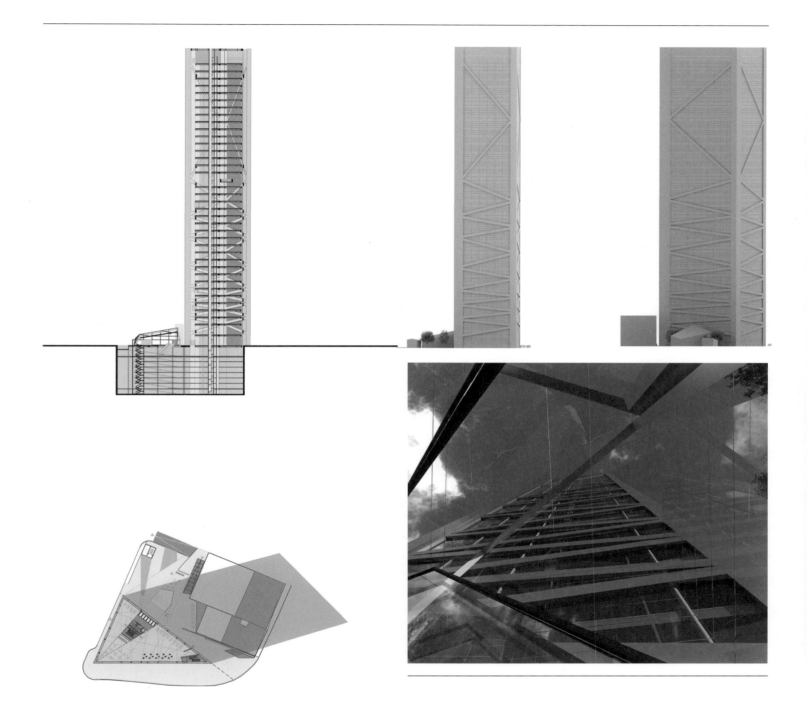

The intersection of two maybe most important arteries in Zagreb, the Zagreb Avenue and the Savska Street as the position of the future business tower T 164 highlights the importance of the envisaged highest structure in the town, of the turning point, a landmark, a major associative element that determines the shaping.

This is a mass that in its shaping and geometry radiates the same importance no matter if it is viewed over the access from the west, east, north or south. The relatively simple extruded form is a logical sequence of dense construction in the Savska Street business zone. Such a form also enables future construction of high-rise structures in immediate vicinity, at the same time remaining a dynamic and visible spatial mark. The parterre is open to visitors and the mass of the building springs from the parterre in a simple movement.

JUGOISTOČNI ULAZ U SPLIT S POSLOVNIM NEBODEROM ELANIJA
South - East Entrance to Split with Elanija Business Skyscraper

Područje šire urbane situacije ovoga projekta je jugoistočni ugao naselja Visoka. Radi se o glavnom ulazu u Split, području koje se nalazi na istaknutoj poziciji koja označava početak snažne osi direktnog pristupa gradskom centru i gradskoj luci.
Postava urbanističkog akcenta na ulazu u grad Split uvažava analizu vizura u dinamičkom kretanju oko objekta kao i glavnim prilaznim vizurama. Širi urbani kontekst Poljičke ceste i dominantno usmjerenje istok - zapad definiraju postavu i oblik vertikale. Akcent nebodera pridonosi kontinuitetu najvažnijih splitskih repera (zvonik Sv. Duje, neboder Koteksa, Vitićevi stambeni neboderi, pročelja naselja Blatine, Split 3 i Mertojak). Postava vertikale je podređena glavnom ulazu u Split, dok se ostatak programa nužnog za javne, kulturne i komercijalne sadržaje nalazi u komplementarnoj bazi sa sjeverne strane.

AUTORI AUTHORS :
XYZ Arhitektura;
Damir Mioč, Zvonimir Prlić, Tonči Čerina
SURADNICI COLLABORATORS :
Rikard Blažičko, Damir Štefanić

LOKACIJA LOCATION : Split
STATUS : projekt / project
GODINA PROJEKTIRANJA DESIGN YEAR :
2007. - 2008.

POVRŠINA PARCELE SITE AREA : 7550 m2
POVRŠINA TLOCRTA FOOTPRINT : 32.847 m2

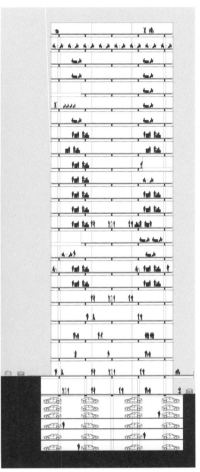

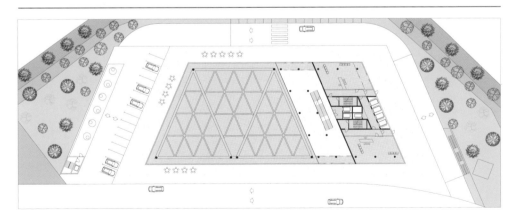

The area of the wider urban situation of this project is the south-east corner of the Visoka block. This is the main entrance to Split, an area on a prominent position that marks the beginning of a direct axis of the straightforward access to the city centre and the harbour. Setting the city-planning accent at the entrance into the city of Split takes into consideration the analysis of views in dynamic movement around the structure, as well as major access views. The wider urban context of the Poljička Road and the dominant east-west orientation define the setting and the form of the vertical. The skyscraper accent contributes to the continuity of the most important Split benchmarks (St. Duje's Belltower, Koteks skyscraper, Vitić's residential high-rise buildings, the fronts of the Blatine block, Split 3, and Mertojak). The setting of the vertical is subjected to the main entrance to Split, while the rest of the program necessary for public, cultural, and commercial facilities is situated in the complementary base on the north side.

POSLOVNA ZGRADA ADRIS
Adris Office Building

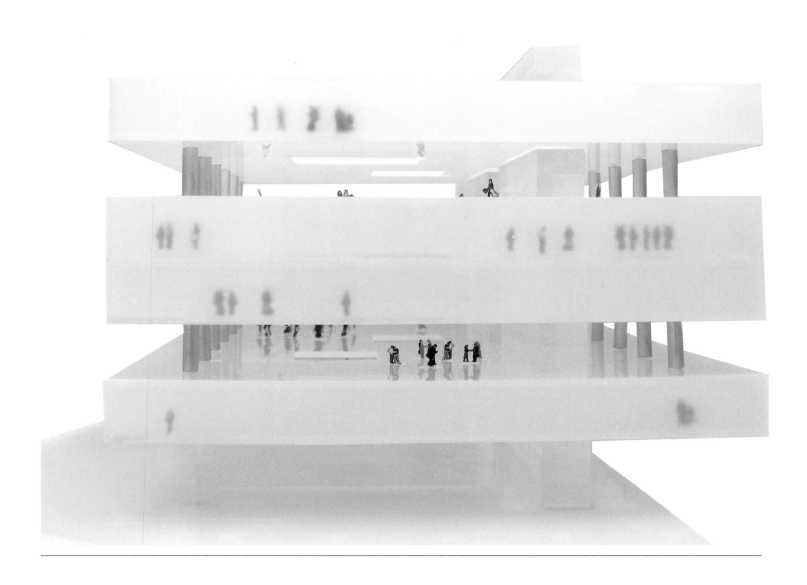

Raznolikost sadržaja i zatečeno mjerilo stvaraju osnovne okvire pri donošenju odluke o karakteru budućeg bloka. Zadržavanjem i mjestimičnim uvlačenjem pješačkih tokova oko građevine ostvaruje se tražena urbana funkcionalnost. Elemente nove strukture čine:
—— podignuta platforma trga koja se prilagođava i prihvaća okolne situacije
—— horizontalno organizirane etaže radnih prostora, međusobno odvojene uokviruju prazninu kao dio vanjskog prostora koji pripada građevini i budućem radnom sadržaju.
Posebna pozornost posvećena je organizaciji radnih, uredskih prostora. Pomak u kvaliteti ostvaruje se u prazninama, otvorenim prostorima s pogledom na sve strane, pristupačnim s gornjih i donjih 'klasičnih' etaža, koje na taj način postaju dio radne strukture. Otvorene etaže predstavljaju radne pejzaže, trgove, koje na opušten način transformiraju uredsku atmosferu soba, zidova, stolova u ambijent individualnoga ili grupnog rada drugačijih potencijala za nove kreacije.

AUTOR AUTHOR : Igor Franić
SURADNICI COLLABORATORS :
Tatjana Derenčinović, Andreja Dodig,
Petar Reić, Simona Sović, Zorana Zdjelar

LOKACIJA LOCATION : Zagreb
STATUS : projekt / project
GODINA PROJEKTIRANJA DESIGN YEAR : 2007.
INVESTITOR CLIENT : Adris grupa

POVRŠINA PARCELE SITE AREA : 7064 m2
POVRŠINA TLOCRTA FOOTPRINT : 20.558 m2

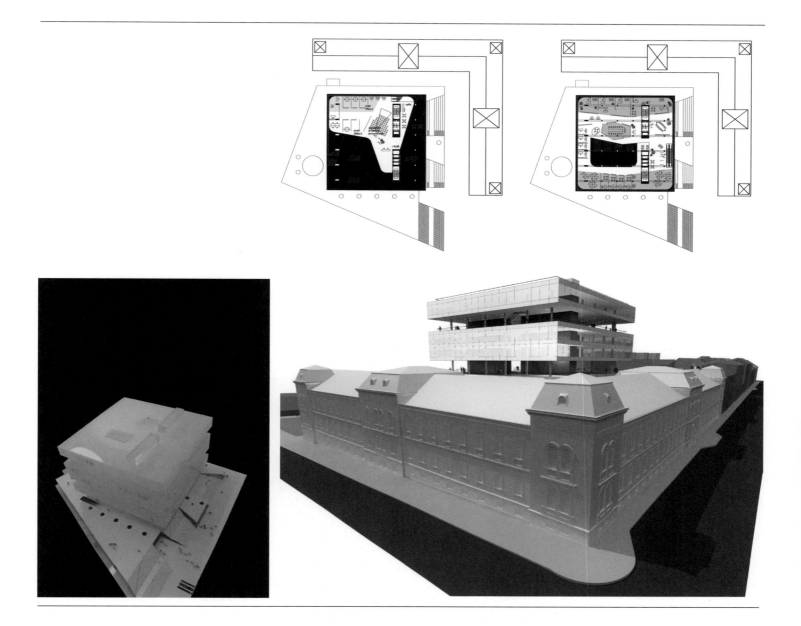

The variety of contents and the existing scale constitute the basic framework for the decision on the character of the future block. By keeping and partial indentation of pedestrian paths around the structure, the required urban functionality is achieved. The elements of the new structure are:
—— the elevated platform of the square that adapts and accepts surrounding situations
—— horizontally organized storeys with working space, detached one from another, frame the void as a part of outer space that belongs to the building and its future work content.
Special attention is devoted to the organization of office space. A shift in quality is achieved in voids, open spaces with views of all sides, accessible from the upper and lower 'classic' storeys, which in this way become part of the work structure. Open storeys are work landscapes, squares which in a relaxed way transform the office atmosphere of rooms, walls, and tables into an ambience of individual or group work with a different potential for new creations.

Osnovni koncept definira polupropusnu membranu uz potez Poljičke ulice prema jugu. Membrana je materijalizirana u obliku trodimenzionalnog meandra, dok se prema jugu prostire ploha - prostirka izgradnje s društvenim i javnim sadržajima.
Trodimenzionalni meandar stvara virtualni volumen s jedne strane, a s druge omogućuje pješački prolaz prema jugu i kadrirane poglede sa sjevera i Poljičke ulice, odnosno iz smjera sjeverno od Poljičke ulice.
Zgrada omogućuje maksimalnu izgrađenost uz istovremenu maksimalnu javnu površinu partera. Na taj način stvaraju se u razini partera Poljičke ulice javni trgovi različitih karaktera na sjevernoj strani i zelene površine-vrtovi s južne strane. Ti prostori su omeđeni prizemnim prodajnim prostorima prema Poljičkoj i ugostiteljskim sadržajima prema javnim trgovima.

AUTORI AUTHORS : Neno Kezić, Emil Šverko
SURADNIK COLLABORATOR : Mauro Zulijani
(autorska suradnja / authorial collaboration)
LOKACIJA LOCATION : Split

STATUS : projekt / project
GODINA PROJEKTIRANJA DESIGN YEAR : 2007.
INVESTITOR CLIENT : Grad Split / City of Split

POVRŠINA PARCELE SITE AREA : 22.500 m2
POVRŠINA TLOCRTA FOOTPRINT : 40.000 m2

The basic context defines the semipermeable membrane along the stretch of the Poljička Street towards the south. The membrane is materialized in the form of a three-dimensional meander, while towards the south stretches a built surface-mat with social and public facilities. The three-dimensional meander forms a virtual mass on one side, while on the other it enables a pedestrian passage towards the south and framed views from the north and the Poljička Street, i.e. from the direction north of the Poljička Street.

The structure at the same time enables maximum built area with maximum public space in the parterre. In this way at the parterre level of the Poljička Street, public squares with different character are created on the north side, while green areas – gardens emerge on the southern side. These areas are delineated by commercial amenities on the ground floor towards the Poljička Street and by catering facilities towards the public squares.

STAMBENO-POSLOVNA ZGRADA 'BAN CENTAR'
Ban Centre Residential and Business Building

Forma zgrade je rezultat modeliranja masa i ploha proizašlih iz postojeće tektonike. Plohe susjednih pročelja i ulica, mase postojećih blokova, kao i nagibi krovova i linije vijenaca nastavljeni su i nadograđeni novom formom koja je rezultat superponiranja svih prepoznatih urbanih elemenata.

Zabati susjednih zgrada uz dvorišnu granicu bit će ozelenjeni 'vertikalnim vrtovima'. Blok je novom zgradom zatvoren, dovršen, a istovremeno se otvara njegova unutrašnjost. Prodorima u prizemlju javni prostor se uvlači u blok postupno preuzimajući intimniji karakter: ulično pročelje s izlozima lokala, zatvorena shopping ulica, otvorena djelomično natkrivena pješačka ulica, ugostiteljski lokali, dječja igrališta, zelenilo.

AUTORI AUTHORS :
Svebor Andrijević, Otto Barić, Senka Dombi
SURADNIK COLLABORATOR : Marina Smokvina
LOKACIJA LOCATION :
Ugao Cesarčeve i Kurelčeve ulice / Corner of
the Cesarčeva and Kurelčeva Streets, Zagreb

STATUS : projekt / project
GODINA PROJEKTIRANJA DESIGN YEAR : 2007.
INVESTITOR CLIENT :
Centar Gradski podrum d.o.o.

POVRŠINA PARCELE SITE AREA : 3200 m2
POVRŠINA TLOCRTA FOOTPRINT : 32.000 m2

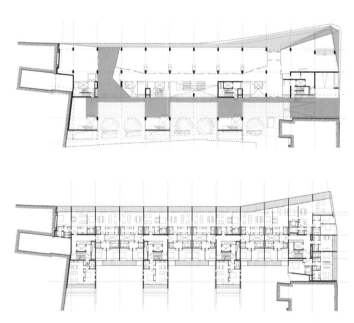

The shape of the building is the result of forming the masses and surfaces that emerged from the existing tectonics. The surfaces of neighbouring fronts and streets, the masses of the existing blocks, as well as slopes of roofs and lines of copings are continued and extended by a new form which is a result of superposing all recognizable urban elements.

The gables of neighbouring buildings along with the borderlines of the yard will be turned into 'vertical gardens'. The new structure closes and completes the block and at the same time opens its interior. Through the penetrations on the ground floor, public space is drawn into the block, but gradually it assumes more intimate character: the street front with shop windows, a closed shopping street, an open, partly roofed-over pedestrian street, catering facilities, children's playgrounds, and greenery.

JADRAN PASSAGE - IDEJNA STUDIJA STAMBENO -
POSLOVNOG KOMPLEKSA
Jadran Passage - Preliminary Project of a Residential
and Business Complex

Koncept se odlikuje spajanjem različitih gradskih elemenata / promet, stanovanje, posao, trgovina, relaksacija / u novi element: gradski fusion - mixed use. Prostor se aktivira kroz sustav prolaza (passage), javnih i polujavnih prostora. Kombiniranjem prostora različitih namjena i tipologija formiraju se zanimljive prostorne senzacije.
Kombiniranje života u centru grada s prednostima života u predgrađima (ozelenjene površine, intimnost, povoljna stambena orijentacija, stvaranje međususjedskih odnosa) osigurava kvalitetu stambenih prostora. Slojevitost izgradnje kompleksa locira stambenu etažu u gornjim slojevima, kreirajući ambijent intimne stambene zone - život u krošnjama drveća. Prepoznavanje tipoloških, kulturoloških i ambijentalnih karakteristika prostora daje osnovu za idejnu studiju koja se fokusira na ispunjavanje suvremenih zahtjeva karakteristične stambene tipologije, adaptibilnog poslovnog prostora i multifunkcionalne komercijalno-izložbene zone.

AUTORI AUTHORS :
PUBLIC DESIGN; Igor Presečan, Damir Gamulin, Silvija Pranjić, Ela Prižmić
LOKACIJA LOCATION : Zagreb

STATUS : projekt / project
GODINA PROJEKTIRANJA DESIGN YEAR : 2008.
INVESTITOR CLIENT : Jadran Građenje

POVRŠINA PARCELE SITE AREA : 7500 m2
POVRŠINA TLOCRTA FOOTPRINT : 32.000 m2

The characteristic of the concept is the connection of different urban elements (traffic, living, job, commerce, relaxation) into a new element: city fusion - mixed use. The space is activated by a system of passages, public and semi-public areas. By combining the areas with different purposes and typologies, interesting spatial sensations are formed.

Combining life in the centre of the town with the advantages of living in the suburb (green areas, intimacy, favourable residential orientation, emergence of good neighbourly relations) ensures the quality of housing facilities. The layered structure of the complex places the residential storey in the upper layers, creating the atmosphere of an intimate residential zone – of life in tree-crowns. The recognition of typological, culturological, and ambience characteristics of the area provides the basis for a concept study focused on meeting the contemporary demands of characteristic residential typology, adaptable business facilities, and multi-functional commercial and exhibition zone.

POSLOVNI KOMPLEKS ADRIS GRUPE
Adris Group Business Complex

Glavna je ideja bila omogućiti svim korisnicima poslovnog bloka da gradske znamenitosti što je spektakularnije moguće vide iz zbiljske poslovne građevine.

Očuvanje starog tvorničkog kompleksa, sagrađenog 1882., bilo je zadano, kao i integracija sadašnjih sadržaja na parceli, tako da se rješenje logično nametnulo samo. Na metalne potpornje podigli smo konstrukciju u obliku platforme koja lebdi nad postojećim stanjem, stvarajući ispod nje zaštićeni javni prostor.

AUTORI AUTHORS : Saša Randić, Idis Turato
SURADNICI COLLABORATORS :
Igor Dragišić, Gorjana Drašković, Margita
Grubiša, Ida Polzer, Ana Staničić, Danijela
Škarica, Janja Zovko, Ivana Žalac, Ivan Palijan

LOKACIJA LOCATION : Zagreb
STATUS : projekt / project
GODINA PROJEKTIRANJA DESIGN YEAR : 2007.
INVESTITOR CLIENT : Adris grupa

POVRŠINA PARCELE SITE AREA : 7073 m2
POVRŠINA TLOCRTA FOOTPRINT : 21.461 m2

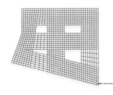

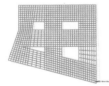

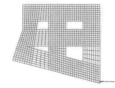

The basic idea was to enable all the inhabitants of this business block to view the city sights as spectacularly as this should be possible from a real office building.
The preservation of the old factory block, built in 1882, was obligatory, as well as the integration of the present amenities on the location, so the solution came up logically. We raised a platform-like structure that hovers over the present situation at the location on a metal construction, creating a protected public space underneath.

POSLOVNO-STAMBENA ZGRADA
U AGATIĆEVOJ ULICI
Residential and Business Building in Agatićeva street

Poslovno-stambena zgrada u Agatićevoj ulici vrsta je plombe dugo zapuštene rupe u samom centru grada, kojom se otvorio i novi pješački potez koji povezuje Korzo i sjeverni završetak Delte. Sama kuća završava niz zgrada na sjevernom rubu riječkog staroga grada.Zgrada je interpretacija anonimne gradske arhitekture, s geometriziranom opnom kao glavnom osobinom koja svoju logiku nalazi u geometriji Stealth aviona. Ta se opna s fasade prebacuje na krov, gdje se veliki krovni prozori mehanički otvaraju.U programskom smislu zgrada do dovršenja nije imala definirane sadržaje, pa je projektirana tako da omogućuje interakciju različitih privatnih i javnih programa. Na kraju svih promjena programa u zgradu je smještena poliklinika, dok su stanovi smješteni na četvrtom katu i na mansardi. Stanovi imaju odvojen pristup do zajedničkog unutarnjeg dvorišta na četvrtom katu.

AUTORI AUTHORS :
Saša Randić, Idis Turato
LOKACIJA LOCATION : Rijeka

GODINA PROJEKTIRANJA DESIGN YEAR : 2007.
ZAVRŠETAK GRADNJE COMPLETION : 2009
INVESTITOR CLIENT : Superator d.o.o.

POVRŠINA PARCELE SITE AREA : 845 m2
POVRŠINA TLOCRTA FOOTPRINT : 5150 m2
FOTOGRAFIJA PHOTOGRAPHY : Sandro Lendler

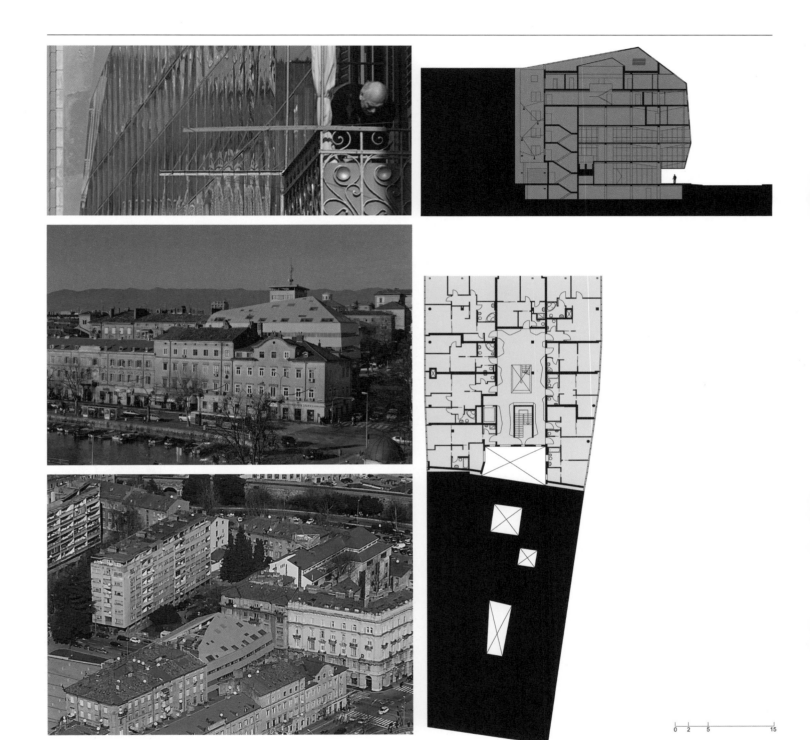

The residential and office building in Agatićeva Street is a kind of filling for a long time desolate hole in the very centre of the town, which also opened the new pedestrian stretch that connects the Korzo with the northern end of the Delta. It is a detached house that concludes the row of houses on the northern border of Rijeka's Old Town.

The structure is an interpretation of anonymous city architecture with a geometrised envelope as the main feature that finds its logic in the geometry of Stealth planes. This envelope is continued from the façade to the roof, where large skylights are opened mechanically.

In the program sense the structure did not have defined contents until it was finished, so that it was planned in the way to enable interaction of different private and public programs. At the end of all program changes, the building was turned into a polyclinic, while apartments were moved to the fourth floor and under the roof. The apartments have a separate access to the common courtyard on the fourth floor.

ADRIS 2
Adris 2

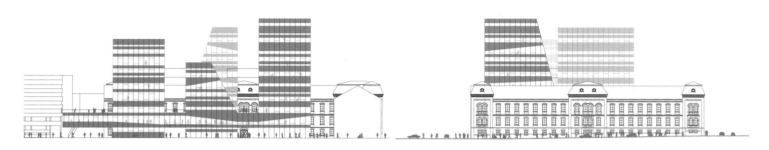

Interpolacija poslovnog kompleksa Adris grupe u netipično dvorište zagrebačkog donjogradskog bloka, odnosno zaštićene zgrade Tvornice duhana Zagreb, koja se planira prenamijeniti u muzej, s jedne strane zacjeljuje 'blok', a s druge strane otvara javnosti dvorište – 'museum quartier'. Poslovni sklop grupna je forma 'loftovskih' poslovnih prostora, svaki na svojoj razini. Sve razine su različite, svi poslovni prostori su različiti.

AUTORI AUTHORS :
STUDIO UP; Lea Pelivan, Toma Plejić
SURADNICI COLLABORATORS :
Marina Zajec, Antun Sevšek,
Juraj Glasinović, Saša Relić

LOKACIJA LOCATION : Zagreb, Jagićeva b.b.
STATUS : projekt / project
GODINA PROJEKTIRANJA DESIGN YEAR : 2007.
INVESTITOR CLIENT : Adris Grupa d.d., Rovinj

POVRŠINA PARCELE SITE AREA : 7064 m2
POVRŠINA TLOCRTA FOOTPRINT : 2870 m2

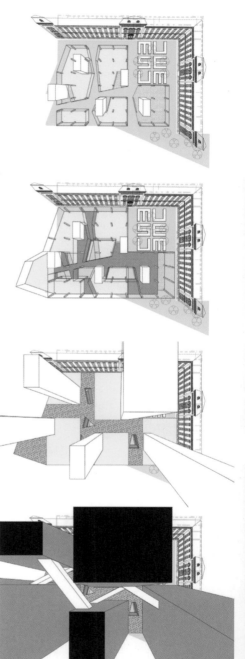

The interpolation of the Adris Group's business complex into an untypical courtyard of a Lower Town block, i.e. the protected building of the Zagreb Tobacco Factory, whose transformation into a museum is planned, on the one side completes the 'block' and on the other opens the courtyard – the 'museum quarter'- to the public. The business part is a group form of loft-like offices, each on its own level.
All levels are different, all offices are different.

Prostor na kojem je planiran poslovni toranj nalazi se na rubu centralne zone Zagreba i predstavlja mjesto koje se zadnjih dekada pokuša-
va definirati kao zagrebački 'city' - poslovni centar koji povezuje Donji grad i novije gradske poteze Vukovarske, Savske i Zagrebačke aveni-
je. Neboder je oblikovan kao crni monolit, upravo u potrazi za vlastitom ne-formom.
Vlastitom dematerijalizacijom neboder se predstavlja kao okvir visoke programske gustoće, karakteristične i potrebne rubnim dijelovima
centra grada. Svoju homogenost pretpostavlja heterogenosti različitih programskih punjenja. Višestrukim ponavljanjem neutralnih otvo-
renih prostora omogućuje se slobodni smještaj sasvim različitog, neodređenog i proizvoljnog sadržaja - od strogo privatnog, poslovnog ili
apartmanskog do javnog, uslužnog, trgovačkog i rekreacijskog na donjim, te na najvišoj etaži.

AUTORI AUTHORS :
Urbane tehnike; Hrvoje Bakran, Zdravko
Krasić, Dražen Plevko
SURADNICI COLLABORATORS :
Iva Čuljak, Šejla Čelhasić

LOKACIJA LOCATION :
Savska cesta - Slavonska avenija, Zagreb /
Savska street - Slavonska Avenue
STATUS : dobivena lokacijska dozvola /
preliminary permit obtained

GODINA PROJEKTIRANJA DESIGN YEAR : 2008.
INVESTITOR CLIENT : Autoservis Savska d.o.o.
POVRŠINA PARCELE SITE AREA : 2583 m2
POVRŠINA TLOCRTA FOOTPRINT : 44.311 m2

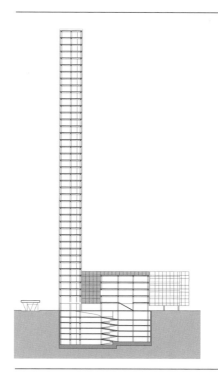

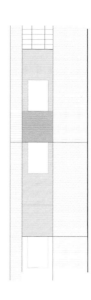
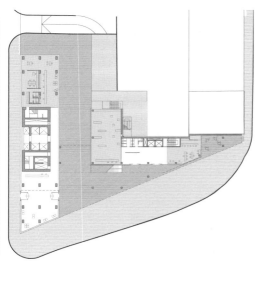

The area with a planned business tower is located on the verge of Zagreb's central zone. During the last few decades, attempts have been made to define this place as Zagreb's 'city' – a business centre that connects the Lower Town with the recent city stretches of the Vuko-varska, Savska and Zagrebačka Avenues. The high-rise building is shaped as a black monolith, in the search of a non-form.
In its dematerialization, the skyscraper is presented as a framework with high program density, characteristic for and necessary to the borderline area of the city centre. It imposes its homogeneity over the heterogeneity of different programmatic fillings. By multiple repeti-tion of neutral open spaces, free accommodation of entirely different, unspecified and random contents is enabled – reaching from strictly private, office, and lodging facilities to public, catering, commercial, and recreational ones on the lower and the highest storeys.

OBRAĆANJE JAVNOSTI
Addressing the Public

Jedna od najvažnijih zadaća arhitekture jest da napravi prostor za javnost i javno. To se može događati u velikom mjerilu masovnih sportskih događaja, u srednjem mjerilu gradskog javnog prostora ili u malom mjerilu unutarnjih javnih prostora. Uobičajena napetost između javnog i komercijalnog sektora, kakva postoji u gotovo svakoj domeni, ne primjenjuje se uvijek na arhitekturu i urbanizam. U konačnici i komercijalni sektor stvara arhitekturu dostupnu javnosti.

Klasična suprotnost između privatnog i javnog interesa nije uvijek primjenjiva. Činjenica da su nekadašnje privatne aktivnosti postale javne (telefonirati i jesti na ulici, navedimo samo dva primjera), a i da je vanjski svijet duboko zašao u privatni život (što možda najbolje ilustrira stalna internetska veza), pokazuje nestajanje tih tradicionalnih granica. Djelomice je javni prostor postao prijelaznim prostorom s jednoga mjesta na drugo, umjesto da bude mjesto kamo se ide. S druge su strane mjesta koja ranije nisu bila ništa više od veze između dviju točaka i sama postala odredištem. Usprkos promjenama u načinu na koji se koristi javni prostor i začudnim količinama vremena koje pojedinci provode online, ljudska potreba za društvenim kontaktom i interakcijom u međusobnoj fizičkoj prisutnosti još je uvijek vrlo živa i zdrava, a takvi se kontakti gotovo neizbježno događaju unutar zgrada i izgrađenog okoliša.

One of the most important tasks of architecture is to accommodate public, and the public. This can take place on the large scale of massive sporting events, the intermediate scale of the urban public space, or the small scale of indoor public space. The conventional tension between the public and the commercial sector, which exists in almost every domain, does not always apply to architecture and urbanism. At the very least, the commercial sector also provides architecture which is accessible to the public.

The classic contrast between private and public interest is also not always applicable. The fact that formerly private activities have become public – talking on the phone and eating out on the street are just two examples – and that, vice versa, the outside world has made deep inroads into private life – perhaps best illustrated by the permanent link to the World Wide Web – illustrates the blurring of these traditional boundaries. In part, the public space has become a transitional space from one place to another instead of a place to go to. Vice versa, places which were formerly no more than a connection between two points have themselves become a destination. In spite of the changing way in which the public space is being used and the amazing amount of time some people spend online, the human need for social contact and interaction in each other's physical presence is still very much alive and well. And such contacts almost inevitably take place inside buildings and within the built environment.

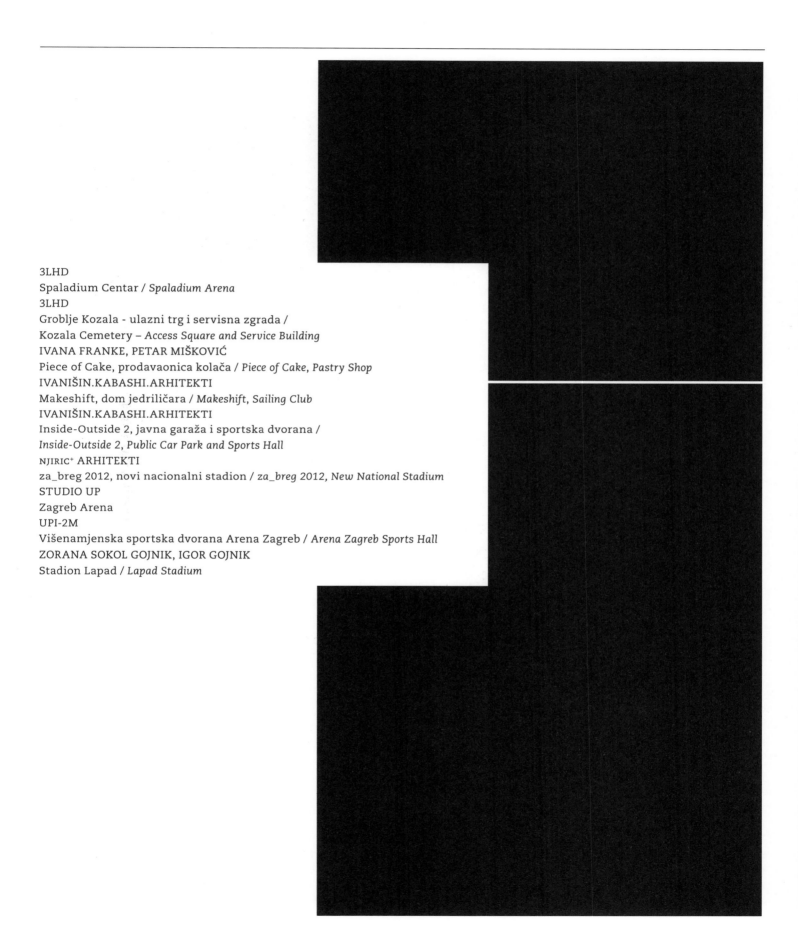

3LHD
Spaladium Centar / *Spaladium Arena*
3LHD
Groblje Kozala - ulazni trg i servisna zgrada /
Kozala Cemetery – *Access Square and Service Building*
IVANA FRANKE, PETAR MIŠKOVIĆ
Piece of Cake, prodavaonica kolača / *Piece of Cake, Pastry Shop*
IVANIŠIN.KABASHI.ARHITEKTI
Makeshift, dom jedriličara / *Makeshift, Sailing Club*
IVANIŠIN.KABASHI.ARHITEKTI
Inside-Outside 2, javna garaža i sportska dvorana /
Inside-Outside 2, Public Car Park and Sports Hall
NJIRIC⁺ ARHITEKTI
za_breg 2012, novi nacionalni stadion / *za_breg 2012, New National Stadium*
STUDIO UP
Zagreb Arena
UPI-2M
Višenamjenska sportska dvorana Arena Zagreb / *Arena Zagreb Sports Hall*
ZORANA SOKOL GOJNIK, IGOR GOJNIK
Stadion Lapad / *Lapad Stadium*

SPALADIUM CENTAR
Spaladium Arena

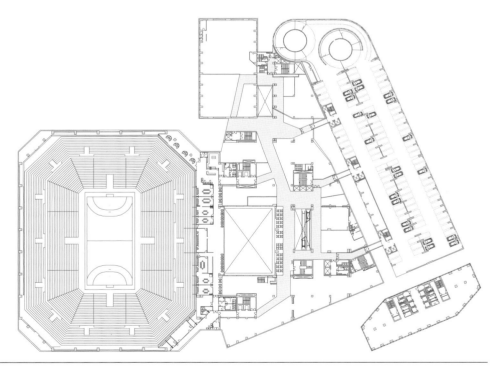

Spaladium centar je sportsko-poslovni kompleks koji će značajno obilježiti vizuru Splita i podići kvalitetu javnih događanja, turističke ponude, shoppinga i uredskog poslovanja u gradu. Nova Arena smještena je na prostoru Lore, u neposrednoj blizini objekata sagrađenih za Mediteranske igre u Splitu 1979., bazena i stadiona Poljud.

Sportsko-poslovni kompleks sastoji se od pet dijelova, višenamjenske Arene kapaciteta 12.000 gledatelja, trgovačkog centra od 30.000 m2, sportsko-rekreacijskog centra s wellnessom, najveće javne garaže od 1500 mjesta i poslovnog tornja visokog 100 metara sa skybarom na zadnjem katu s pogledom na cijeli grad, okolicu i otoke u splitskom arhipelagu.

Sam projekt potaknut je održavanjem Svjetskog rukometnog prvenstva u siječnju 2009. godine, gdje je Split bio jedan od gradova domaćina, a inicijalna ideja je bila sagraditi dvoranu sa standardima za vrhunska sportska natjecanja i velika događanja.

AUTORI AUTHORS : 3LHD; Saša Begović, Marko Dabrović, Silvije Novak, Tatjana Grozdanić Begović, Dražen Pejković - IGH, Irena Mažer, Danira Matošić Matičević, Matija Crnogorac, Martina Ružić, Gorana Barbarić, Janja Novaković, Filip Dubrovski, Maja Ivanovski, Jasminka Jug, Željko Mohorović, Žarko Perišin

SURADNICI COLLABORATORS : Ivana Krneta, Tin Komljenović, Melita Hrustić
LOKACIJA LOCATION : Lora, Split
STATUS : realizirano, I faza / 1st phase completed
GODINA PROJEKTIRANJA DESIGN YEAR : 2007.

ZAVRŠETAK GRADNJE COMPLETION : 2008, I faza / 1st phase
INVESTITOR CLIENT : Sportski grad TPN d.o.o.
POVRŠINA PARCELE SITE AREA : 30.305 m2
POVRŠINA TLOCRTA FOOTPRINT : 25.567 m2
FOTOGRAFIJA PHOTOGRAPHY : Domagoj Blažević, 3LHD arhiva

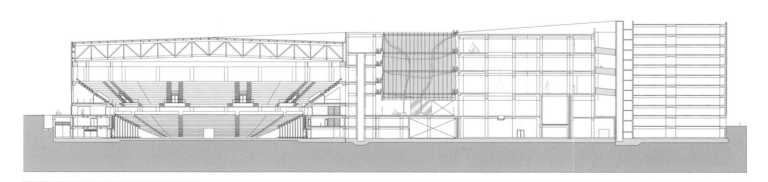

The Spaladium Centre is a sports and business complex that will pronouncedly mark the skyline of Split and enhance the quality of public events, tourist programs, shopping, and office work in the city. The new arena is located in the Lora area, in the immediate vicinity of structures built for the Mediterranean Games in Split 1979, the swimming pool and the Poljud stadium.

The sports and business complex consists of five parts, a multi-purpose arena for 12,000 visitors, a shopping centre of 30,000 sq.m. surface area, a sports and recreation centre with wellness, the largest public garage with 1,500 parking lots, and a 100 metre high business tower with a sky-bar on the last floor that overviews the entire city, the surroundings, and the islands of the Split archipelago. The project has been started for the World Handball Championship in January 2009. Split was one of the host cities, and the initial idea was to build a hall that would meet the standards of top-ranging sporting and other events.

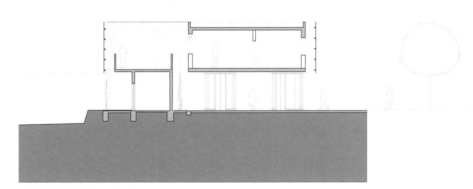

Rekonstrukcija i dogradnja komunalne zgrade groblja Kozala i uređenje trga na ulazu u groblje daje novu vrijednost javnom prostoru grada Rijeke. Prostor groblja dio je zaštićene povijesne cjeline, kao jedno od rijetkih vrijednih groblja iz doba secesije. Analizom zadatka javila se potreba da se artikulira i oblikuje trg kao mjesto okupljanja i zadržavanja. Novo se pročelje jedinstvenog objekta tretira kao 'lebdeća' kulisa trga u kojoj se zrcali postojeće zelenilo. Projektiranje trga ispred objekta predstavlja intermezzo na krivulji šetališta iz smjera parka prema groblju. Materijal plohe je bijeli kulir od grobnog bijelog lomljenca, univerzalnog elementa prepoznatljivosti prisutnosti groblja, transformiranog u tri vrste obrade. Projekt je sačuvao cvjećarske kioske smjestivši ih pod 'lebdeći' volumen kuće u staklene cilindre, dodatno vizualno naglasivši intervenciju.

AUTORI AUTHORS :
3LHD; Saša Begović, Marko Dabrović, Tatjana
Grozdanić Begović, Silvije Novak, Ljerka Vučić,
Siniša Glušica

LOKACIJA LOCATION : Rijeka
GODINA PROJEKTA DESIGN YEAR : 2002.
ZAVRŠETAK GRADNJE COMPLETION : 2007.
POVRŠINA PARCELE SITE AREA : 1659 m2

POVRŠINA TLOCRTA FOOTPRINT : 216 m2
FOTOGRAFIJA PHOTOGRAPHY :
Sanjin Kunić, 3LHD arhiva

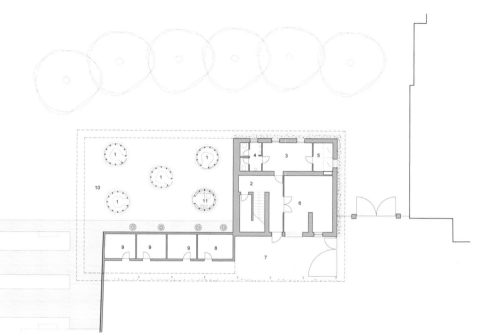

The reconstruction and extension of the Kozala Cemetery municipal building and the redesign of the square at the cemetery entrance provide a new asset to the public space of the city of Rijeka. The cemetery area is a part of a protected historical structure as one of the rare valuable cemeteries from the Art Nouveau period. After the analysis of the brief, the need emerged to articulate and form the square as a place of gathering and associating. The new front of the unified structure is treated as a 'hovering' scenery of the square; it mirrors the existing greenery. The design of the square in front of the structure is an intermezzo on the trajectory of the promenade in the direction from the park to the cemetery. The material of the surface is white rustic terrazzo, made of white cemetery rubble, a universal element that indicates a graveyard, transformed into three different finish modes. The project has retained the flower kiosks by placing them into glass cylinders under the 'hovering' mass of the house, additionally stressing the intervention in visual terms.

PIECE OF CAKE, PRODAVAONICA KOLAČA
Piece of Cake, Pastry Shop

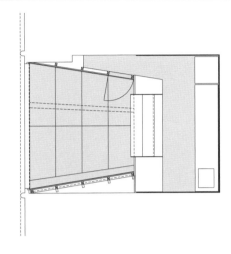

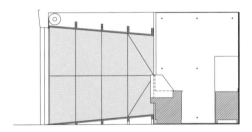

Prodavaonica kolača PIECE OF CAKE jedan je u nizu lokala trgovačkog centra. Za razliku od susjednih lokala, ne doima se kao (generička) ispuna, već obrnuto - kao ispražnjeni okvir. Oblikovanje na rubu apstraktnog dodatno pojačava taj dojam.
Konstruirana krnja piramida - predgotovljena perspektivna slika prostora[1] - uvlači posjetitelje izravno do vitrine s kolačima (u fokusu). Polica, jedini element 'mobilijara', smještena u visini očišta perspektivne slike (stoga horizontalna), istovremeno je prilagođena posjetiteljima nižeg ili višeg rasta. Prostor za prodavače u drugom planu oblikovan je kao neutralna pozadina.

[1] stranice okvira, kanali s fluo cijevima, polica i natpis projektirani su s perspektivnim skraćenjem

AUTORI AUTHORS :
Ivana Franke i Petar Mišković
LOKACIJA LOCATION :
Zagreb, Importanne Galleria

GODINA PROJEKTIRANJA DESIGN YEAR : 2006.
ZAVRŠETAK GRADNJE COMPLETION : 2006.
INVESTITOR CLIENT : privatni / private
POVRŠINA PARCELE SITE AREA : 18 m2

POVRŠINA TLOCRTA FOOTPRINT : 18 m2
FOTOGRAFIJA PHOTOGRAPHY :
Robert Leš i Kristina Lenard

The pasty shop PIECE OF CAKE is one in the series of stores in the commercial centre. Unlike the neighbouring stores, it does not look like a (generic) filling, but vice versa – like an emptied frame. The borderline abstract design additionally enhances that impression. The constructed truncated pyramid – a prefabricated perspectival spatial image[1] – draws visitors directly to the showcase with cakes (in the focus). The shelf, the only 'furniture' element, located at the focus of the perspectival image (and therefore horizontal) is adjusted to both taller and smaller customers. The vendors' area is in the background, designed as neutral scenography.

[1] the sides of the frame, the channels with fluorescent tubes, the shelf, and the signboard are designed with a shortened perspective

MAKESHIFT, DOM JEDRILIČARA
Makeshift, Sailing Club

Nasuprot Doma jedriličara je brodogradilište, istočno se otvara pogled prema citadeli, zapadno prema Kvarnerskom zaljevu s industrijskim postrojenjima u prvom planu. U pozadini, pogled se penje prema ruševinama sanatorija i srednjevjekovnog dvorca. Dom jedriličara integrira ovaj slojevit prizor u smislu njegove vertikalne i horizontalne programske definicije:
U prizemlju je hangar za čamce i sve ono što zahtijeva direktan pristup s rive. U prvom katu su javne prostorije s pristupom s terase koja povezuje rivu ispred i ulicu iza građevine. U drugom katu je restaurant s loggijom orjentiranom prema luci.

Programatska otvorenost manifestira se u otvorenoj, sklepanoj (kao da dolazi iz zahrđalog brodogradilišta preko zaljeva) materijalnosti građevine. Etaže su malo izmaknute, kao da se radi o geološkim (ili paleo- industrijskim) slojevima ovog melankoničnog postindustrijskog pejzaža.

AUTORI AUTHORS :
IVANIŠIN. KABASHI. ARHITEKTI;
Krunoslav Ivanišin, Lulzim Kabashi, Mario
Matić, Maja Milat, Iva Ivas
LOKACIJA LOCATION : Kraljevica

STATUS : projekt / project
GODINA PROJEKTIRANJA DESIGN YEAR : 2007.
INVESTITOR CLIENT : GRAD KRALJEVICA /
CITY OF KRALJEVICA

POVRŠINA PARCELE SITE AREA : 2000 m2
POVRŠINA TLOCRTA FOOTPRINT : 818 m2
FOTOGRAFIJA MAKETE PHOTOGRAPHY OF THE
MODEL : STANKO HERCEG

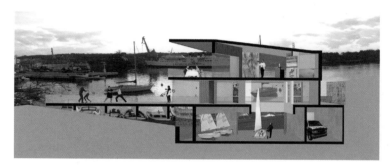

Opposite to the Sailing Club is the Shipyard, to the east a view opens to Citadel, to the west to the Kvarner Bay with industrial plants in the first plan. In the background, the view climbs towards the ruins of the sanatorium and the Medieval Castle. The Sailing Club aims to integrate this layered sight in the sense of its vertical and horizontal programmatic definition:
In the ground-floor is a boathouse and everything else that requires direct access from the quay. In the first floor there are assembly rooms with public access from a terrace that connects the quay in front and the street behind the building. On the second floor is a restaurant with a Loggia with a View to the port.

This programmatic openness manifests itself in the open, makeshift (as if it came from the rusty shipyard across the bay) materiality of the building. Its floors are somewhat shifted, as if being some geological (or paleo-industrial) layers of this melancholic landscape.

INSIDE-OUTSIDE 2, JAVNA GARAŽA I SPORTSKA DVORANA
Inside-Outside 2, Public Car Park and Sports Hall

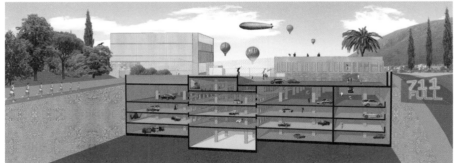

Javna garaža je izgrađena na mjestu zapuštenog školskog igrališta. Škola je ustupila zemljište Gradu, a Grad investitoru u javno privatnom partnerstvu. Zauzvrat, školi je izgrađena dvodijelna športska dvorana, a na krovu garaže uređeno novo igralište.

U četiri podzemne etaže osigurano je 740 parkirališnih mjesta. Čitava zauzeta površina je iskorištena za parkiranje, zahvaljujući dugim rampama malog nagiba. Za smjestiti garažu iskopana je u stijeni građevinska jama volumena 30 000 kubičnih metara, osigurana do osam metara dugim čeličnim sidrima.

I športska dvorana je dijelom ukopana između razina ulice i igrališta na krovu garaže. U suterenu je mala, a u prizemlju velika dvorana koja se može podijeliti u dvije košarkaške dvorane za nastavu ili koristiti kao jedan prostor sa sklopivim gledalištem.

AUTORI AUTHORS :
IVANIŠIN.KABASHI.ARHITEKTI;
Krunoslav Ivanišin, Lulzim Kabashi, Mario
Matić, Maja Milat, Iva Ivas
LOKACIJA LOCATION : Dubrovnik
GODINA PROJEKTIRANJA DESIGN YEAR : 2004.

ZAVRŠETAK GRADNJE COMPLETION : 2009.
INVESTITOR CLIENT : MIDIA GROUP, Grad
Dubrovnik / City of Dubrovnik, oš Marina
Držića / MD Elementary School
POVRŠINA PARCELE SITE AREA :
garaža / car park 4663 m2
dvorana / hall 925 m2

POVRŠINA TLOCRTA FOOTPRINT :
garaža / car park 4225 m2
dvorana / hall 925 m2
FOTOGRAFIJA PHOTOGRAPHY :
Danko Vučinović i Roel Backaert

The public car park was constructed in place of decayed school playgrounds. The school gave over the land to the Municipality that has made a deal with a private entrepreneur in so called public- private partnership. The new sports hall and the new sport premises on the roof of the car park were built as a reward to the school.

Four underground levels house 740 parking spaces. The whole footprint was used for parking thanks to the long smoothly inclined ramps. The construction pit of 30 000 cubic meters was dug in the firm rock ensured from collapsing with up to eight meters long steel anchors.

The sports hall is partly buried too, between the street and the rooftop sport facilities. In the basement floor is the small hall, and in the upper floor the big sports hall that can be divided in two basketball halls for practice or used as one space with convertible spectator seats.

radni prostori_administracija

radni prostori_medija

radni prostori_FIFA

prostori za igrače

VIP zona

servisni prostori

parking prostori

AUTORI AUTHORS :
njiric⁺ arhitekti; Hrvoje Njirić
SURADNICI COLLABORATORS :
Erich Ranegger, Jelena Botteri, David Kabalin,
Fuminori Nosaku, Josip Mičetić

LOKACIJA LOCATION : Kajzerica bb, Zagreb
STATUS : projekt / project
GODINA PROJEKTIRANJA DESIGN YEAR : 2008.
INVESTITOR CLIENT : RH / Grad Zagreb /
Republic of Croatia, City of Zagreb

POVRŠINA PARCELE SITE AREA : 250 m2
POVRŠINA TLOCRTA FOOTPRINT : 190 m2

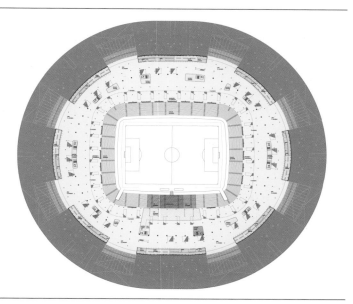

foyer_komunikacije

sadržaji za korisnike

sanitarije, prva pomoć

VIP zona

sjedala redovnih gledatelja_ 50000

sjedala gledatelja s
invaliditetom_230

sjedala svečane lože 500-800

sjedala VIP gledatelja UEFA
500-1000

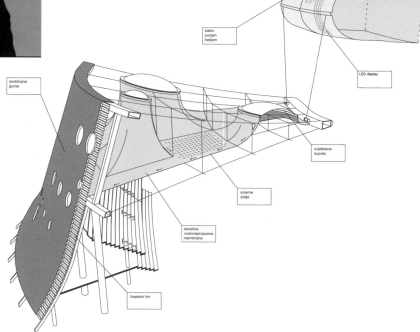

balon
punjen
helijem

LED display

reciklirana
guma

svjetlosna
kupola

solarne
ćelije

tekstilna
vodonepropusna
membrana

trapezni lim

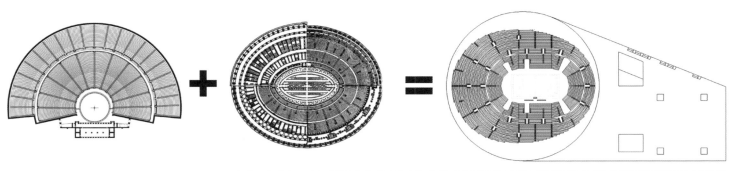

Na jugozapadnom 'rubu' grada, u zelenom obalnom pojasu 'budućeg razvoja' uz rijeku Savu i u mreži sportsko-rekreacijskih centara (Jarun, Mladost, Chromos Savica), uz Sveučilišnu bolnicu u izgradnji, strateški pozicionirana neposredno uz zagrebačku obilaznicu – X. transeuropski koridor – nekoliko minuta od aerodroma Pleso i pješačkog mosta za SRC Jarun - Zagreb Arena predstavlja novi fokus u gradu i novu točku u eurokontekstu. Superponiranjem ekstrovertiranog helenističkog principa – teatra u prirodi (performans) i introvertiranog rimskog - amfiteatra u gradu (koncept borilišta) - nastaje nova konfiguracija dvaju principa koja asimetričnom konfiguracijom gledališnih tribina rješava paradoks polifunkcionalnosti - i teatra i amfiteatra, posljedično gledatelji su istovremeno svjesni mjesta - borilišta i grada na rijeci.

AUTORI AUTHORS :
Studio UP; Lea Pelivan, Toma Plejić
SURADNICI COLLABORATORS :
Marina Zajec, Antun Sevšek, Juraj Glasinović,
Saša Relić, Katarina Luketina, Mojca Smode
LOKACIJA LOCATION : Zagreb, Lanište

STATUS : Pozivni natječaj
GODINA PROJEKTIRANJA DESIGN YEAR : 2007.
INVESTITOR CLIENT : Grad Zagreb i Vlada
Republike Hrvatske / CIty of Zagreb and the
Gouvermant of the Republic of Croatia

POVRŠINA PARCELE SITE AREA : 114.200 m2
POVRŠINA TLOCRTA FOOTPRINT : 27.900 m2

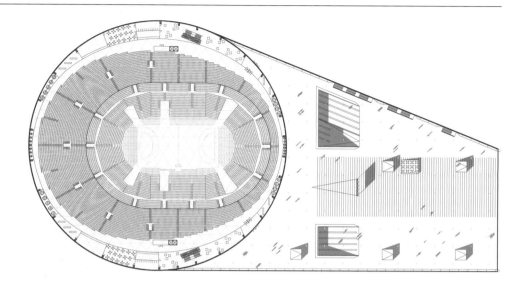

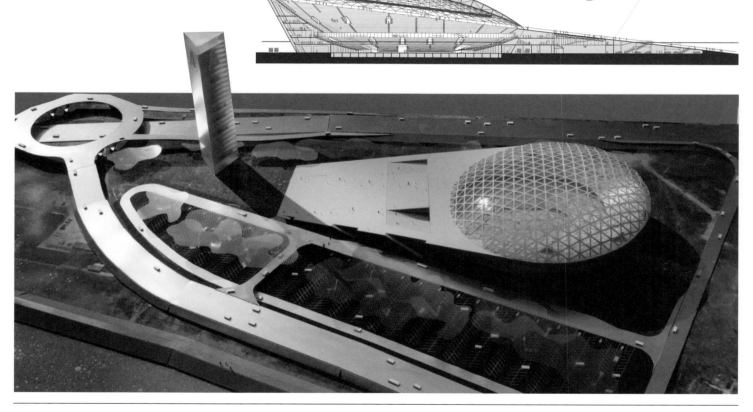

At the south-west verge of the city, in the green coastal area of 'future development' along the Sava River and within the network of sports and recreational centres (Jarun, Mladost, Chromos Savica), in the vicinity of the University Hospital under construction, strategically positioned next to the Zagreb encircling highway – 10th Trans-European Corridor – a few minutes away from the Pleso Airport and the pedestrian bridge for the Jarun Sports and Recreational Centre, the Zagreb Arena is a new focus in the city and a new point in the European context. By superposing the extrovert Hellenistic approach – the theatre in nature (performance), and the introvert Roman – amphitheatre in the city (the arena concept), a new configuration of two principles emerges, which by asymmetric setting of the audience solves the paradox of poly-functionality – both of the theatre and the amphitheatre; in the consequence, the spectators are simultaneously aware of two places – the arena and the city on the river.

VIŠENAMJENSKA SPORTSKA DVORANA
ARENA ZAGREB
Arena Zagreb Sports Hall

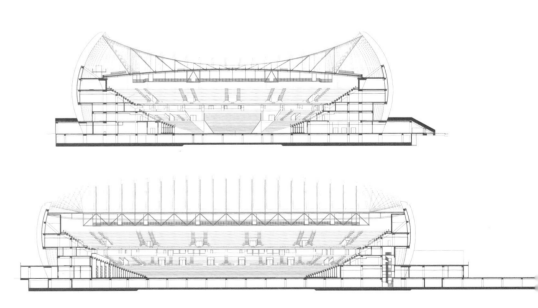

Arena Zagreb inicijalno je zamišljena kao centralna sportska dvorana sa 15.000 sjedećih mjesta za potrebe održavanja Svjetskog rukometnog prvenstva 2009.

Oblikovanje je snažno inspirirano značajnošću objekta u kontekstu grada, ali istovremeno i jednostavnim reinterpretiranjem osnovnog volumena školjke dvorane i njezine primarne nosive konstrukcije. Snažnom sinergijom konstrukcije i oblikovanja, stvoren je jedinstveni oblikovni izričaj u kojemu je njegova pojavnost usko vezana uz odabrani konstruktivni sistem. Prsten od 86 prednapetih armiranobetonskih fasadnih lamela tvori osnovni volumen nadzemnog dijela građevine, koji se ispunjava translucentnom fasadnom opnom. Cijeli objekt uklopljen je u okolinu pješačkom platformom koja se pruža uokolo i stapa s terenom na istoku preko pješačke pristupne tribine, te na zapadu preko tri pješačke rampe do budućeg trga ispred trgovačkog centra.

AUTORI AUTHORS :
UPI-2M; Alan Leo Pleština, Berislav Medić, Tamara Stantić Brčić, Nenad Borgudan
SURADNICI COLLABORATORS :
Sanja Tušek, Anamaria Pleština, Krešo Ceraj, Marko Đuran, Nevena Kuzmanić, Dinko

Uglešić, Ivan Čikeš, Ivica Zmiša, Marko Nikić, Rea Giaschi, Goran Janjuš, Hrvoje Mihal, Andrej Marković, Darko Makar, Tomislav Iličković, Ružica Palijan, Hrvoje Šarić
LOKACIJA LOCATION : Lanište, Zagreb
GODINA PROJEKTIRANJA DESIGN YEAR : 2007.

ZAVRŠETAK GRADNJE COMPLETION : 2008.
INVESTITOR CLIENT : LANIŠTE d.o.o.
POVRŠINA PARCELE SITE AREA : 170.820 m2
POVRŠINA TLOCRTA FOOTPRINT : 182.978 m2
FOTOGRAFIJA PHOTOGRAPHY : Jasenko Rasol, Vanja Šolin, Marinko Leš, Zvonimir Katančić

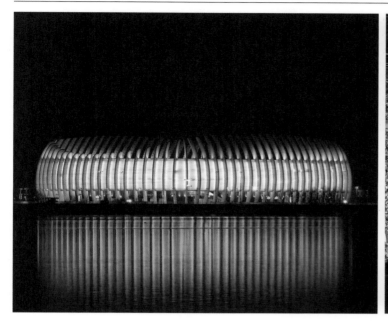

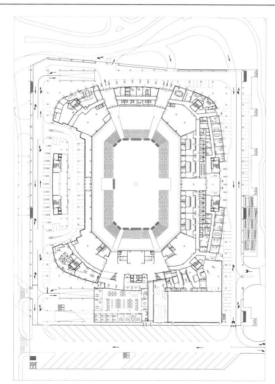
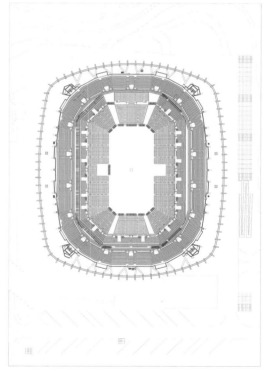

The Zagreb Arena was initially conceived as the central sports hall with 15,000 seats, intended to meet the needs emerging from the organization of the World Handball Championship 2009.

The design is strongly inspired by the importance of the structure in the city context, but also by the simple re-interpretation of the basic mass of the hall's shell and its primary load-bearing construction. The strong synergy of construction and shaping created a unique formal expression in which its appearance is closely linked with the selected construction system. The belt consisting of 86 prestressed reinforced concrete façade slabs forms the basic mass of the surface part of the structure, filled by a translucent façade membrane. The whole structure is linked to the environment by a pedestrian platform that stretches around the building and melts together with the terrain in the east over the pedestrian access stand, and in the west over three pedestrian ramps to the future square in front of the shopping centre.

STADION LAPAD
Lapad Stadium

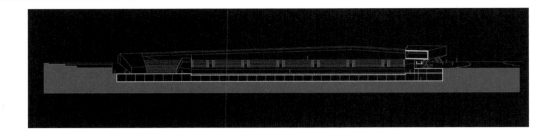

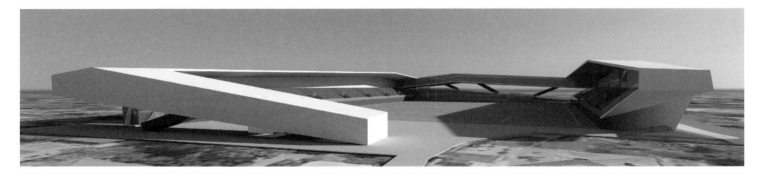

Projekt za novi gradski stadion na Lapadu u Dubrovniku istražuje mogućnosti odnosa funkcionalno, tipološki i mjerilom različitih urbanih matrica u uvjetima izrazito ograničenih prostornih resursa.

Prateći sadržaji trgovačko-ugostiteljskog kompleksa i javne garaže dodatno naglašavaju potrebu za promišljanjem stadionskog kompleksa kao 'porozne' strukture koja obogaćuje urbanu lokaciju kako vizualnim prožimanjem vanjskog i unutarnjeg prostora s gradom, tako i funkcionalnim prožimanjem sadržaja stadiona i grada.

Prostornim odnosima stvoreni su prodori-vizure u stadion, formirana je javna pješačka os kroz stadionski kompleks, a funkcionalna i prostorna integracija trgovačkih, poslovnih, ugostiteljskih i turističkih sadržaja s prostorom nogometnog borilišta omogućava kontinuirano korištenje unutarnjeg prostora stadiona i kada se na njemu ne odvijaju sportske priredbe.

AUTORI AUTHORS :
SILOUETA; Zorana Sokol Gojnik, Igor Gojnik
LOKACIJA LOCATION : Lapad, Dubrovnik
STATUS : projekt / project

GODINA PROJEKTIRANJA DESIGN YEAR : 2009.
INVESTITOR CLIENT :
Grad Dubrovnik / City of Dubrovnik

POVRŠINA PARCELE SITE AREA : 22.974 m2
POVRŠINA TLOCRTA FOOTPRINT : 51.380 m2

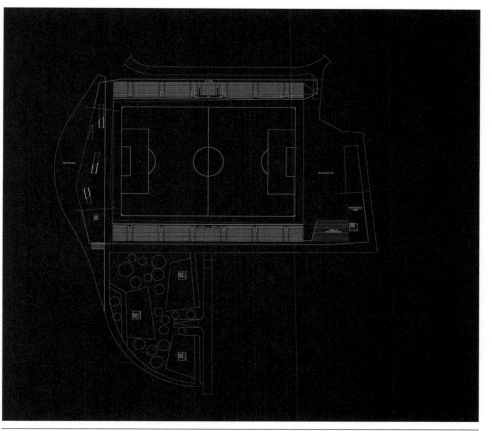

The project for the new city stadium at Dubrovnik's Lapad investigates the possibilities of relations between functionally and typologically different urban matrices on different scales, in the conditions of pronouncedly limited spatial resources.

Additional facilities of the commercial and catering complex and the public garage additionally stress the need to conceive the stadium complex as a 'porous' structure that enriches the urban location both by visual interweaving of its external and internal space with the city and functional interrelation of the stadium's and the city's content.

Spatial relations have created penetrations – views into the stadium; a public pedestrian axis through the stadium complex was formed, while the functional and spatial integration of commercial, catering, and tourist facilities with the football arena enables continuous usage of the inner stadium space even when there are no sporting events.

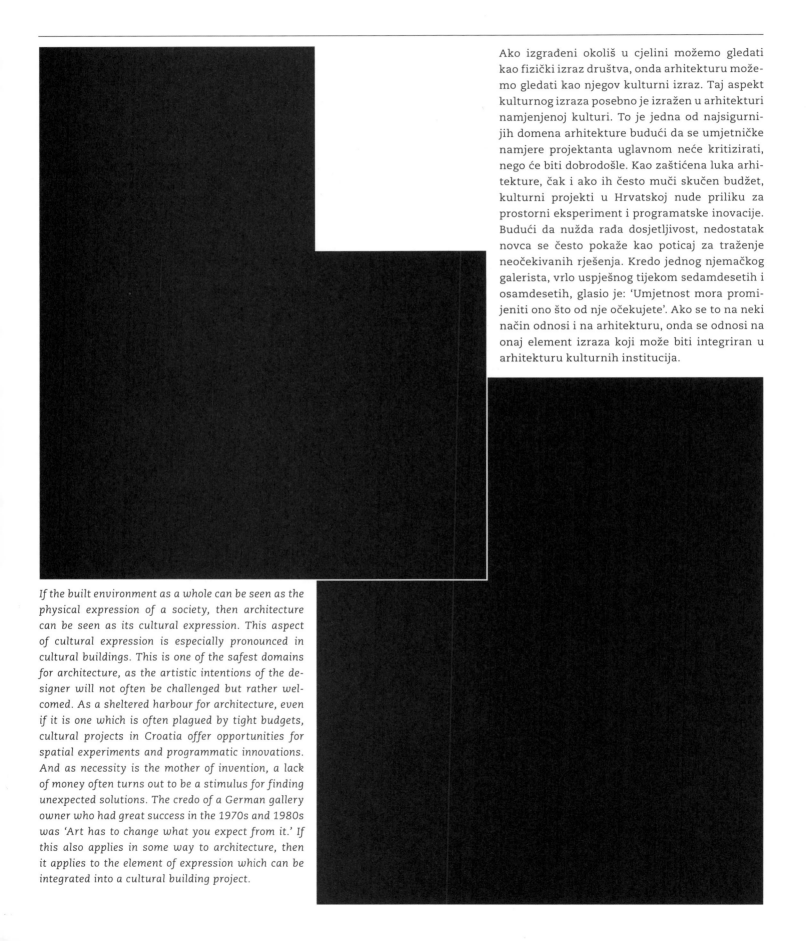

IZRAZI KULTURE
Cultural expressions

Ako izgrađeni okoliš u cjelini možemo gledati kao fizički izraz društva, onda arhitekturu možemo gledati kao njegov kulturni izraz. Taj aspekt kulturnog izraza posebno je izražen u arhitekturi namjenjenoj kulturi. To je jedna od najsigurnijih domena arhitekture budući da se umjetničke namjere projektanta uglavnom neće kritizirati, nego će biti dobrodošle. Kao zaštićena luka arhitekture, čak i ako ih često muči skučen budžet, kulturni projekti u Hrvatskoj nude priliku za prostorni eksperiment i programatske inovacije. Budući da nužda rađa dosjetljivost, nedostatak novca se često pokaže kao poticaj za traženje neočekivanih rješenja. Kredo jednog njemačkog galerista, vrlo uspješnog tijekom sedamdesetih i osamdesetih, glasio je: 'Umjetnost mora promijeniti ono što od nje očekujete'. Ako se to na neki način odnosi i na arhitekturu, onda se odnosi na onaj element izraza koji može biti integriran u arhitekturu kulturnih institucija.

If the built environment as a whole can be seen as the physical expression of a society, then architecture can be seen as its cultural expression. This aspect of cultural expression is especially pronounced in cultural buildings. This is one of the safest domains for architecture, as the artistic intentions of the designer will not often be challenged but rather welcomed. As a sheltered harbour for architecture, even if it is one which is often plagued by tight budgets, cultural projects in Croatia offer opportunities for spatial experiments and programmatic innovations. And as necessity is the mother of invention, a lack of money often turns out to be a stimulus for finding unexpected solutions. The credo of a German gallery owner who had great success in the 1970s and 1980s was 'Art has to change what you expect from it.' If this also applies in some way to architecture, then it applies to the element of expression which can be integrated into a cultural building project.

O STANJU NACIJE - OBLIKOVANJE PROSTORA ZA
PROJEKT ANDREJE KULUNČIĆ O STANJU NACIJE
On the State of the Nation – Venue Design for
Andreja Kulunčić's Project on the State of the Nation

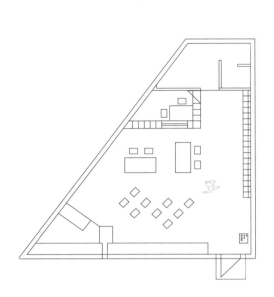

Projekt umjetnice Andreje Kulunčić 'O stanju nacije' i njegova prezentacija u Galeriji 'Miroslav Kraljević' rezultat su jednogodišnjeg istraživanja socijalne distance s fokusom na formate medijske prisutnosti i (de)konstrukcije slike Drugog.
Sukladno ideji projekta Andreje Kulunčić i ARCHIsquad je - vodeći se mišlju o 'reciklaži društva' - gradio svoj alternativni pristup oblikovanju prostora metodom 'reciklažne materijalnosti'. Tako su u galeriju ugrađene četiri tone novinskog papira, tuljci, OSB ploče i pleksiglas.
Galerija 'Miroslav Kraljević' podijeljena je tako na 3 dijela: radni, transformabilni prostor sa stolovima i stolicama za predavanja i radionice, drugi – prezentacijsko- dokumentacijski s monitorima i arhivom vijesti te treći - zatvoreni 'studio' za audio-video snimanje izložbene dokumentacije i produkciju medijskih sadržaja. Zidovi galerije kao i vanjska staklena stijena donosili su pak fragmente iz različitih faza istraživanja i funkcionirali kao poveznice različitih segmenata projekta.

AUTORI AUTHORS : ARCHIsquad - odred za
arhitekturu savjesti / the squad for the
architecture of conscience i / and Andreja
Kulunčić, vizualna umjetnica / visual artist
SURADNICI COLLABORATORS :
kustoski tim / curatorial team G - MK

LOKACIJA LOCATION :
galerija Miroslav Kraljević, Zagreb
GODINA PROJEKTIRANJA DESIGN YEAR : 2008.
ZAVRŠETAK GRADNJE COMPLETION : 2008.
INVESTITOR CLIENT : Galerija 'Miroslav Kraljević'

POVRŠINA AREA : 65 m2
FOTOGRAFIJA PHOTOGRAPHY :
Domagoj Blažević

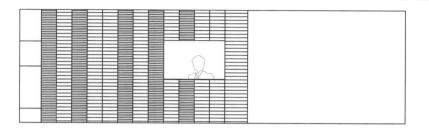

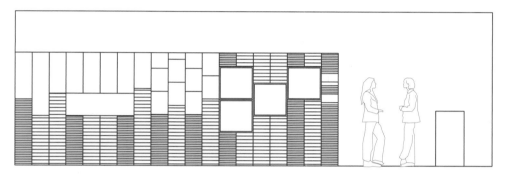

The project by the artist Andreja Kulunčić 'On the State of the Nation' and its presentation in the Miroslav Kraljević Gallery is the result of one-year research of the social distance focused on formats of media presence and the (de)construction of the image of the Other.
Along the lines of Andreja Kulunčić's project, ARCHIsquad has, guided by the idea of 'recycling the society', built its own alternative approach to spatial design, using the method of 'recycling materiality'. Thus four tons of newspapers, cones, OSB plates, and plexiglas were built into the gallery. Miroslav Kraljević Gallery was in this way divided into three parts: the working, transformable space with tables and chairs for lectures and workshops, then the presentation and documentation part with monitors and news archives, and the closed 'studio' for audio and video recordings of exhibition documentation and production of media contents. The walls of the gallery, as well as the outer glass wall, show fragments from different research phases and function as connection points for different segments of the project.

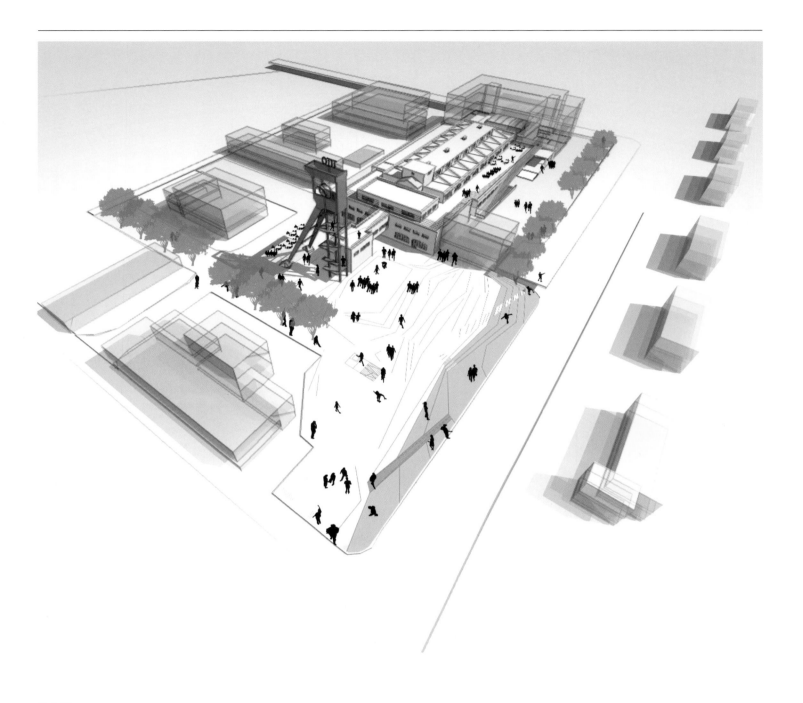

Zapuštene i stare industrijske zgrade, pogoni i kompleksi pokazali su se svugdje u svijetu izuzetno pogodnima za prenamjene u reprezen-
tativne izložbene prostore i kulturne centre. Svojom kvalitetom prostorne organizacije, veličinom i polivalentnošću takvoj prenamjeni
odgovara upravo kompleks Pijacala i nekadašnjeg ugljenokopa. Kompleks se novom organizacijom dijeli na više cjelina: Gradska knjižnica
unutar Mramorne dvorane; Multimedijalni kulturni centar u prostorima bivšeg kupatila; Muzej rudarstva u Lamparni; glavni pristupni trg
oko šohta s javnim i komercijalnim sadržajima u podrumu Lamparne s vezom prema MMKC-u, te manji knjižnični trg s jugoistočne strane
kupatila. Urbanističko-arhitektonsko rješenje sagledava kompleks kao cjelinu koja u zadanim fazama i konačnici funkcionira kao javni
prostor i generator kulture u regiji te služi kao mjesto susreta i produkcije kako kulturnih djelatnika tako i građana Labina i okolice. Siner-
gija javnih, kulturnih i komercijalnih sadržaja čini ovaj prostor samoodrživim, dajući mu dodanu vrijednost, pretvarajući ga iz monofunk-
cionalnog centra za produkciju kulture u jedan od urbanih centara šire okolice.
U prostornom rješenju kompleksa ističe se ideja pretvaranja danas neuglednog i zapuštenog trga oko šohta u reprezentativni prostor urba-
nog karaktera sa šohtom kao ikonografskim elementom. Fluidno kretanje kroz javne prostore i aktivacija cijelog kompleksa potencirano je
pješačkom pristupačnošću dijela krova građevine preko rampe s knjižničnog trga.

AUTORI AUTHORS :
Damir Gamulin, Margita Grubiša, Marin Jelčić,
Zvonimir Kralj, Igor Presečan, Ivana Žalac

LOKACIJA LOCATION : Labin, Hrvatska
STATUS : projekt u izvedbi / under construction
GODINA PROJEKTIRANJA DESIGN YEAR : 2007.

INVESTITOR CLIENT : Grad Labin / City of Labin
POVRŠINA PARCELE SITE AREA : 9000 m2

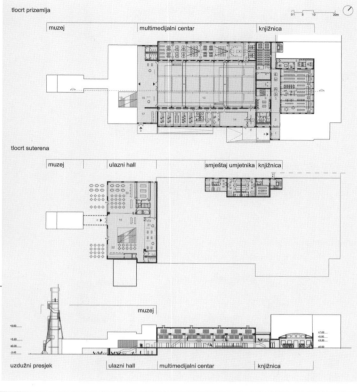

tlocrt prizemlja

muzej | multimedijalni centar | knjižnica

tlocrt suterena

muzej | ulazni hall | smještaj umjetnika | knjižnica

muzej

uzdužni presjek | ulazni hall | multimedijalni centar | knjižnica

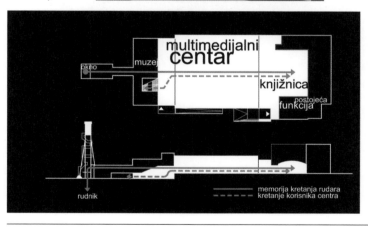

1 - ulaz u knjižnicu - vjetrobran
2 - ulazni prostor
3 - izložbeni prostor
4 - posudbeni prostor
5 - studijski rad
6 - uprava knjižnice
7 - višenamjenska predavaonica
8 - instalacija
9 - internet caffe
10 - višenamjenska djeljiva dvorana
11 - učionica
12 - garderobe
13 - unos opreme
14 - glavno spremište
15 - tehničke prostorije
16 - ured
17 - ulazni prostor mkc
18 - ulazni hall mkc
19 - glavni ulazni hall kompleksa
20 - restoran
21 - komercijalni sadržaji
22 - caffe
23 - apartman
24 - spremište knjiga

a - ulaz knjižnica
b - ulaz mkc
c - glavni ulaz
d - servisni ulaz
e - gospodarski ulaz

Neglected and old industrial structures, plants and complexes have proven everywhere in the world as especially convenient for reuse as representative exhibition venues and cultural centres. By its quality of spatial organization, size, and polyvalence, the Pjacal and the former coal mine are just adequate for such reuse. In the new organization the complex is divided into several units: the City Library in the Marble Hall; the Multimedia Culture Centre in the former bath; the Mining Museum in the Lamp Room; the main access square around the mine shaft with public and commercial amenities in the basement of the Lamp Room with a connection to the Multimedia Centre, as well as a small library square on the south-east side of the bath. This city-planning and architectural solution sees the complex as a unit that in the phases set by the brief and its final form functions as public space and culture generator in the region. It serves like the place of meeting and production for both art professionals and the citizens of Labin and its surroundings. The synergy of public, cultural, and commercial facilities makes this area self-sustainable, providing it with added value hrvd transforming it from a mono-functional centre for culture production into one of urban centres of the wider environment.

In the spatial solution of the complex the idea of turning the today drab and desolate square around the shaft into a representative space with urban character and the shaft as iconographic element stands out. Fluid movement through public spaces and the activation of the whole complex is encouraged by pedestrian accessibility of a part of the structure's roof over the ramp from the library square.

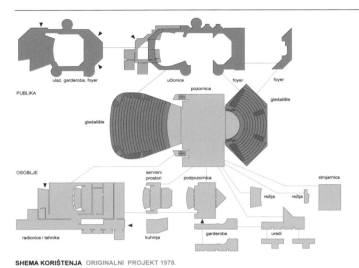

SHEMA KORIŠTENJA ORIGINALNI PROJEKT 1978.

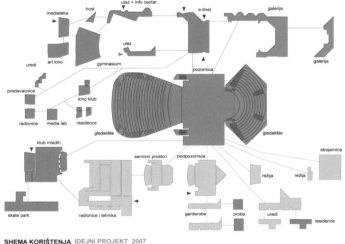

SHEMA KORIŠTENJA IDEJNI PROJEKT 2007

Dom mladih u Splitu začudna je građevina, kako po svojoj koncepciji i pojavnosti, tako i po svojoj sudbini koja od zaustavljanja građevinskih radova 1984. do danas egzistira u specifičnom procjepu između izuzetno ambiciozno postavljenog programa i nemogućnosti da se započeta i građevinski uglavnom zgotovljena akcija potpuno dovrši i prepusti na korištenje. Korpulentna zgrada Doma mladih programski i prostorno je precizno definirana i dovršena do rohbau faze, kada je radikalna prenamjena sadržajne strukture već bila teško izvediva. Jezgra prostorne konfiguracije je zanimljiv scenski sklop s dvostranim amfiteatarskim gledalištima kapaciteta 350, odnosno 650 mjesta i tehničkim prostorom visine 23,5 m koji danas u svojoj ogoljelosti djeluju impresivno. Dom mladih sadrži i brojne druge prostorije koje se postupno koloniziraju i koriste za različita stalna ili povremena događanja. Iz današnje perspektive izlišno je diskutirati o estetsko-konceptualnim svojstvima zgrade, no neosporno je da ona na sebe može kvalitetno prihvatiti javna događanja raznih karaktera, od scenskih izvedbi, preko radionica do izložbi. U tijeku je njegova postupna prilagodba i obnova zgrade koja je specifična po tome što se radovi odvijaju u polaganom ritmu, ali paralelno s korištenjem prostora, bez obzira na to je li on u potpunosti dovršen ili ne pa je cijela zgrada već u ovom trenutku potencijalno iskoristiv prostor.   *dio iz razgovora s Marojem Mrduljašem; PROJEKT N15/200*

AUTORI AUTHORS :
Dinko Peračić
Miranda Veljačić
SURADNICI COLLABORATORS : Nadia Obukhova,
Andrea Mueller, Viktor Perić, Hrvoje Kedžo,
Jasna Bajlo, Ivana Katurić, Lovel Čulić

LOKACIJA LOCATION : Split
GODINA PROJEKTIRANJA DESIGN YEAR : 2007.
INVESTITOR CLIENT :
Multimedijalni kulturni centar Split, Grad Split
/ Multimedia Culture Centre Split, City of Split

POVRŠINA PARCELE SITE AREA : 9000 m2
POVRŠINA TLOCRTA FOOTPRINT : 2907 m2

HIBRIDNA INSTITUCIJA
MULTIMEDIJALNI KOMPLEKS

The Youth Centre in Split is a wondrous building, both in its concept and appearance. This also applies to its destiny that since construction works were discontinued in 1984 mirrored in a specific clash between an extremely ambitiously set program and the impossibility to complete and put into use the commenced and mostly finished structure. The massive building of the Youth Centre is programmatically and spatially precisely defined and completed in the rough work phase where a radical change of its content structure is hardly possible. The core of its spatial configuration is an interesting stage structure with 350 and 650-seat auditoriums on two sides and a technical area 23.5 metres high. In its barrenness this looks impressive. The Youth Centre also contains numerous other spaces gradually colonized today, and used for different permanent or temporary events. From today's perspective it is pointless to discuss aesthetic and conceptual properties of the building, but it is indisputable that it can successfully host different public events, reaching from stage performances to workshops and exhibitions. Gradual adaptation and renovation of the building is in progress, specific in the aspect that works are going on at a slow pace, but simultaneously with its usage, no matter if certain portions are completely finished or not, so that even at this moment the entire structure is potentially usable.   *part of the interview with Maroje Mrduljaš; PROJEKT N15/200

REKONSTRUKCIJA I DOGRADNJA DRŽAVNOG ARHIVA U SISKU
Reconstruction and Extension of the State Archives in Sisak

Državni arhiv nalazi se na rubu tlocrtnog rastera rimske jezgre grada Siska (Siscia), industrijskoga grada znatno stradalog u ratu i tranzicijskim procesima. Rekonstrukcija i dogradnja iskorištene su da se kroz dizajn i strukturu dograđenih krila uz postojeću zgradu Arhiva naglasi njena javna funkcija i značaj. Kontekst definiraju susjedne individualne stambene kuće spojene u urbanu strukturu visokim dvorišnim zidom te tako čine ulicu koja nastoji formirati blok, a ne niz samostojećih zgrada.

Odabirom materijala i dizajnom formi obučenih u korten koje danju nemaju otvore jer je perforirani korten prevučen preko prozora naglašena je javna, 'monumentalna' funkcija zgrade - urbani reper.

AUTORI AUTHORS :
Studio A; Nenad Kondža, Irena Vitasović
SURADNICI COLLABORATORS : Željka Marković,
Erol Čičić, Želimir Frančišković, Josip
Haraminčić, Milan Kugler
LOKACIJA LOCATION : Sisak

GODINA PROJEKTIRANJA DESIGN YEAR :
2001. - 2002.
ZAVRŠETAK GRADNJE COMPLETION : 2008.
INVESTITOR CLIENT : Državni arhiv u Sisku
i Ministarstvo kulture / State Archives in Sisak
and the Ministry of Culture

POVRŠINA PARCELE SITE AREA : 1230 m2
POVRŠINA TLOCRTA FOOTPRINT : 1378 m2
FOTOGRAFIJA PHOTOGRAPHY : Robert Leš

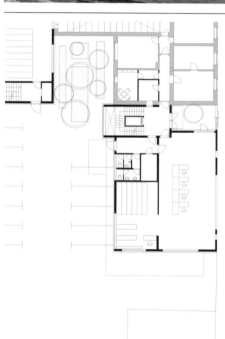

The State Archives are located on the verge of the ground-floor raster of the city of Sisak's (Siscia) Roman core; it is an industrial town considerably damaged during the war and the transitional processes. The reconstruction and extension have been used to stress the Archives' public function and meaning through the design and structure of the wings annexed to the existing building. The context is defined by neighbouring individual residential buildings connected into an urban structure by a high courtyard wall, thus forming a street that attempts to shape a block, and not a sequence of detached structures.

The selection of materials and the design of forms clad in Korten steel, which during the day have no openings, because the perforated Korten steel is drawn over the windows, stress the public, 'monumental' function of the building and make a landmark of it.

Parcela Gradske vijećnice nalazi se gotovo u geometrijskom središtu šireg gradskog centra: sa zapadne strane je Perivoj Zrinskih i Stari grad, a s istočne podgrađe s crkvom Sv. Nikole.

Zgrada je prostorno koncipirana od ulaznog prostora, gradske lođe, koju formira 16 metara duga konzola s vijećničkom dvoranom, i uredskih prostorija smještenih na četri terase u prizemlju i na katu. Prostorno odizanje u presjeku omogućava nesmetano parkiranje s južne strane građevine u suterenskoj etaži i bolju vizualnu komunikaciju centralnog uredskog prostora s ulazom. Gradska lođa jasnije organizira prostor Trga Republike i daje mu novi identitet, a istovremeno omogućuje kontinuitet pješačkih vizura iz Ulice kralja Tomislava prema perivoju. Uredi su riješeni kombi sistemom s centralnim prostorom koji potiče željenu transparentnost.

AUTOR AUTHOR : Željko Golubić
LOKACIJA LOCATION : Čakovec

STATUS : diplomski rad / diploma thesis
GODINA PROJEKTIRANJA DESIGN YEAR : 2006.

POVRŠINA PARCELE SITE AREA : 3900 m2
POVRŠINA TLOCRTA FOOTPRINT : 3400 m2

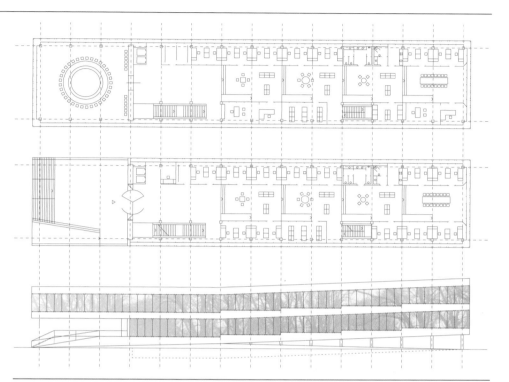

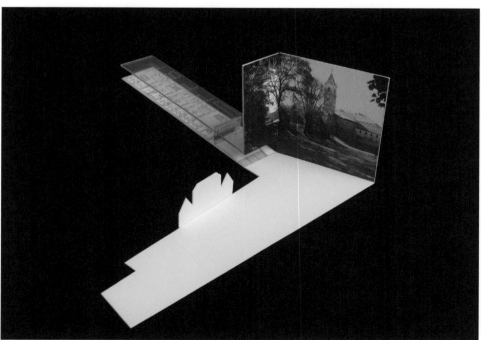

The City Hall plot is almost in the geometrical centre of the wider city centre: on the west side is the Zrinski Promenade and the Old Fortress, and on the east side is the lower town with the St Nicholas church.

The building is spatially conceived from the entrance area, the city loggia, formed by a sixteen-metre-long cantilevered structure with the hall of representatives and offices situated on four terraces on the ground floor and the first floor. Spatial detachment from the ground in the cross-section enables unhindered parking on the southern side of the building on the underground storey and better visual communication of the central office area with the entrance. The city loggia organizes the space of the Republic's Square more clearly and provides it with a new identity, at the same time enabling the continuity of pedestrian views from the King Tomislav Street towards the promenade. The offices are solved by a combined system with a central area that enables the desired transparency.

BRIGA ZA TIJELO I DUŠU
Care for the Body and the Soul

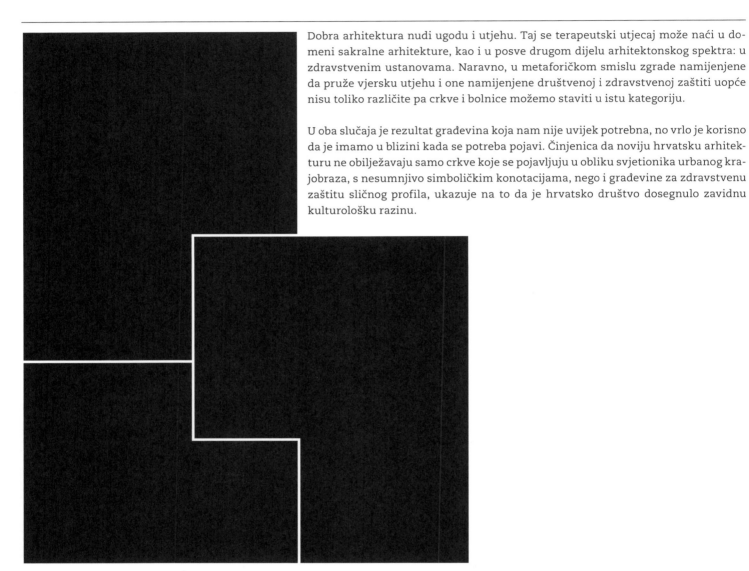

Dobra arhitektura nudi ugodu i utjehu. Taj se terapeutski utjecaj može naći u domeni sakralne arhitekture, kao i u posve drugom dijelu arhitektonskog spektra: u zdravstvenim ustanovama. Naravno, u metaforičkom smislu zgrade namijenjene da pruže vjersku utjehu i one namijenjene društvenoj i zdravstvenoj zaštiti uopće nisu toliko različite pa crkve i bolnice možemo staviti u istu kategoriju.

U oba slučaja je rezultat građevina koja nam nije uvijek potrebna, no vrlo je korisno da je imamo u blizini kada se potreba pojavi. Činjenica da noviju hrvatsku arhitekturu ne obilježavaju samo crkve koje se pojavljuju u obliku svjetionika urbanog krajobraza, s nesumnjivo simboličkim konotacijama, nego i građevine za zdravstvenu zaštitu sličnog profila, ukazuje na to da je hrvatsko društvo doseglo zavidnu kulturološku razinu.

Good architecture offers comfort and consolation. This therapeutic influence can be found in the domain of religious architecture as well as a totally different part of the architectural spectrum: buildings constructed for healthcare. Of course, in a metaphorical sense, buildings intended to provide religious consolation and those intended to provide social and medical care are not all that different, and churches and hospitals can both be put into the same category.

In both cases, the result is a building that you do not always need but which is very useful to have around when the need does arise. The fact that recent Croatian architecture is characterised not only by churches which manifest themselves as beacons in the urban landscape, with unmistakably symbolic connotations, but also by healthcare buildings with a similar profile is an indication that Croatian society possesses an intriguing level of sophistication.

ANDREY UCHYTIL I RENATA WALDGONI
Župni sklop Sv. Ivana Evanđelista /
Church and the Parish House of St John the Evangelist
IVICA BRNIĆ, DANIEL SUTOVSKY
Crkva s pastoralnim centrom i Dom za starije i nemoćne /
Church With Pastoral Centre And Nursing Home
LOVORKA PRPIĆ, MILJENKO BERNFEST / BXL STUDIO
Centar za socijalnu skrb Sisak / *Sisak Social Welfare Centre*
PRODUKCIJA 004
Ustanova za hitnu medicinsku pomoć / *Emergency Terminal*
ROBERT KRIŽNJAK, ROMAN VUKOJA
Župni centar Svetog Luke evanđeliste u Travnom /
Parish Centre of St Luke the Evangelist in Travno
SAŠA RANDIĆ, IDIS TURATO
Pastoralni centar 'Aula Ivana Pavla II' / Pastoral Centre, Hall of the Pope John II
STUDIO BF
Pastoralni centar i Pravoslavna makedonska crkva ''Sv. Zlata Meglenska'' /
Pastoral Centre and Macedonian Orthodox Church Community St Zlata Meglenska
3LHD
Poliklinika Split / *Split Polyclinic*

ŽUPNI SKLOP SV. IVANA EVANĐELISTA
Church and the Parish House of St John the Evangelist

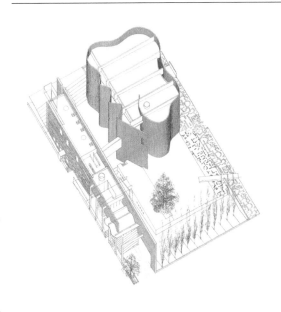

Parcela župne crkve Sv. Ivana Evanđelista shvaćena je u cijelosti kao 'posvećeni prostor'. Takav, nadovezuje se na javni gradski prostor, no svojm arhitektonskim oblikovanjem diferenciran je kao 'specifičan'.

Parcela je definirana prostornim odnosom crkve i župne kuće, kao i cjelokupnim parternim rješenjem u obliku deniveliranih zona. Stoga je projekt zamišljen u nekoliko prostornih cjelina koje odražavaju gradaciju: javno-posvećeno-sakralno-sveto. To su: javni urbani vrt, pristupni trg, zgrada crkve, zgrada župne kuće, upušteni ozelenjeni javni prostor, servisna zona s parkiralištem. Parcelom dominiraju dva arhitektonska volumena: crkva i kuća župnog dvora. Unutar Novog Zagreba, koji karakterizira izrazito ortogonalno-linearno usmjerenje prostornih i životnih tokova, korpus crkve kružno krivuljastom, radijalnom, nepravilno ovalnom formom ostvaruje potrebnu samosvojnost sakralne građevine.

AUTORI AUTHORS :
Andrey Uchytil, Renata Waldgoni
SURADNICI COLLABORATORS :
A. Šeparović - Uchytil, N. Mlinar, V. Eremija,
M. Biluš, B. Šneler
LOKACIJA LOCATION : Novi Zagreb

GODINA PROJEKTIRANJA DESIGN YEAR :
1991. - 1992.
ZAVRŠETAK GRADNJE COMPLETION : 2009.
INVESTITOR CLIENT :
Župa Sv. Ivana / Parish St. John the Evangelist
POVRŠINA PARCELE SITE AREA : 3015 m2

POVRŠINA TLOCRTA FOOTPRINT : 1060 m2
FOTOGRAFIJA PHOTOGRAPHY :
Domagoj Blažević

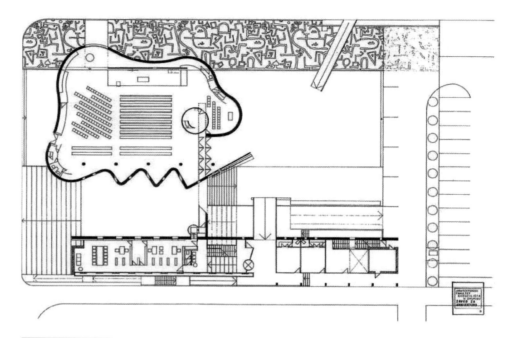

The plot of the parish church of St John the Evangelist is in its entirety understood as 'consecrated area'. As such, it is a continuation of public city space, but in its architectural design it is differentiated as 'specific'.

The plot is defined by the spatial relationship of the church and the parish house, as well as by the entire parterre solution in the form of split level zones. Therefore the project is conceived as several spatial units that sustain the gradation: public – consecrated – sacral – holy. They are: the public urban garden, the access square, the church building, the dug-in green public area, and the service zone with the parking lot. The parcel is dominated by two architectural masses: the church and the parish house. Within Novi Zagreb, characterized by pronouncedly orthogonal and linear direction of spatial and life fluxes, the body of the church attains the necessary individuality of a sacral structure by its round, curved, radial, and irregularly oval form.

CRKVA S PASTORALNIM CENTROM I DOM ZA STARIJE I NEMOĆNE
Church with a Pastoral Centre and a Nursing Home

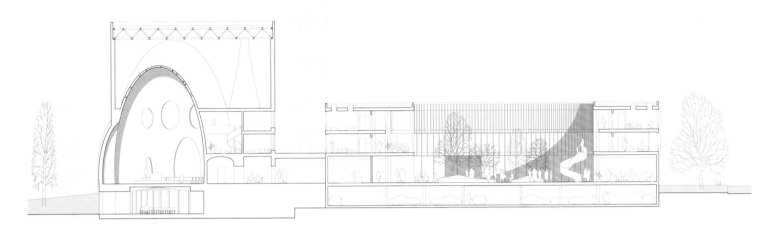

Projekt se temelji na uvriježenoj tipologiji crkvi - klaustar (uz crkvu se ovdje zgrada doma za starije i nemoćne interpretira kao klauster). Time se sklop sidri u kolektivnu svijest o sakralnom graditeljstvu i tako se potiče težnje vjernika za duhovnim, što se nadalje kroz projekt postupno tematizira. Na taj način se stvara most između pučkog poimanja 'razumljivih' elemenata sakralne arhitekture i vrijednosti osnovnih elemenata arhitektonskog izričaja: s jedne strane simboli kao portal, kapela, apsida, toranj, oltar, a s druge oblik, prostornost, svjetlost, konstrukcije i materijali.

Što se tiče oblikovnosti, tema ovog projekta je odnos između vanjskog volumena i unutarnjih prostora građevine, odnosno 'divergencija' između tih dvaju aspekata arhitekture. Tematika nastaje težnjom za postizanjem optimuma, kako na urbanističkoj razini, tako i na razini oblikovanja interijera.

Tema osamostaljivanja unutarnjih prostora u odnosu na vanjsku formu koja se ovdje obrađuje posebno je istaknuta u tradiciji sakralnih građevina, gdje prvenstveni cilj projekta nije maksimalna eksploracija ostvarene kubature, nego upriličenje sakralnog doživljaja.

Zanimljiv aspekt takvog pristupa su međuprostori koji nastaju između nutarnjih i vanjskih oblika. Oni postaju kazualni kuriozum tih građevina i filigraniziraju doživljaj cjelokupnog prostora, kao npr. međukupolni prostor firentinske katedrale, splitske kapele unutar bedema ili tzv. poché prostori rimskih vila.

AUTORI AUTHORS :
Ivica Brnić, Daniel Sutovsky
SURADNICI COLLABORATORS :
Nicolas Feldmeyer, Lukas Veltrusky,
Magdalena Leutzendorff, Felix Siegrist

LOKACIJA LOCATION : Spinut, Split
STATUS : projekt / project
GODINA PROJEKTIRANJA DESIGN YEAR : 2009.
INVESTITOR CLIENT :
Grad Split (Gradsko poglavarstvo) / City
Administration of the City of Split

POVRŠINA PARCELE SITE AREA : 5600 m2
POVRŠINA TLOCRTA FOOTPRINT : 5180 m2

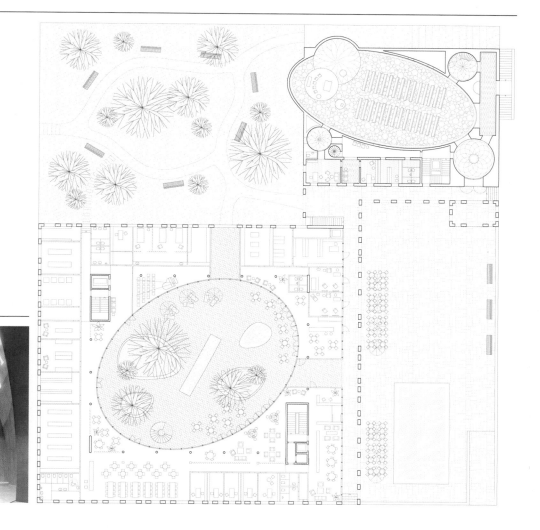

The project is founded on the traditional church typology – the cloister (placed near the church, the building of a nursing home is interpreted as a cloister). In this way the complex is anchored in the collective consciousness of sacral building heritage, encouraging the striving of the believers for the spiritual, which is gradually thematized through the project. Thus a bridge is constructed between the popular notion of 'understandable' elements of sacral architecture and the value of basic elements of architectural expression: on the one hand symbols like portal, chapel, apse, tower, altar, and on the other form, spatiality, light, constructions, and materials.

As for the form, the topic of this project is the relation between the outer mass and the inner space of the structure, actually the 'divergence' between these two aspects of architecture. The project's thematics emerges from the striving to attain the optimum, both on the city-planning level and on the level of interior design.

The topic of independence of inner areas in relation to the outer form treated here is especially stressed in the tradition of sacral buildings where the primary aim of the project is not the maximal exploration of the attained cubature, but the staging of a sacral experience.

An interesting aspect of this approach are the interstices between the inner and the outer forms. They have become a specific case curiosity of these structures and make the impression of the entire space intricate, like the dome interstice of the Florentine Cathedral, the Split chapel within the city walls, or the so-called 'pocket spaces' of Roman villas.

CENTAR ZA SOCIJALNU SKRB SISAK
Sisak Social Welfare Centre

Smještena u iznimno heterogenom urbanom okolišu, zgrada Centra za socijalnu skrb u Sisku, nalik slobodnostojećem artefaktu, sama kreira vlastiti kontekst. Prizemlja lagano odignutog od zemlje, sklop je sastavljen repeticijom elemenata unutar kojih su skriveni atriji i zelene terase. Zgrada, baš poput stroja za prostorno-vremensko putovanje, prima posjetitelja u zaklone svoje socijalne niše, gdje arhitektura 'izmišlja jednu drugačiju stvarnost'.

Podovi se nastavljaju u zidove u linearnom meandru koji se razmata po vertikali poprečnog presjeka. Unutarnji prostor integriran je otvorima između etaža. Pojedinačni procjepi u slijedu punih i praznih površina omogućuju poglede na fragmente vanjskog prostora. Prigušena skala boja i tekstura reagira upijajući okoliš. Zgrada slijedi mjene dnevnog svjetla, godišnjih doba i vegetacije, u uravnoteženom odnosu između vanjskog prostora i intime unutrašnjosti.

AUTORI AUTHORS :
bxl studio; Lovorka Prpić, Miljenko Bernfest
LOKACIJA LOCATION : Sisak
GODINA PROJEKTIRANJA DESIGN YEAR : 2003.
ZAVRŠETAK GRADNJE COMPLETION : 2008.

INVESTITOR CLIENT : idejna faza: Grad Sisak;
dalje: Ministarstvo zdravstva i socijalne
skrbi / first stage: City of Sisak;
second stage: Ministry of Health and Social
Welfare

POVRŠINA PARCELE SITE AREA : 4500 m2
POVRŠINA TLOCRTA FOOTPRINT : 1300 m2
FOTOGRAFIJA PHOTOGRAPHY :
Miljenko Bernfest

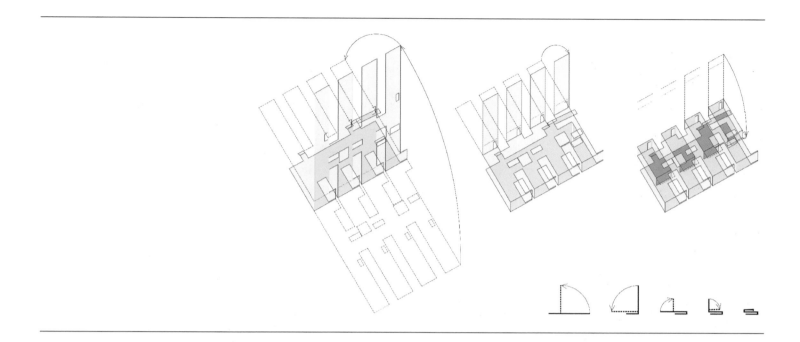

UPPER FLOOR PLAN

GROUND FLOOR PLAN

1. CHILDREN-PARENT COUNSELING	7. KITCHEN
2. OFFICE	8. ADMNISTRATION
3. DOUBLE HEIGHT FOYER	9. MEETINGS
4. GARDEN	10. PRINCIPAL
5. INDIVIDUAL COUNSELING	11. SECRETARY
6. WC	12. GREEN ROOF

1. MAIN ENTRANCE	7. KITCHEN
2. ENTRY 2	8. SOCIAL CARE DEPARTMENT
3. FOYER	9. FAMILY COUNSELING
4. ADMINISTRATION	10. GROUP WORK
5. ARCHIVE	11. OFFICE
6. WC	12. PATIO

Located in an extremely heterogeneous urban environment, the Social Welfare Centre building in Sisak, resembling a free-standing arte-fact, creates its own context. Slightly elevated from the ground, the assembly is formed by the repetition of the parts which hide atriums and green terraces. The building, just like a space-time machine, welcomes the visitor into the shelter of a social niche where architecture 'invents a different reality'.

The floors are a continuation of the walls in a linear meander that unfolds vertically in the cross section. Inner space is integrated through various openings between floors. Individual interstices in the sequence of full and empty surfaces allow glimpses of outer space frag-ments. The subdued scale of tones and textures reacts by absorbing the environment. The building follows changes in light, seasons, and greenery, achieving a balance between the outer space and the intimacy of the interior.

Nova zgrada Hitne medicinske pomoći u Zagrebu površine je 14.000 m2 i može opslužiti više od milijun građana. Na ukupno 8 katova objekta smješteni su prijavno-dojavna služba, ambulanta s reanimacijom, stacionar za zbrinjavanje unesrećenih, medikamentozne pričuve grada Zagreba, obrazovni centar i višekatna garaža za 170 sanitetskih vozila.

Čelična skeletna konstrukcija sa spregnutim stropnim pločama korespondira arhitektonskim zahtjevima prozračnosti i prostorne varijabilnosti. Efektno i racionalno rješenje za veliku površinu fasade je postava membranske mrežaste strukture. Translucentni karakter materijala pridonosi različitoj percepciji kuće tijekom dana i noći. U dnevnom svjetlu objekt dominira svojim volumenom i privlači čistoćom (sterilnošću) bijele boje, dok noću bijeli kubus postaje iluminirani svjetlosni orijentir.

Oblikovanje interijera i signalizacije, koje također potpisuje Produkcija 004, ravnopravno je arhitektonskom projektu i zajedno kreiraju otvorenu, hrabru, odgovornu i socijalno senzibilnu zgradu koja uspostavlja nove standarde javnih gradskih objekata.

AUTORI AUTHORS :
PRODUKCIJA 004; gl. arhitekt / chief designer
Davor Katušić, voditelj projekta / project
manager Martina Ljubičić
SURADNICI COLLABORATORS :
Juri Armanda, Karl Geisler, Jana Kocbek,
Margareta Ćurić , Robert Franjo arh.teh.,
Bor Dizdar, Mateo Biluš, Milan Carević, Ivo
Petrić, Marija Burmas
LOKACIJA LOCATION : Zagreb
GODINA PROJEKTIRANJA DESIGN YEAR :
2005. - 2006.
ZAVRŠETAK GRADNJE COMPLETION : 2009.
INVESTITOR CLIENT :
Grad Zagreb / City of Zagreb
POVRŠINA PARCELE SITE AREA : 4853 m2
POVRŠINA TLOCRTA FOOTPRINT : 14.000 m2
FOTOGRAFIJA PHOTOGRAPHY:
Miljenko Bernfest, HRG

The new Emergency Hospital building in Zagreb has a surface area of 14,000 sq.m. and is able to meet the needs of more than a million citizens. On altogether eight storeys of the structure are the dispatch service, reanimation ward, inpatient ward for the injured, medicament reserves of the city of Zagreb, educational centre, and a multi-storey garage for 170 ambulances.

The steel skeleton construction with composite ceiling panels corresponds to architectural demands for airing and spatial variability. An efficient and rational solution for the large facade surface is a membrane net structure. The translucent character of the material contributes to different perception of the house during the day and at night. In the daylight the structure dominates with its mass and attracts with the cleanness (sterility) of its white colour, while at night the white cube becomes an illuminated orientation point.

The design of the interior and the signals, also by Produkcija 004, is of equal importance as the architectural project and together they create an open, brave, responsible, and socially sensitive building that sets new standards for public city structures.

ŽUPNI CENTAR SVETOG LUKE EVANĐELISTA
U TRAVNOM
Parish Centre of St Luke the Evangelist
in Travno

Kompleks crkve sa župnim dvorom ima intenciju da svojim sadržajima pruži novu kvalitetu života novozagrebačkom naselju Travno. Dispozicija korpusa građevine generirana je silnicama koje proizlaze iz konteksta pravilne urbane matrice naselja. Građevina se smješta na zapadnom rubu centralne zelene površine naselja u međuprostoru megavolumena 'Mamutice' i zelene praznine centralnog dijela naselja te nastavlja urbanistički slijed grupiranja javnih sadržaja naselja u rubnim zonama oko parka (škola, vrtić, dom kulture, crkva).
Građevina je komponirana iz dva osnovna volumena. Dominantni volumen koji sadrži glavnu crkvenu dvoranu, odnosno prostor bogoslužja koncipiran je kao centralna građevina, a u prostornom konceptu dominantna je ideja žive zajednice - vjernici okružuju oltar.
U procesu projektiranja posebna je pažnja posvećena tretmanu svjetla kao medija arhitekture. Građevna supstanca arhitekture (zid, stup, strop) u međuodnosima svjetla oživljava arhitekturu.

AUTORI AUTHORS :
Robert Križnjak, Roman Vukoja
SURADNICI COLLABORATORS :
Martina Križnjak, Ana Iskra
LOKACIJA LOCATION : Zagreb

GODINA PROJEKTIRANJA DESIGN YEAR :
2002. - 2005.
ZAVRŠETAK GRADNJE COMPLETION : 2007.
INVESTITOR CLIENT : Nadbiskupija zagrebačka,
RKT Župa sv. Luke Evanđelista / Zagreb

Archbishopric, Roman-Catholic Parish
of St Luke the Evangelist
POVRŠINA PARCELE SITE AREA : 2100 m2
POVRŠINA TLOCRTA FOOTPRINT : 1900 m2
FOTOGRAFIJA PHOTOGRAPHY : Ivica Bralić

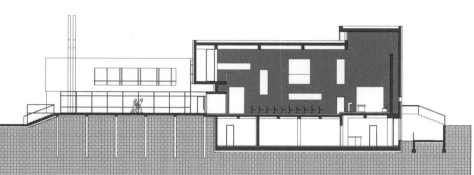

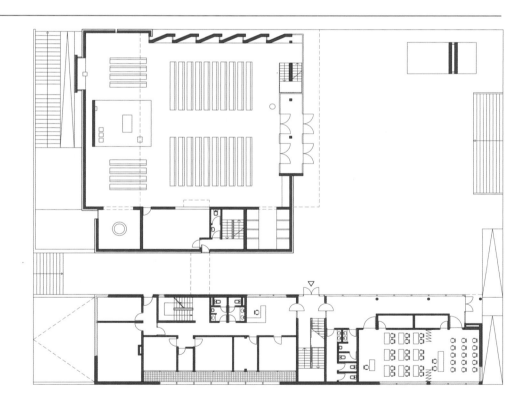

The church complex with a parish house intends to provide the New Zagreb block Travno with a new quality of life. The disposition of the structure's mass is generated by lines of force that emerge from the context of the regular urban matrix of the block. The structure is located on the western verge of the central green area of the block, in the interstice between the large mass of the 'Mammoth Building' and the green void of the block's central stretch, so that it continues the city-planning sequence of grouping the principal facilities in the border zones of the park (school, nursery, culture centre, church).

The structure is composed of two basic masses. The dominant mass that includes the main church hall, i.e. the place of church service is conceived as the central structure, while in the spatial concept the prevailing idea is the one of a living community – the congregation surrounds the altar.

In the design process special attention was devoted to the treatment of light as architectural medium. The construction substance of architecture (wall, post, ceiling) enlivens architecture in the interrelations of light.

PASTORALNI CENTAR 'AULA IVANA PAVLA II'
Pastoral Centre, Hall of the Pope John II

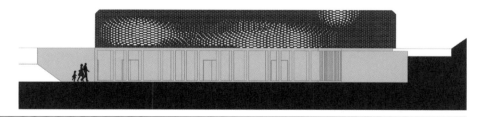

Crkva Gospe Trsatske jedna je od najvažnijih hodočasničkih destinacija u Hrvatskoj. Ideja da se zgrada Velike dvorane pridoda kompleksu povezana je s Papinim posjetom Rijeci 2003. Nova je zgrada smještena uz istočni zid, nekadašnju lokaciju pomoćnih zgrada. Ovom pregradnjom stvoren je novi glavni ulaz za hodočasnike u tom dijelu građevine, a s ciljem da se napravi prostor za pješački tijek uvučen je cijeli zid, čime je s vanjske strane nastala nova javna šetnica.

Nova se građevina sastoji od dva elementa: generičkog volumena dvorane i portika sa stupovima koji tvori novi javni trg unutar samostana. Dvorana je obučena u jedinstvenu površinu od terakota cigle, pikselizirane strukture nastale promjenjivim razmacima između elemenata, čime se u dvoranu dovodi svjetlo.

AUTORI AUTHORS :
Saša Randić, Idis Turato
SURADNICI COLLABORATORS :
Siniša Glušica, Gordan Resan, Iva Čuzela-Bilać,
Ana Staničić (Technical Architects)
Structural engineering: Aljoša Travas

LOKACIJA LOCATION : Trsat, Rijeka
GODINA PROJEKTIRANJA DESIGN YEAR : 2003.
ZAVRŠETAK GRADNJE COMPLETION : 2008.
INVESTITOR CLIENT :
Franjevački samostan Trsat / Franciscan
monastery Trsat

POVRŠINA PARCELE SITE AREA : 3935 m2
POVRŠINA TLOCRTA FOOTPRINT : 1048 m2
FOTOGRAFIJA PHOTOGRAPHY : Sandro Lendler

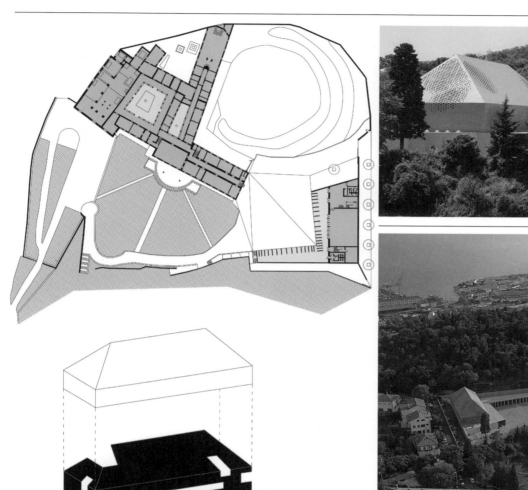

The Church of Our Lady of Trsat is one of the most important pilgrimage sites in Croatia. The idea to add a Great Hall building to the complex is connected with the Pope's visit to Rijeka in 2003. The new building is situated by the eastern wall, the previous location of service buildings. With this reconstruction a new major entrance for the pilgrims has been created in that part of the structure, and in order to accommodate the pedestrian flow the entire wall has been recessed, creating a new public walkway on the outside.

The new construction consists of two elements: a generic volume of the Hall and a columned portico that creates a new public square within the monastery. The Hall is clad in a single terracotta-brick surface with a pixelized structure created by the changing gap between the elements, bringing light into the Hall.

PASTORALNI CENTAR I PRAVOSLAVNA
MAKEDONSKA CRKVA 'SV. ZLATA MEGLENSKA'
Pastoral Centre and Macedonian Orthodox Church
Community St Zlata Meglenska

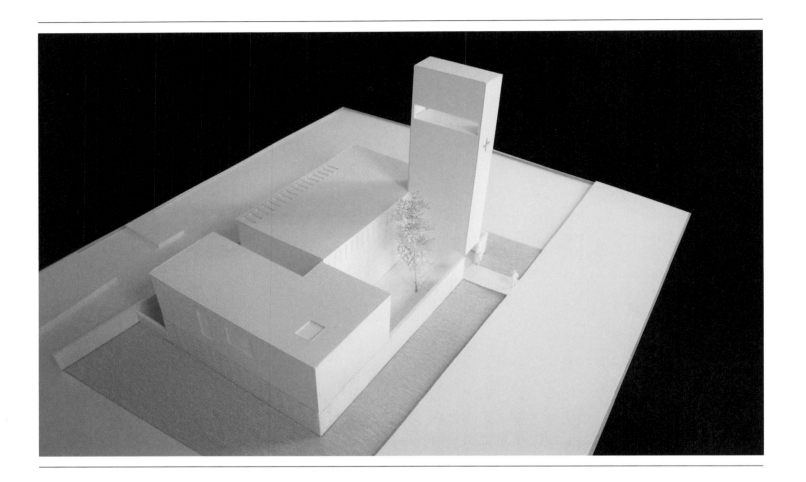

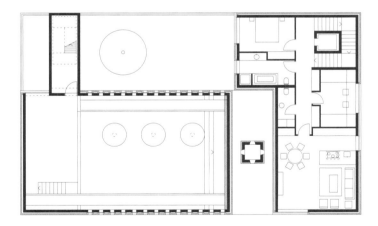

Građevina pastoralnog centra i crkve Makedonske pravoslavne crkvene općine 'Sv. Zlata Meglenska' ukotvila se u postojeći okoliš urbane matrice Stare Knežije uz Zagrebačku aveniju.

Postoji nada, ako se mjesto i građevina spoje, da se nadiđu fizički i funkcionalni zahtjevi, te se rode nove vrijednosti u prostoru grada. Građevina nema otvoreni pristupni trg, već se preko perforiranog zida formira otvoreno predvorje kao zaštićeno dvorište. Lađa crkve planirana je kao pravokutni volumen s bačvastim svodom koji se proteže uzduž cijele lađe, distancirajući se od zidova i završavajući u stijeni ikonostasa. Cijeli je prostor zatvoren, osvijetljen difuznim svjetlom uskih otvora sa sjevernog i južnog zida lađe, koje se disperzira preko bačvastog svoda i otkriva intimu i tamu lađe cijelim spektrom. Zidovi i strop glavne lađe ostavljeni su u ovom prijedlogu kao prazne stranice knjige, čekajući sadržaj.

AUTORI AUTHORS : STUDIO BF;
Zoran Boševski, Boris Fiolić, Željko Golubić
SURADNIK COLLABORATOR :
Duje Ivanišević - maketa / model

LOKACIJA LOCATION : Zagreb
STATUS : u izvedbi / under construction
GODINA PROJEKTIRANJA DESIGN YEAR : 2008.

INVESTITOR CLIENT : Makedonska pravoslavna
crkva / Macedonian Orthodox Church
POVRŠINA PARCELE SITE AREA : 700 m2
POVRŠINA TLOCRTA FOOTPRINT : 776 m2

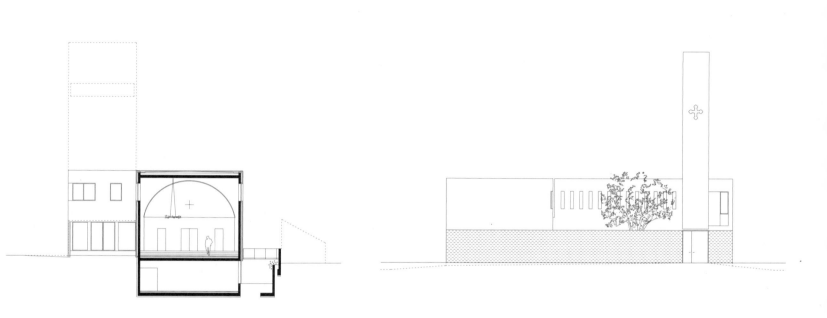

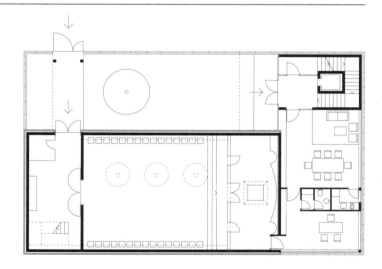

The structure of the pastoral centre and the centre of the Macedonian Orthodox Church Community St Zlata Meglenska was embedded into the existing environment of Old Knežija's urban matrix along the Zagreb Avenue.

There is hope, if the place and the structure find a connection, that physical and functional demands may be surpassed and that new values in city space might emerge.

The structure has no open access square, but by means of a perforated wall forms an open entrance lobby, a protected courtyard. The church nave is planned as a rectangular mass with a barrel vault stretching along the entire nave, detached from the walls and ending in the iconostasis screen. The entire area is closed, illuminated by diffuse light from narrow openings in the northern and southern wall of the nave, dispersed over the barrel vault, disclosing the intimacy and darkness of the nave by its entire spectre.

The walls and the ceiling of the principal nave have been left empty in this proposal, like pages in a book, waiting for content.

Neposredna okolina i povijesna gradska cjelina Firula i okolice jedan su od najugodnijih splitskih gradskih predjela za život, rad i rekreaciju. Izuzetna lokacija ove privatne poliklinike jedna je od njenih najvećih prednosti. Blizina drugih najvažnijih bolničkih sadržaja na Firulama, blizina mora i svjež zrak daju na važnosti.

Budući da objekti ovakvog zadanog programa i funkcije zahtijevaju maksimalnu pragmatičnost i poštivanje zadanog programa, te maksimalnu tehničko-tehnološku opremljenost i funkcionalnost, logičan je razvoj funkcija po vertikali koji omogućuje smještaj svih polikliničkih sadržaja, dijagnostike, ordinacija i laboratorija prema traženim etažama. Svi javni sadržaji smješteni su u suterensku, prizemnu i prve etaže objekta, stacionar i administracija su na višim etažama, a garaže u donjim, podzemnim etažama.

Glavni vizualni element i akcent kuće je ovojnica od horizontalnih traka. Ona potpuno obuhvaća kuću kao što zavoj štiti pacijenta. Ovojnica ima višeznačnu ulogu opne koja štiti od sunca, regulator je svjetla, sakriva, otkriva, te kadrira pogled.

Atriji/loggie po svim etažama prisutni su kao isiječak vanjskog prostora, međuprostor i polujavna kontaktna zona. Spajaju i dijele ostale prostore kuće, a umjesto klasičnog introvertiranog bolničkog koridora, omogućuju relaksirajuću zonu u kojoj ste okruženi komadićem (mediteranskog) zelenila na drvenoj terasi i pogledom na more i okolne otoke.

Autori Authors :
3LHD; Saša Begović, Marko Dabrović, Tatjana
Grozdanić Begović, Silvije Novak, Koraljka
Brebrić Kleončić, Sanja Jasika, Ines Vlahović
Suradnici Collaborators :
Joško Kotula, Dragana Šimić

Lokacija Location : Firule, Split
Status : projekt / project
Godina projektiranja Design year : 2009.
Investitor Client : Krupa d.o.o.

Površina parcele site area : 2086 m2
Površina tlocrta footprint : 834 m2

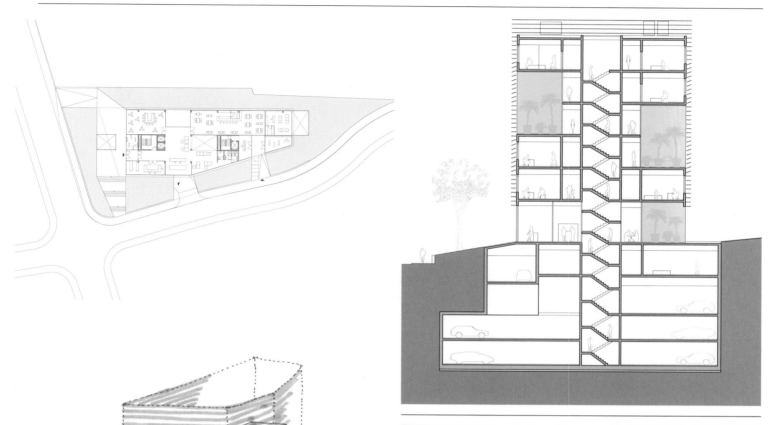

The immediate surroundings and the historical city core of Firule and their environment are one of the most pleasant areas for living, work, and recreation in Split. The outstanding location of this private polyclinic is one of its greatest assets. The vicinity of other most important medical facilities, the sea, and fresh air add importance and a range of possibilities to the new structure.

Because structures with such set program and function demand maximal pragmatism and strict execution of the brief, as well as top standards in terms of technical and technological equipment and functionality, vertical development of functions is logical, because it enables the accommodation of all polyclinic amenities, diagnostics, consulting rooms, and laboratories in concordance with the required storeys. All public facilities are situated under the ground, on the ground-level and the first storey of the structure. The inpatient clinic and management are on higher storeys, while the garages are on lower underground levels.

The main visual element and the stress are on the envelope consisting of horizontal strips. It entirely envelops the house in the way a bandage protects a patient. The envelope has the multiple meaning of a cocoon that protects from the sun, regulates light, hides, reveals, and frames the view.

Atriums and loggias on all storeys have the form of clippings from the outer space, interstices, and semi-public contact zones. They connect and divide the other areas of the house; instead of the classic introvert hospital corridor they constitute a relax zone in which we are surrounded by a strip of (Mediterranean) greenery, sit on a wooden terrace and enjoy the view of the sea and the surrounding islands.

OBRAZOVNE SREDINE
Educating environments

Kad je riječ o europskom izgrađenom okolišu, upada nam u oči to da se potrebe mladih općenito ne uzimaju u obzir dovoljno ozbiljno, a to vrijedi i za Hrvatsku. Činjenica da je čak i u društvima koja rapidno stare barem četvrtina stanovništva mlađa od 20 godina sve to čini još neobičnijim. Dječje igralište ili sportski teren ponekad su uređeni uz veliki trud, no primjeri sredina koje se sustavno bave potrebama djece i mladih rijetki su i udaljeni jedni od drugih. Postojeći primjeri uglavnom su obrazovne ustanove i sportski centri koje, iako nisu uvijek specifično usmjereni na mlade, ipak oni vrlo često koriste. Naravno, nisu sve odgojno-obrazovne i sportske ustanove u Hrvatskoj najviše kvalitete, no mnoge nove građevine koje nastaju u toj sferi pokazuju dojmljivu razinu optimizma i posvećenost cilju da se budućim naraštajima osigura okoliš u kojemu će svoje potencijale moći u potpunosti razviti.

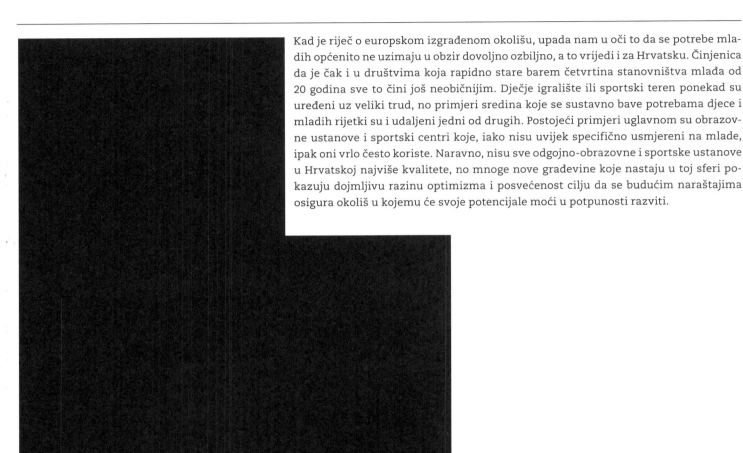

A striking feature of the built environment in Europe is that the needs of young people are generally not seriously taken into account, and the same is true in Croatia. The fact that, even in societies with rapidly ageing populations, at least a quarter of the population is less than 20 years old makes this all the more striking. A playground in a park or a sports field can sometimes be arranged with a great deal of effort, but examples of environments which focus on the needs of children and young people are few and far between. The examples that do exist are mostly educational buildings and sports centres which, although not always specifically focused on young people, are at least very often used by them. Of course, not all the educational and sports facilities in Croatia are of the highest quality, but the many new buildings going up in these areas of activity testify to an impressive level of optimism and a commitment to offer future generations an environment in which they can develop themselves to their fullest potential.

ANTE NIKŠA BILIĆ
Sportska dvorana oš Zmijavci / *Sports hall of the Zmijavci Elementary School*
JURICA JELAVIĆ, DINA OŽIĆ BAŠIĆ, DAMIR PERIŠIĆ, LOVRE PETROVIĆ,
JASMIN ŠEMOVIĆ, EUGEN ŠIROLA
Sveučilišna knjižnica Split / *Split University Library*
MIA ROTH ČERINA, TONČI ČERINA - XYZ ARHITEKTURA
Dječji vrtić Remetinec – područni odjel Lanište /
Remetinec Nursery – Lanište Local Department
MIKELIĆ VREŠ ARHITEKTI
Dječji vrtić 'Maslačak' / *'Dandelion' Nursery*
NFO
Osnovna škola sa sportskom dvoranom i vanjskim sportskim terenima /
Primary School with a Sports Hall and Outdoor Sports Ground
NJIRIC⁺ ARHITEKTI
Palazzo Bolognese – pravni fakultet / *Palazzo Bolognese – Law Faculty*
NJIRIC⁺ ARHITEKTI
Folded Mat – Indigo vrtić MB / *Folded Mat – MB Indigo Kindergarten*
NOIN ARHITEKTI - NIKOLINA IVANOVIĆ
Dječji vrtić ''5 elemenata'' / *'Five Elements' Nursery*
PROJECTURA
Osnovna škola Farkaševac / *Farkaševac Elementary School*
RADIONICA ARHITEKTURE
Dječji vrtić 'Šegrt Hlapić' / *'Lapitch the Little Shoemaker' Nursery*
SINIŠA BODROŽIĆ, IVAN RALIŠ, NENAD RAVNIĆ
Stolnoteniski dom Vrbik / *Vrbik Table Tennis Centre*
VEDRAN DUPLANČIĆ
Osnovna škola ''Sesvetska Sopnica'' / *Sesvetska Sopnica Elementary School*
VEDRAN DUPLANČIĆ, NIKOLA ŠKARIĆ (E.A. STUDIO)
''Art container'', umjetnička akademija / *Art Container, Art Academy*
VINKO PENEZIĆ, KREŠIMIR ROGINA
Dječji vrtić Jarun / *Jarun Nursery*
VJERA BAKIĆ, MATTHIAS KULNSTRUK
Spinspid

SPORTSKA DVORANA OŠ ZMIJAVCI
Sports Hall of the Zmijavci Elementary School

Sportska dvorana uz staru osnovnu školu projektirana je 1998. godine. Dvorana je usječena zapadnom stranom u brdo, oslobađajući prostor oko škole za različite vanjske aktivnosti. Jednostavan kubus dvorane uklapa se preko otvorenih tribina i duge prilazne rampe u prostor ispred škole s kojom stvara vanjski prostor po mjeri naselja.

Na taj se način arhitekturom afirmira lokalna kultura okupljanja koja je vezana uz različite blagdane, općinske i školske događaje, koncerte, priredbe ili političke skupove. Na sjevernoj strani dvorane nalazi se lođa koja gleda na travnjak nogometnog igrališta. Kao produžetak lođe, uz sjevernu i istočnu fasadu, formirana je galerija koja, kao u pučkom teatru, ujedinjuje razne sadržaje, od gledališta, trkališta do prostora za projektore, tako da preko otvora na istočnoj fasadi prostor ispred dvorane s tribinama postaje ljetno kino i pozornica za razna događanja. Ulaz u dvoranu je neposredan i pregledan. Po pročeljima dominira lomljeni kamen, a u unutrašnjosti obična šuplja opeka položena u cementni mort. U ovoj dvorani korištenje dostupnih lokalnih materijala nije samo stvar ekonomike nego i suptilnijeg uklapanja u odnos s postojećom školom koja je izgrađena skromnim i upornim trudom mještana. Konstrukciju čini čelična ovojnica kvadratnog rastera s različitim fasadnim ispunama ovisno o funkciji unutarnjeg prostora (kamen, prozirno staklo i 'kopilit' neprozirno staklo). Materijali su komponirani po načelu suprotstavljene strukture, ostavljajući mogućnost da prirodno i umjetno svjetlo toniraju pročelje.

U ovako malim sredinama sportske dvorane postaju glavna mjesta društvenog života i događanja. Njihova je vrijednost složenija i izrazitija nego u gradovima. Možda su ove male sportske dvorane sublimacija više javnih građevina koje su tijekom vremena izgubile povezanost sa stvarnim potrebama današnjih korisnika.

AUTOR AUTHOR : Ante Nikša Bilić
SURADNIK COLLABORATOR : Perica Peko - Lučić
LOKACIJA LOCATION : Zmijavci, Imotski
GODINA PROJEKTIRANJA DESIGN YEAR : 1998.

ZAVRŠETAK GRADNJE COMPLETION : 2008.
INVESTITOR CLIENT :
Ministarstvo prosvjete i sporta / Ministry
of Education, Science and Sports

POVRŠINA PARCELE SITE AREA : 5000 m2
POVRŠINA TLOCRTA FOOTPRINT : 1575 m2
FOTOGRAFIJA PHOTOGRAPHY : Sandro Lendler

1   OSNOVNA ŠKOLA
2   NADOGRADNJA ŠKOLE
3   PRETPROSTOR ŠKOLE-ŠLJUNAK
4   PRETPROSTOR ŠKOLE-KAMENE PLOČE
5   SPORTSKA DVORANA
6   NOGOMETNO IGRALIŠTE
7   KOŠARKAŠKO IGRALIŠTE
8   IGRALIŠTE ZA MALI NOGOMET
9   TRIBININE ZA MALI NOGOMET
10 BOČALIŠTE
11 TRIBINE ZA BOČALIŠTE
12 KOLNIK
13 PLOČNIK
14 PARKIRALIŠTE
15 DRVO NA TRGU
16 KLUPE
17 TRIM STAZA
18 LJULJAČKE
19 KLACKALICE
20 TOBOGAN
21 DJEČJE IGRALIŠTE NA PIJESKU
22 IGRALIŠTE-ODBOJKA NA PIJESKU
23 NADSTREŠNICA
24 TOBOGAN
25 RAMPA

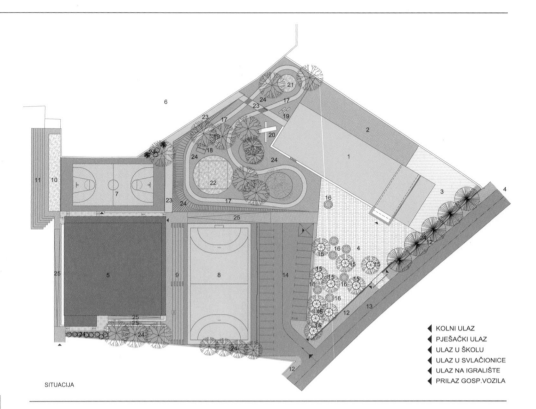

SITUACIJA

◄ KOLNI ULAZ
◄ PJEŠAČKI ULAZ
◄ ULAZ U ŠKOLU
◄ ULAZ U SVLAČIONICE
◄ ULAZ NA IGRALIŠTE
◄ PRILAZ GOSP.VOZILA

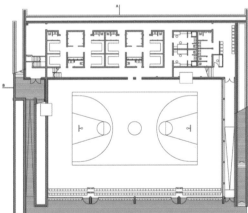

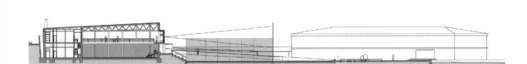

The sports hall next to the old school was designed in 1998. The hall is cut into the hill with its west side, liberating the space around the school for different outdoor activities. The simple hall cube is over the open stands and the second access ramp enclosed into the area in front of the school, with which it forms an outer area on the settlement's scale.

In this way architecture is the affirmation of the local culture of assemblies, connected with different holidays, municipal and school events, concerts, performances or political rallies. On the northern side of the hall is a loggia overlooking the lawn of the football ground. As the extension of the loggia, a gallery has been formed along the northern and eastern façade. It unifies different contents like in a folk theatre, from the auditorium and a racing track to the projector room, so that over the opening on the eastern façade the area in front of the hall with the stands is transformed into open-air cinema and a stage for different events. The entrance into the hall is direct, with a clear layout. On the fronts the prevailing cladding is broken stone, and on the inside it is regular furring brick laid into cement mortar. In this hall the use of easily accessible local materials is not only a question of economy, but also a question of subtle adjustment to the appearance of the existing school that was built with modest means and continuing efforts by the locals. The construction consists of a square-grid steel envelope with different façade infills, depending on the function of the inner areas (stone, transparent glass, and opaque glass). The materials are composed on the principle of juxtaposing structures, leaving the possibility for natural and artificial light to tone the front.

In such small communities sports halls are becoming the principle places of social life and events. Their value is more complex and more pronounced than in the cities. Such small sports halls are maybe a sublimation of several public structures that with the passage of time have lost the connection with the real needs of their today's users.

SVEUČILIŠNA KNJIŽNICA SPLIT
Split University Library

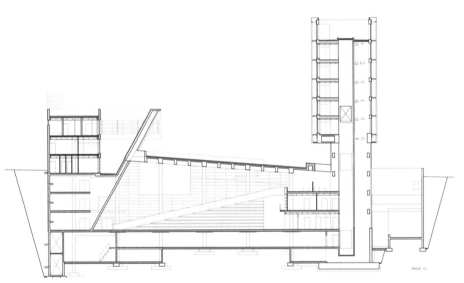

Stvaranje natječajnog projekta Sveučilišne knjižnice u Splitu predstavljalo je vrutak kristalne vedrine pet tada mladih autora, uz tihi dodir i prisutnost pokojnog arhitekta Damira Perišića. *Gradnja* zgrade, nasuprot tomu, predstavljala je srazove niskih strasti, poniženja arhitekture i ljudi, prevara i krađa, provizija i zavisti te je kao takva najrječitiji simbol suvremene hrvatske arhitekture.

Ukupna *gomila zgužvanog nesklada* s ozbiljnim funkcionalnim smetnjama svejedno je rezultirala u *nesavršenoj eksplodiranoj ljepoti*: mediteranske ideje trga kao javnog prostora koji tek treba biti ostvaren, 'virtualnih' staklenih studiola-loggia dvadesetprvog stoljeća začinjenih širokim pogledima na horizont, mistike zakopanog blaga knjižnice velike podzemne dvorane. Napetost je postignuta *nemuštom reinterpretacijom* mahom sjevernjačkih utjecaja *u stalnom sukobu s tradicionalnim* nekontroliranim južnjačkim osvajanjem prostora, dajući ovoj zgradi mnogo ljupkog šarma i gotovo nepojmljivu višeznačnost. Konačno, stvoreno poludivlje nahoče, posvemašnji *contradictio in adjecto*, u svoj svojoj ekspresivnoj ljepoti izaziva ništa do li samilost i ljubav na prvi pogled. / AUTOR TEKSTA: DR. SC. DINA OŽIĆ BAŠIĆ

AUTORI AUTHORS : Jurica Jelavić, Dina Ožić Bašić, Damir Perišić, Lovre Petrović, Jasmin Šemović, Eugen Širola
LOKACIJA LOCATION :
Split, Campus, Ruđera Boškovića bb

GODINA PROJEKTIRANJA DESIGN YEAR : 2004.
ZAVRŠETAK GRADNJE COMPLETION : 2009.
INVESTITOR CLIENT :
Sveučilište u Splitu / Split University

POVRŠINA PARCELE SITE AREA : 5230 m2
POVRŠINA TLOCRTA FOOTPRINT : 19.800 m2
FOTOGRAFIJA PHOTOGRAPHY : Sandro Lendler

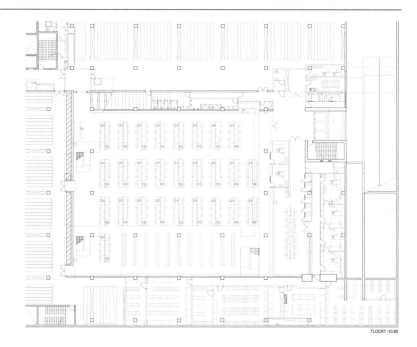

TLOCRT -10.80

The creation of the Split University Library competition project was a moment of crystal serenity for five at that time young authors, with a soft touch and presence of the late architect Damir Perišić. As opposed to this, the construction of the building represented a clash of lower instincts, a humiliation of architecture and people, deceptions and thefts, percentages and envy. As such, it very well symbolizes contemporary Croatian architecture.

The resulting heap of cramped disharmony with serious functional disorders has nevertheless resulted in imperfect exploded beauty of the Mediterranean idea of the square as public space that yet has to be realised, 'virtual' glass study-loggias of the twenty-first century, supplemented with wide views of the horizon, and the hidden treasure mystique of the library's large underground hall. Tension is achieved by unarticulated reinterpretation of mostly northern influences in a continuing clash with the traditional and impulsive southern conquering of space, providing this building with a lot of grace and charm, as well as with almost inconceivable ambiguity. Finally, the created half-wild orphan, a comprehensive contradiction in terms, in all its expressive beauty does not evoke anything else but compassion and love at first sight. / AUTHOR OF THE TEXT: DR. SC. DINA OŽIĆ BAŠIĆ

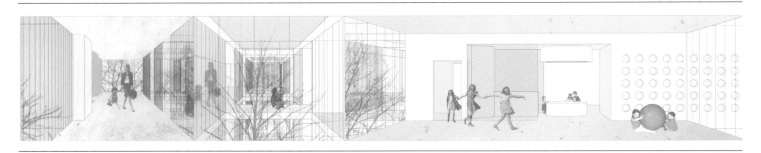

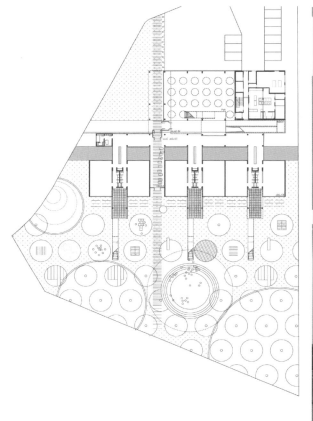

Dječji vrtić Lanište tematizira višeznačne prijelaze nizom paralelnih zona kojima se stupnjuje intimnost, odnosno odvajanje od javnog. Žarište je sjecište (ujedno ulaz) dvaju okomitih pristupnih pravaca koji se kao pukotine nastavljaju kroz vrtić; jedna uz sebe veže vertikalne komunikacije i artikulira razdvajanje dviju osnovnih zona, sjeverne s PVN-om i gospodarstvom te južne koja je u funkciji jedinica. Okomito na nju se proteže pravac koji je u prizemlju doslovna pukotina koja povezuje pristupni trg s dvorištem, a na katu administrativni blok koji natkriva pristup i penetrira zonu boravaka uspostavljajući kontrolu nad unutarnjim i vanjskim prostorima. Poddimenzionirana parcela uvjetovala je odstupanje od optimalne prizemne organizacije dizanjem na kat, komprimiranjem jedinica po širini i povlačenjem na sjever, čime je ostvarena površina za vanjska igrališta i ozelenjene otoke.

AUTORI AUTHORS :
Mia Roth-Čerina, Tonči Čerina
SURADNICI COLLABORATORS :
Matija Dorić, Dubravka Marić

LOKACIJA LOCATION : Zagreb
GODINA PROJEKTIRANJA DESIGN YEAR : 2005.
GODINA IZGRADNJE CONSTRUCTION YEAR : 2008.
INVESTITOR CLIENT : Grad Zagreb

POVRŠINA PARCELE SITE AREA : 5000 m2
POVRŠINA TLOCRTA FOOTPRINT : 2600 m2
FOTOGRAFIJA PHOTOGRAPHY :
Domagoj Blažević

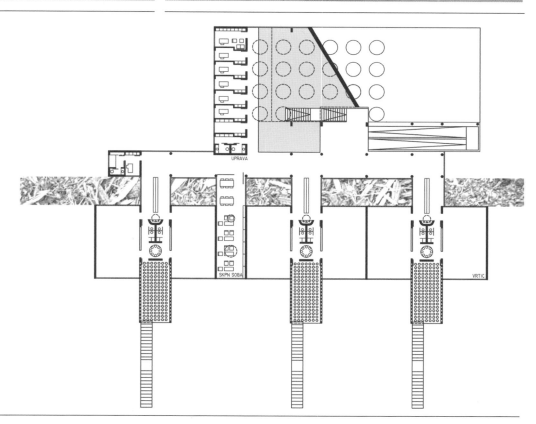

The Lanište nursery thematizes ambiguous transitions by a series of parallel zones that gradate intimacy, i.e. separation from the public. The focus is the intersection (and at the same time the entrance) of two vertical access lines that like interstices continue their way through the kindergarten; one binds vertical communications and articulates the division of two basic zones, the northern zone with a multi-purpose and service area, and the southern zone dedicated to educational units. Vertically to it stretches a line that on the ground floor is a literal fissure connecting the access square with the yard. On the first floor is the management block that roofs over the access and penetrates the daily living area, establishing control over the indoor and outdoor areas. The sub-dimensioned parcel has caused the replacement of the optimal single-storey organization by erecting a floor, compressing the educational units in width and withdrawing to the north, which resulted in an area used for outdoor playgrounds and green islands.

DJEČJI VRTIĆ 'MASLAČAK'
'Dandelion' Nursery

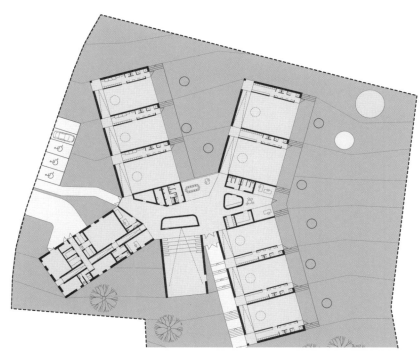

U usitnjenu suburbanu strukturu Krapinskih Toplica na iznimnoj lokaciji u podnožju šume Sv. Magdalene interpolira se zgrada dječjeg vrtića i jaslica s ukupno 8 odgojnih jedinica.

Program je organiziran u 5 funkcionalnih traktova različitih dimenzija, objedinjenih središnjim komunikacijskim prostorom. Rotiranjem traktova osnovne funkcionalne sheme unutar prihvatljivih otklona od optimalne insolacije (do15° za odgojne jedinice) formiran je nepravilni peterokraki građevni sklop. Rezultat je prizemnica 'zvjezdolikog' tlocrta koja artikulira vanjske prostore parcele u skladu s pripadajućim unutarnjim prostorima. Zatečena topografija iskorištena je kao prednost: unutarnja organizacija prati nagib terena, što rezultira prostornim obogaćenjem racionalno organiziranih traktova i izravnom vezom svake jedinice s vanjskim prostorom.

Višenamjenska dvorana organizirana je s malim auditorijem i mogućnošću korištenja izvan vrtićkog režima kao doprinos društvenom životu lokalne zajednice.

AUTORI AUTHORS :
Mikelić Vreš arhitekti; Marin Mikelić,
Tomislav Vreš
SURADNIK COLLABORATOR :
Ivana Krneta

LOKACIJA LOCATION : Krapinske Toplice
STATUS: projekt / project
GODINA PROJEKTIRANJA DESIGN YEAR : 2008.
INVESTITOR CLIENT :
Općina / Municipality Krapinske Toplice

POVRŠINA PARCELE SITE AREA : 5245 m2
POVRŠINA TLOCRTA FOOTPRINT : 1640 m2

The kindergarten and infant nursery building with altogether eight educational units is interpolated into the fragmented suburban structure of Krapinske Toplice at the exceptional location at the foot of the St Magdalena forest.

The program is organized into five functional compartments of different dimensions, unified by the central communication area. By rotating the compartments of the basic functional scheme within acceptable deviations of optimal insolation (up to 15 degrees for educational units), an irregular five-arm constructive complex has been formed. The result is a single storey structure with a 'star-like' ground-floor plan, which articulates the outer areas of the parcel in concordance with the inner areas. The existing topography has been used as advantage: the inner organization follows the inclination of the terrain, which results in spatial enrichment of rationally organized compartments and a direct connection of each unit with external areas.

The multi-purpose hall features a small auditorium and the possibility of using it independently of the kindergarten program, as a contribution to the social life of the small community.

OSNOVNA ŠKOLA SA SPORTSKOM DVORANOM I VANJSKIM SPORTSKIM TERENIMA
Primary School with a Sports Hall and Outdoor Sports Ground

Zatečeno stanje je ledina bez izraženog identiteta. Gradnjom nove škole formira se niz prostora koji pridonose kvalitetnijoj definiciji prostora. Oblik nove zgrade potencira prožimanje škole s prirodom i sportom. Integrirajući sportsku dvoranu u svoj korpus, ona zajedno s PVN-om postaje jezgra nove škole.

AUTORI AUTHOR :
NFO; Kata Marunica, Nenad Ravnić
LOKACIJA LOCATION : Farkaševac
STATUS: projekt / project

GODINA PROJEKTIRANJA DESIGN YEAR : 2008.
INVESTITOR CLIENT :
Grad Samobor / City of Samobor

POVRŠINA PARCELE SITE AREA : 52.481 m2
POVRŠINA TLOCRTA FOOTPRINT : 6464 m2

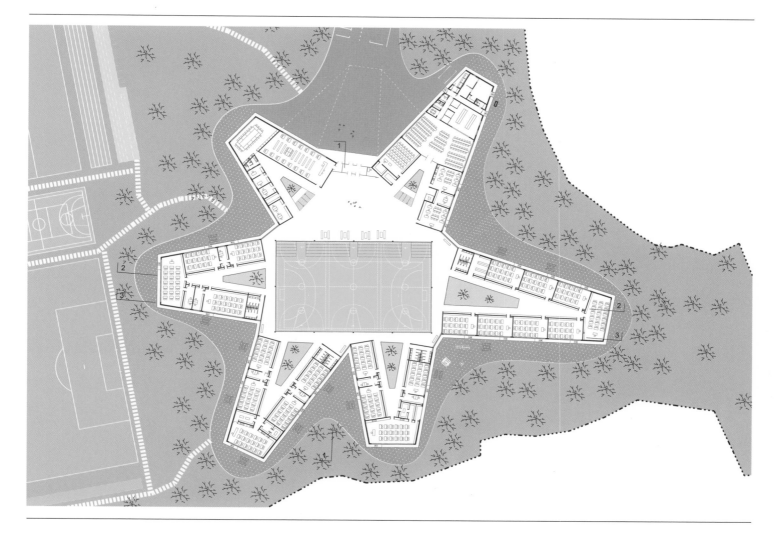

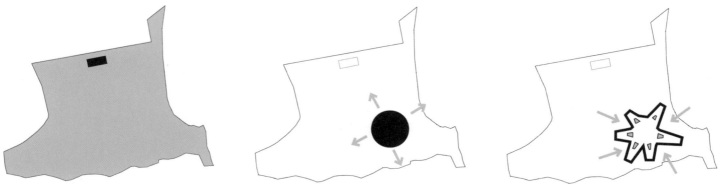

The existing situation is a meadow without pronounced identity. The construction of the new school shapes a series of structures that help a better spatial definition of this area. The form of the new building stresses the interweaving of the school with nature and sport. The integrated sports hall, together with the multiple-use area, becomes the core of the new school.

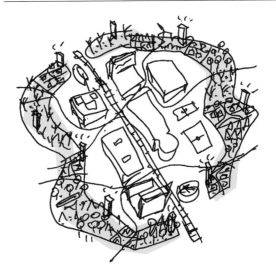

AUTORI AUTHORS : njiric+ arhitekti
Hrvoje Njirić
SURADNICI COLLABORATORS :
Nevena Kuzmanić, Erich Ranegger, Jelena
Botteri, Fuminori Nosaku

LOKACIJA LOCATION : Sveučilišni campus /
University Campus Visoka, Split
STATUS : projekt / project
GODINA PROJEKTIRANJA DESIGN YEAR :
2008. - 2010.

INVESTITOR CLIENT : Ministarstvo obrazovanja
RH / Sveučilište u Splitu / Ministry of Science,
Education and Sports / Split University
POVRŠINA PARCELE SITE AREA : 3200 m2
POVRŠINA TLOCRTA FOOTPRINT : 15.500 m2

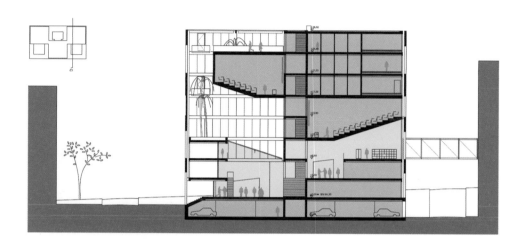

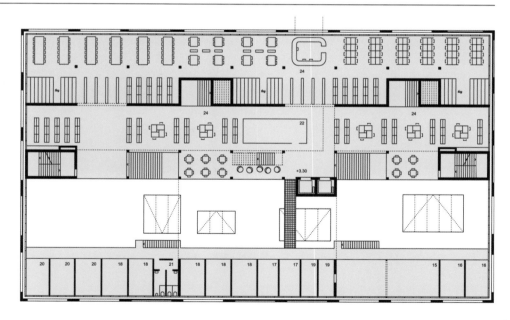

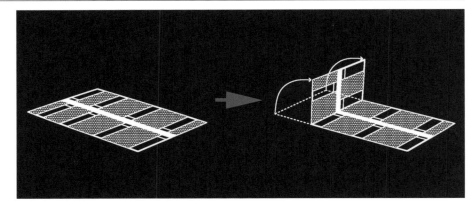

Kako projektirati vrtić na premaloj parceli? Što ako je parcela zasjenjena voluminoznom deveterokatnicom na južnoj strani? Što ako je oko parcele živ promet?

Izvorno je vrtić zamišljen kao prizemna građevina prostirka – kompaktna, introvertirana, autokatalitička, s jasno definiranim granicama. Zahvaljujući kontekstu, prostirka je izvučena iz sjene i podignuta prema suncu.

Lokalna prigradska matrica ponavlja se u malom mjerilu traktova i trijemova. Ta šarena ploča masa i praznina savinuta je u okomicu – vrtovi postaju terase, a hodnik se pretvara u stubište. Obris građevine je neprekinut i zatvoren, osim na zapadnoj strani koja je „ogoljena" i ostakljena, ne bi li ušla u društvenu interakciju s prometnim putem u susjedstvu. To je posveta američkom umjetniku Danu Grahamu (Varijacija prigradske kuće, 1978.) Takav raspored nudi niz otvorenih prostora – trijemova, natkrivenih (zimskih) terasa i krovnih vrtova. U negrađevnom dijelu iza kuće nalazi se veliko igralište.

Unutrašnjost je organizirana kao niz prostora povezanih „dječjom ulicom". Njezino meandriranje i niz međuprostora, poduprti izraženom providnošću i koloritom, nastoje djeci stvoriti kulisu zbiljskog „urbanog" iskustva.

Dječji i odgojiteljski trakt potpuno su isprepleteni. Ta tipološka inovacija odražava niz didaktičkih odnosa. Dijete može vidjeti zaposlenicu kako piše na računalu, druge kako broje novac, šiju ili kuhaju ručak. Zaposlenik zaprima pristiglu robu, drugi nadzire grijanje ili popravlja namještaj. To je glavni doseg projekta – cijeli prostorni postav valja shvatiti kao specifični odgojno-obrazovni sklop. Spuštanje niz „dječju ulicu" i promatranje svih zanimanja poredanih s lijeve i desne strane je poput svakodnevne gradske situacije. Uvod u stvarni život.

AUTORI AUTHORS : njiric⁺ arhitekti;
Hrvoje Njirić, Davor Bušnja
SURADNICI COLLABORATORS :
Vedran Škopac, Igor Ekštajn
LOKACIJA LOCATION : Zagreb

GODINA PROJEKTIRANJA DESIGN YEAR :
2005. - 2007.
ZAVRŠETAK GRADNJE COMPLETION : 2008.
INVESTITOR CLIENT :
Grad Zagreb / City of Zagreb

POVRŠINA PARCELE SITE AREA : 4900 m2
POVRŠINA TLOCRTA FOOTPRINT : 2300 m2
FOTOGRAFIJA PHOTOGRAPHY : Domagoj Blažević

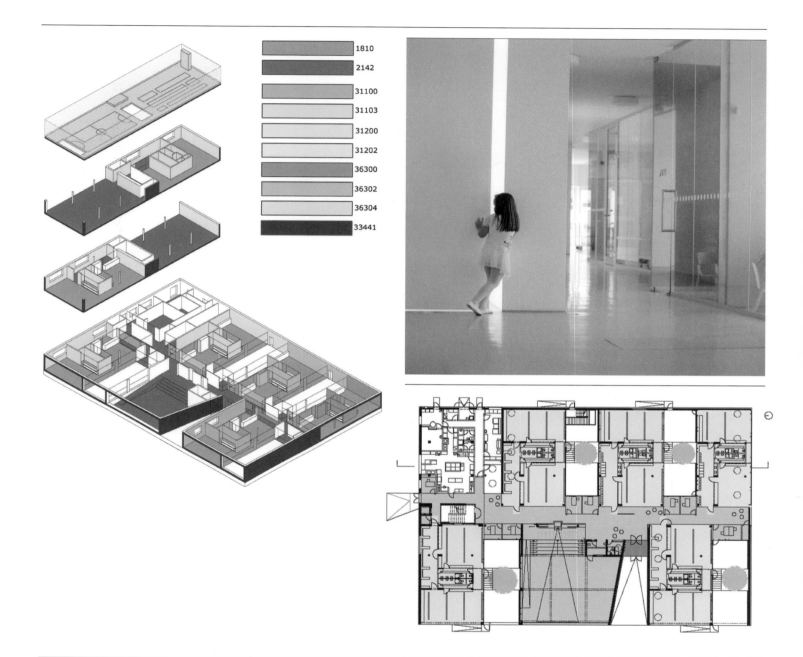

How to design a kindergarten on a too small plot? What if the plot is overshadowed by a massive nine-story block on its south side? What if the plot is surrounded by heavy traffic?

The kindergarten is initially conceived as a single-story mat building – compact, introverted, autocatalytic, with clearly defined borders. Due to the context, the mat is pushed away from the shadow and folded up towards the sun. The local suburban matrix is echoed in the repetitive small-scale structure of units and patios. This chequered board of solids and voids is bent into a vertical plane – gardens become terraces, the corridor transforms into a staircase. The outline of the building is continuous and closed, except on the west side which is 'stripped' and treated like a glazed section to socially interact with a frequently used neighbourhood path. Homage to the American artist Dan Graham (An Alteration of the Suburban House, 1978). Such a layout offers a variety of open-air spaces – patios, covered (winter) terraces and a roof-top garden. There is a large playground in the non-buildable area on the back side of the house.

The interior is organized as a sequence of spaces linked with the 'Children's Street'. Its meandering character and a multitude of in-between spaces, supported by intensive transparency and colour coding, attempt to create a scenery of a true 'urban' experience for the child.

The children's and staff premises are completely intertwined. This typological innovation mirrors a series of didactic relations. A child can see women typing on a computer, the other ones counting money, sewing linen or cooking their meal. There is a man who receives the incoming wares, the other one controls the heating or repairs the furniture. It is the major contribution of the project - the whole spatial set-up is to be understood as a specific educational device. Walking down the 'Children's Street' and seeing all the professions lined up left and right is like an everyday situation in the city. An introduction to the real life.

DJEČJI VRTIĆ '5 ELEMENATA'
'Five Elements' Nursery

Korak prvi: unutar zadane markice budućeg objekta razvući pravilnu ortogonalnu mrežu na međusobnom razmaku od jedan metar. Korak drugi: u nju unijeti pravilan raster krugova, odnosno trodimenzionalnih valjaka različitih visina. Korak treći: istražiti sve mogućnosti međusobnog spoja forme i funkcije budućeg objekta. Korak četvrti: istražiti odnos budućeg objekta s okolinom u kojoj se nalazi. Korak peti: postaviti pet skupnih jedinica kao pet elemenata.

AUTOR AUTHOR :
NOIN arhitekti - Nikolina Ivanović
SURADNICI COLLABORATORS :
Dorotea Novosel, Adriano Penava - 3d

LOKACIJA LOCATION:
Naselje / Settlement Podbrežje, Zagreb
STATUS : projekt / project
GODINA PROJEKTIRANJA DESIGN YEAR : 2009.

INVESTITOR CLIENT :
Grad Zagreb / City of Zagreb
POVRŠINA PARCELE SITE AREA : 5014 m2
POVRŠINA TLOCRTA FOOTPRINT : 2828 m2

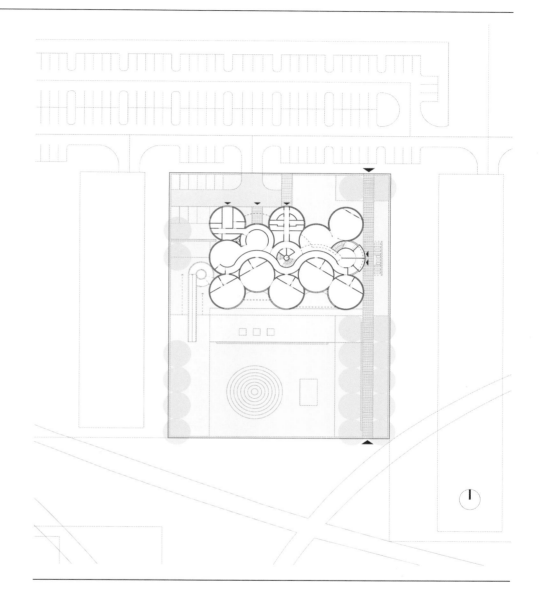

Step one: stretch a regular orthogonal grid with 1 m spacing within the set matrix of the future structure. Step two: cover it with a regular pattern of circles i.e. three-dimensional cylinders of different heights. Step three: investigate all the possibilities of connecting the form with the function of the future structure. Step four: investigate the relation of the future structure to its environment. Step five: set up five joint units as five elements.

OSNOVNA ŠKOLA FARKAŠEVAC
Farkaševac Elementary School

Osnovna škola smještena je u ruralnom okruženju: iz pješačke perspektive, monotona ravnica skriva dominantne geometrijske uzorke obrađenih zemljišta.

Na veliku ravnu parcelu postavljena je introvertirana struktura gusto protkana atrijima koji kontrolirano puštaju vanjski prostor u život škole. Tvrdi geometrijski 'hardver' ispunjen je zadanim programom šahovskom preciznošću. Promjena prirode kroz godišnja doba neposredno se oslikava u svakom prostoru škole.

AUTORI AUTHORS :
PROJECTURA; Leora Dražul, Siniša Glušica,
Siniša Zdjelar
SURADNICI COLLABORATORS :
Sanja Frančišković, Antonija Ružić

LOKACIJA LOCATION : Samobor, Farkaševac
STATUS : projekt / project
GODINA PROJEKTIRANJA DESIGN YEAR : 2008.
INVESTITOR CLIENT :
Grad Samobor / City of Samobor

POVRŠINA PARCELE SITE AREA : 1000 m2
POVRŠINA TLOCRTA FOOTPRINT : 7200 m2

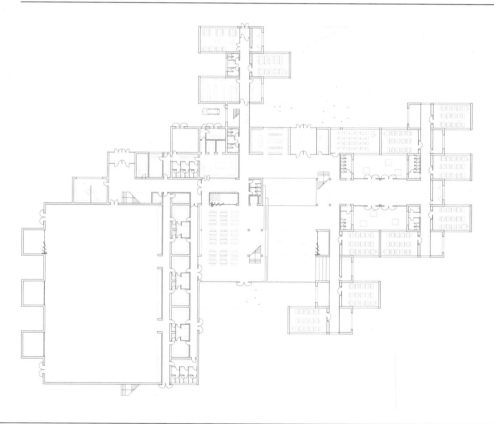

The primary school is situated in rural environment: from the pedestrian perspective, a monotonous plain hides the dominant geometric patterns of arable land.

An introvert structure densely interwoven with atriums that control the influx of external space into the life of the school is set on a large, even parcel. The unyielding geometric 'hardware' is filled in by the set program with a check-player's precision. The changes of nature during the seasons of the year are directly reflected within each area of the school.

DJEČJI VRTIĆ 'ŠEGRT HLAPIĆ'
'Lapitch the Little Shoemaker' Nursery

Zgrada vrtića okružuje dvorište. Dvorište je livada, voćnjak, igralište. Igralište je oaza koja osigurava osjećaj relativne zaštićenosti. Ona je djelomično otvorena, jer od vanjskog svijeta se ne može i ne treba odvojiti previše. To je prva pozornica na kojoj će jedinke postati svjesne kolektiva čiji su dio. Igralište se lagano uspinje prateći serpentinu hodnika i boravaka. Tako zgrada vrtića čiji su gornji boravci pet metara iznad donjih ostaje prizemna. Svi ostali arhitektonski elementi služe projektiranoj okruženosti i prizemljenosti.

AUTORI AUTHORS :
Radionica arhitekture / Architecture
Workshop; Goran Rako, Nenad Ravnić,
Josip Sabolić
LOKACIJA LOCATION : Selčina, Sesvete, Zagreb

GODINA PROJEKTIRANJA DESIGN YEAR :
2004. - 2007.
ZAVRŠETAK GRADNJE COMPLETION : 2008.
INVESTITOR CLIENT :
Grad Zagreb / City of Zagreb

POVRŠINA PARCELE SITE AREA : 4500 m2
POVRŠINA TLOCRTA FOOTPRINT : 2800 m2
FOTOGRAFIJA PHOTOGRAPHY :
Boris Cvjetanović

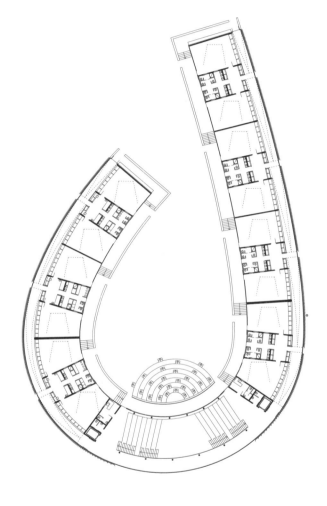

The nursery structure surrounds the yard. The yard is a meadow, orchard, and playground. The playground is an oasis that ensures the feeling of relative protection. It is partly open, because it cannot and should not be too detached from the outer world. This is the first stage where individuals will become aware of the collective whose part they are. The playground rises slowly, following the serpentine of the corridor and the living-rooms. In this way the nursery building, whose upper living-rooms are five metres above the lower ones, stays a one-storey structure. All other architectural elements serve the designed appearance of being surrounded and grounded.

STOLNOTENISKI DOM VRBIK
Vrbik Table Tennis Centre

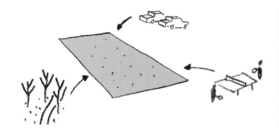

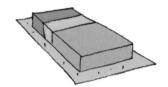

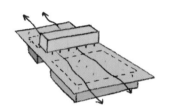

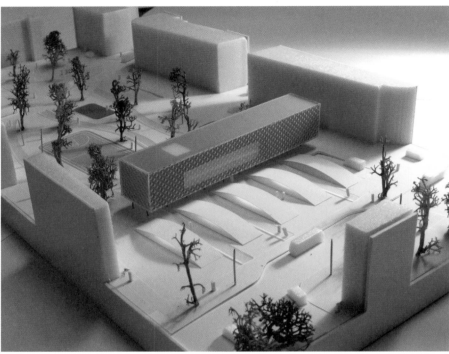

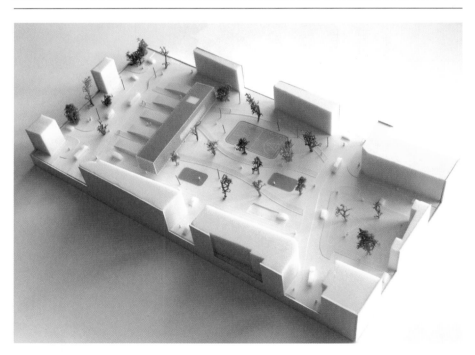

Na jednoj od zadnjih neizgrađenih površina unutar gusto izgrađenog stambenog naselja Vrbik planiran je složen projektni program koji se sastoji od stolnoteniskog doma, društvenih prostorija i doma zdravlja, sportskog hotela i podzemne garaže.

Polazimo od optimistične pretpostavke da je moguće zadovoljiti interese svih zainteresiranih aktera u prostoru - interes sportaša za izgradnju stolnoteniskog doma, interes grada za izgradnju podzemne garaže i sređivanje kaotičnog prometa u naselju i interes stanara koji žele zadržati javnu, zelenu površinu te oplemeniti naselje dodatnim javnim sadržajima.

Zbog specifičnosti osvjetljenja stolnoteniske dvorane moguće je dvoranu i garažu upustiti u teren dok se svi ostali sadržaji izdižu iznad parka. Prizemlje se ostavlja slobodnim kako bi se programski povezao Park između stambenih zgrada sjeverno od Ul. L. Ružičke s novoformiranom parkovnom plohom Kninskog trga.

AUTORI AUTHORS :
Siniša Bodrožić, Ivan Rališ, Nenad Ravnić
LOKACIJA LOCATION : Kninski trg, Vrbik, Zagreb
STATUS: projekt / project

GODINA PROJEKTIRANJA DESIGN YEAR : 2006.
INVESTITOR CLIENT :
Grad Zagreb / City of Zagreb

POVRŠINA PARCELE SITE AREA : 7313 m2
POVRŠINA TLOCRTA FOOTPRINT : 571 m2

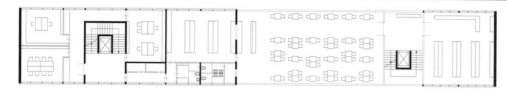

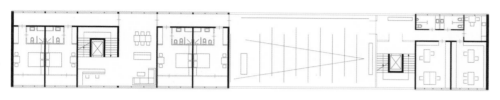

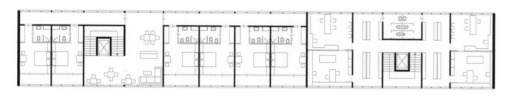

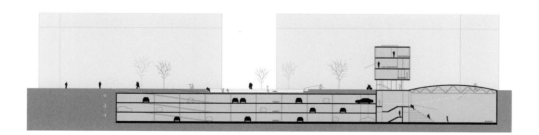

In one of the last unbuilt areas within the densely populated Vrbik residential block, a complex project program was planned, consisting of a table tennis centre, community rooms, a health centre, a sports hotel, and an underground garage.

Our concept is built on the optimistic presupposition that it is possible to meet the interests of all the participants - the interest of sportsmen for a table tennis centre, the interest of the city for the underground garage and bringing the chaotic traffic in the area in order, and the interest of tenants who would like to retain the public, green area and bring additional public amenities into the neighbourhood.

Because of the specific illumination of the table tennis hall, it is possible to dig the hall and the garage into the terrain, while all other facilities rise above the park.

The ground floor will remain free, in order to programmatically connect the park between the residential buildings north of the L. Ružička Street with the newly formed park area of the Knin Square.

OSNOVNA ŠKOLA 'SESVETSKA SOPNICA'
Sesvetska Sopnica Elementary School

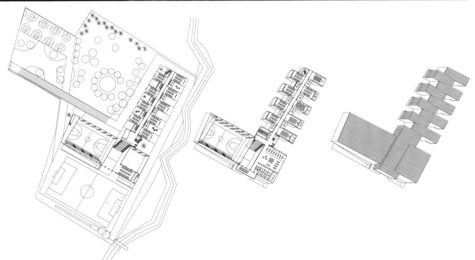

Javnim natječajem planirana je izgradnja osnovne škole, na relativno maloj postojećoj parceli, u dvije faze: dogradnjom stare školske zgrade koja se nalazila na sredini parcele, te naknadnim rušenjem stare zgrade i dovršetkom novih potrebnih kapaciteta. Projektom je predviđen smještaj svih planiranih sadržaja nove škole na jedinu slobodnu površinu uz jugozapadni rub parcele prema obližnjem potoku čime je omogućeno nesmetano pohađanje nastave u staroj školi za vrijeme građenja nove zgrade koja se mogla izvesti u samo jednoj fazi. Nakon završetka izgradnje i rušenja stare zgrade velika slobodna površina sa trgom i parkom ispred nove škole postaje ujedno glavni javni prostor stambenog naselja.

Oblikovni koncept arhitektonskog rješenja nove škole baziran je na prožimanju dviju kosih krovnih površina u čijoj igri je raščlanjen cjelokupni volumen zgrade koja je na taj način kontekstualno prilagođena formatu okolne prigradske izgradnje.

Ritmičan niz učionica koje su obostrano osvjetljene i vizualno povezane s interpoliranim ozelenjenim patijima organiziran je kao dvotrakt sa staklenim stijenama prema unutrašnjem hodniku koje osiguravaju njegovo prirodno osvjetljenje i prostorno jedinstvo čitavog sklopa.

U centralnom dijelu nalazi se prostor za više namjena preko kojeg je ostvarena vizualna interakcija svih društvenih sadržaja i koji ima direktnu vezu sa vanjskim igralištem, te je omogućeno širenje na vanjski prostor.

Autori Author : Vedran Duplančić
Lokacija Location : Sopnička 69, Sesvete
Godina projektiranja Design year : 2005.
Završetak gradnje Completion : 2006.

Investitor Client :
Grad Zagreb / City of Zagreb
Površina parcele Site area : 14.076 m2
Površina tlocrta Footprint : 5310 m2

Fotografija Photography :
Nenad Borić, zračne snimke /
aerial shots Studio Hrg

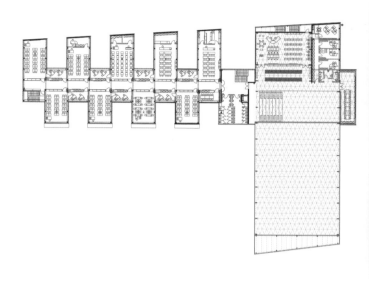

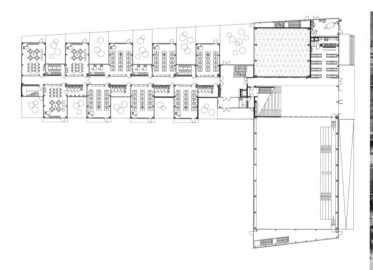

The public competition envisaged the construction of a primary school on a relatively small existing plot, in two phases: first by extension of the old school building in the middle of the parcel and then by the demolition of the old building and completion of the new necessary contents. The project envisaged the placing of all planned contents of the new school in the only free area along the south-west border of the parcel towards the nearby brook, which enabled unhindered teaching in the old school during the construction of the new that could be executed in only one phase. After the completion of construction and tearing down the old building, the large free area with the square and the park in front of the new school at the same time became the principal public space of the residential settlement.

The design concept of the new school's architectural solution is based on intertwining of the two slanting roof surfaces in whose interplay the entre mass of the structure is dissolved, thus contextually adapting to the format of surrounding suburban structures.

A rhythmic sequence of classrooms illuminated from both sides and visually connected with interpolated green portions is organized in two arms with glass walls towards the inner corridor. They provide it with natural light and create the spatial unity of the entire complex. In the central part is a multi-purpose space that establishes a visual interaction of all social contents and has direct connection with the outdoor playground, so that it can expand into outer areas.

'ART CONTAINER', UMJETNIČKA AKADEMIJA
'Art Container', Art Academy

—— 'art container' je fizički i konceptualni okvir u koji se naseljavaju umjetničke discipline svih vrsta - dovođenje likovne, muzičke i dramske akademije
'pod isti krov' rezultira preplitanjem znanja i iskustava - umjesto klasičnog akademskog 'fahovskog' razdvajaja nudi se integracija, komunikacija,
otvorenost, interdisciplinarnost, 'višekanalno' učenje i kreativni 'crossover', suradnja i timski rad
—— odnos nastavnika i studenata je suradnički, ne suparnički - nema tlocrtnog razgraničavanja između njih
—— u formalno-oblikovnom smislu zgrada odustaje od bilo kakve estetizacije ili 'fasadne' narativnosti - ona je bazična praforma (kubus) utisnuta u kosi
teren s istim tretmanom sva četiri pročelja, te namjerno više sliči na hangar, kontejner ili garažu, nego na akademsku instituciju
—— zbog nedostatka kvalitetnog socijalnog prostora unutar kampusa, akademija taj socijalni prostor nudi 'iznutra'
—— odjeli su tematski raspoređeni po poluetažama - otvorene platforme na koje se postavljaju kontejneri s predavaonicama, kabinetima, ateljeima,
radionicama
—— centralni 'kanjon' je jezgra kuće i mjesto susreta - 'vertikalna plaza' sa zajedničkim sadržajima
—— fasadni dvoetažni vrtovi/loggie - socijalizacija i relaksacija korisnika, pauze između predavanja
—— ophodi / terase - evakuacija i zaštita od sunca, međuzona između unutrašnjeg i vanjskog svijeta; proširenje radnog procesa, odmor
—— krovna terasa - očekuje se da je koloniziraju studenti: festivali, brucošijade, izložbe
—— krov preuzima ulogu trga kojega nema na parteru

Autori Authors :
E.A. Studio; Vedran Duplančić, Nikola Škarić
Lokacija Location :
Sveučilišni kampus, Split / University
Campus Split

Status: projekt / project
Godina projektiranja Design year :
2008. - 2009.
Investitor Client :
Sveučilište u Splitu / Split University

Površina parcele Site area : 5000 m2
Površina tlocrta Footprint : 16.000 m2

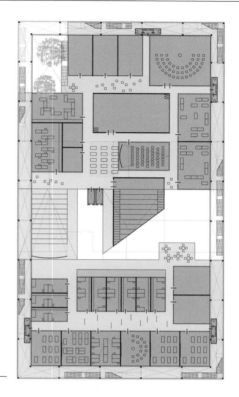

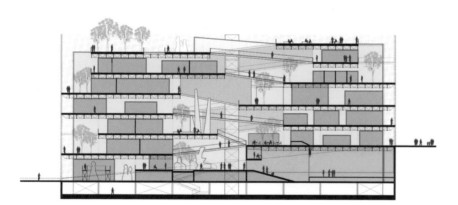

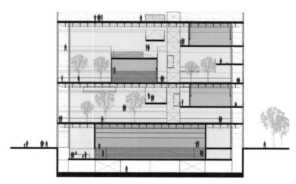

—— 'art container' is a physical and conceptual framework populated by art disciplines of all kinds – bringing the fine arts, music, and dramatic arts academies 'under the same roof' results in intertwining of knowledge and experience: instead of the classic academic specialized division it offers integration, communication, openness, interdisciplinary approach, 'multichannel' learning and creative 'crossover', collaboration, and team work

—— the relationship between teachers and students is collaborative, they are not adversaries and there is no defined borderline between them

—— in the formal sense the structure gives up any kind of aesthetisation or 'façade' narrativity: it is a basic primordial form (cube), dug into sloping terrain, with the same treatment of all four sides, so that it intentionally rather resembles a hangar, container or garage, than an academic institution

—— due to the lack of quality social space inside the campus, the academy offers this social space from the 'inside'

—— the departments are thematically arranged on entresols – they are open platforms onto which containers with lecture rooms, demonstration rooms, ateliers, and workshops are placed

—— the central 'canyon' is the core of the house and the place of encounter – a 'vertical plaza' with different amenities

—— external two-storey gardens / loggias – socialization and relaxation of users, pauses between lectures

—— ambulatories / terraces – evacuation and sun protection, an interstice between the inner and the outer world; enhancement of the work process, rest

—— roof terrace – it is expected to be populated by students: festivals, freshmen nights, exhibitions; the roof takes over the role of the missing square at the ground-floor level

DJEČJI VRTIĆ JARUN
Jarun Nursery

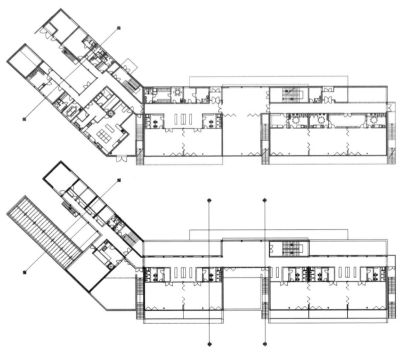

S obzirom na veličinu i oblik parcele te poziciju u prostoru, Dječji vrtić Jarun, kapaciteta 10 odgojnih skupina, koncipiran je kao dvoetažni objekt. Objekt se sastoji od tri međusobno integrirana funkcionalna dijela, jaslica u prizemlju, vrtića u prizemlju i na katu te dvoetažnog tehničko-gospodarsko upravnoga trakta organiziranog oko gospodarskog dvorišta na zapadnoj strani. Oblikovanje sklopa je maksimalno podređeno optimalnom funkcioniranju s glavnom temom prozračnosti, svjetline, osunčanja uz primjerenu zaštitu od neposredne insolacije te pristupačnosti korisnicima, odnosno djeci. Upotrebom različitih materijala (trespa ploče, aluminij, staklo, linoleum) izbjegava se jednoličnost i ostvaruje dobrodošlo saživljavanje s prostorima kompleksa te taktilni odnosi s arhitekturom.

AUTORI AUTHORS :
Vinko Penezić, Krešimir Rogina
LOKACIJA LOCATION : Jarun, Zagreb
GODINA PROJEKTIRANJA DESIGN YEAR : 2006.

ZAVRŠETAK GRADNJE COMPLETION : 2006.
INVESTITOR CLIENT :
Grad Zagreb / City of Zagreb

POVRŠINA PARCELE SITE AREA : 5625 m2
POVRŠINA TLOCRTA FOOTPRINT : 1460 m2
FOTOGRAFIJA PHOTOGRAPHY : Damil Kalogjera

Considering the size and form of the land lot and its spatial position, the Jarun Nursery, encompassing ten educational units, is conceived as a two-storey structure. It consists of three interconnected functional parts, the infant nursery on the ground floor, the nursery on the ground floor and the first floor, as well as a two-storey technical, service, and management area organized around the service yard on the west side. The design of the complex is maximally subjected to optimal functioning, featuring the principal theme of air, light, and sun with adequate protection from direct insolation, and user (i.e. children) friendliness. The usage of different materials (Trespa panels, aluminium, glass, linoleum) eliminates uniformity and achieves welcome harmony with the inner areas of the complex, as well as a tactile relationship with architecture.

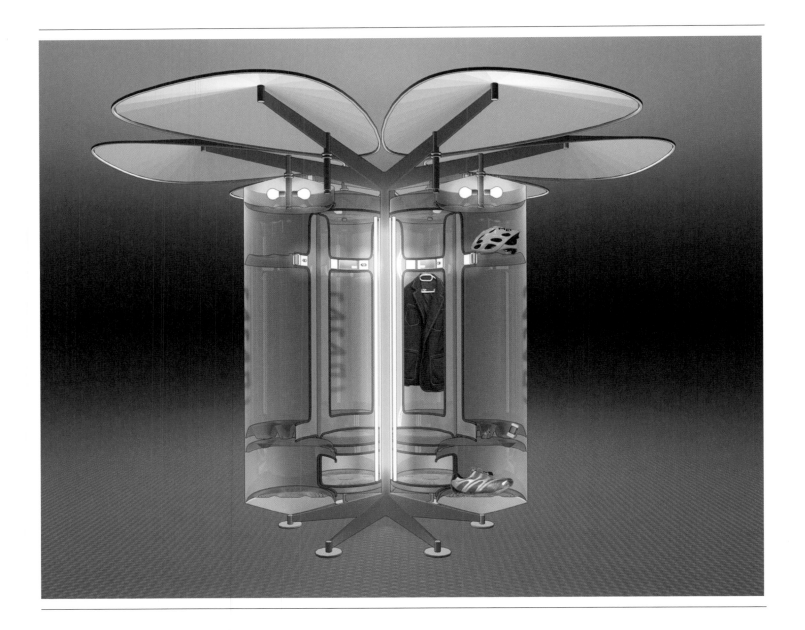

Spinspind je mješavina ormara, garderobne kabine, komode za friziranje, stolice, regala i vješalice za odjeću.
Napravljen je od perforiranog aluminijskog lima, čije perforacije nose brojeve kabina te omogućuju prozračivanje i indirektno svjetlo. Njegova unutrašnjost nudi više polica za odlaganje, stolicu na izvlačenje i pokretan modul s više kukica za odjeću.
Na nosivu konstrukciju učvršćen je i štit, sjenilo kroz koje s jedne strane dopire svjetlo iz centralnih lampi u ormarić, a s druge strane štit nosi šinu za zavjesu. Zavjesa od polyamidnih niti omogućuje reguliranje privatnosti tijekom korištenja ormarića, kao i zajedničko korištenje više jedinica kao jedne obiteljske kabine. Rotacija pojedinih garderobnih modula te zatvaranje-otvaranje zavjesa ovisno o scenarijima korištenja stvaraju uvijek promjenjivu i novu sliku garderobnog trakta u bazenskim prostorima.

AUTORI AUTHORS :
Studio Plazma;
Vjera Bakić, Matthias Kulstrunk /

LOKACIJA LOCATION : garderobni prostori
bazenskih dvorana / cloakrooms of
swimming-pool halls

STATUS : projekt / project
GODINA PROJEKTIRANJA DESIGN YEAR : 2007.
INVESTITOR CLIENT : ETH Zurich

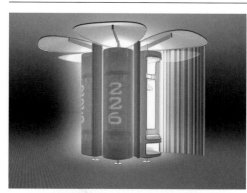

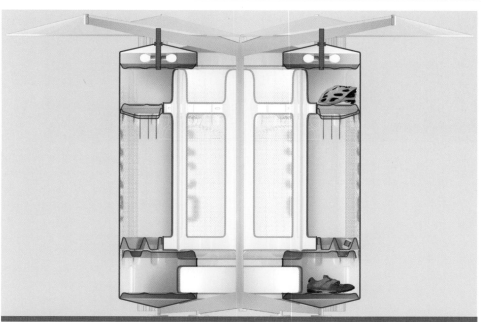

Spinspind is a mixture of a wardrobe, changing-room, dressing table, chair, wall system, and clothes rack.
It is made of perforated metal sheets, whose perforations bear changing-room numbers and enable airing and indirect light. Inside of it are several shelves, a retractable chair and a mobile module with several hooks for clothes.
The supporting construction also carries a shield, a shade, through which on the one side light from central lamps illuminates the wardrobe, while on the other it carries a curtain rail. A polyamide thread curtain enables the regulation of privacy during the use of the wardrobe, as well as common usage of several units as a single family changing-room. The rotation of individual wardrobe modules and opening or pulling the curtains, depending on usage scenarios, create an always changeable and new image of the cloak-room area at swimming-pools.

DRUŠTVO STANOVANJA
Housing society

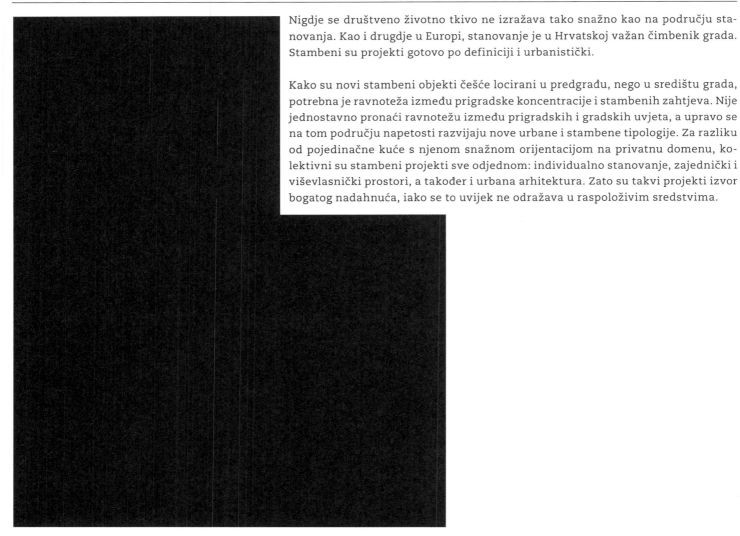

Nigdje se društveno životno tkivo ne izražava tako snažno kao na području stanovanja. Kao i drugdje u Europi, stanovanje je u Hrvatskoj važan čimbenik grada. Stambeni su projekti gotovo po definiciji i urbanistički.

Kako su novi stambeni objekti češće locirani u predgrađu, nego u središtu grada, potrebna je ravnoteža između prigradske koncentracije i stambenih zahtjeva. Nije jednostavno pronaći ravnotežu između prigradskih i gradskih uvjeta, a upravo se na tom području napetosti razvijaju nove urbane i stambene tipologije. Za razliku od pojedinačne kuće s njenom snažnom orijentacijom na privatnu domenu, kolektivni su stambeni projekti sve odjednom: individualno stanovanje, zajednički i viševlasnički prostori, a također i urbana arhitektura. Zato su takvi projekti izvor bogatog nadahnuća, iako se to uvijek ne odražava u raspoloživim sredstvima.

Nowhere is the social fabric of life expressed as strongly as in the housing sector. As is the case elsewhere in Europe, housing in Croatia is an important ingredient of the city. Housing projects are almost by definition also urbanistic projects.
As new housing projects are more often situated on the edge of the city than in the centre, a balance must be struck with suburban concentrations and residential requirements. It is no simple matter to find a balance between suburban and urban conditions, and it is within this area of tension that new urban typologies and residential typologies are being developed. In contrast to the individual house, with its strong focus on the private domain, collective housing projects are everything all at once: individual residences, collective and shared spaces, and urban architecture. This makes such projects a source of rich inspiration, even though this does not always find expression in the avaialbe funding.

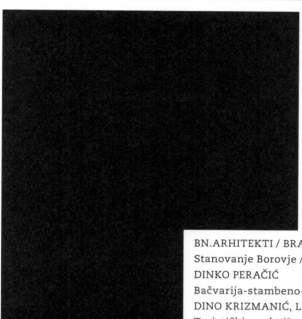

STANOVANJE BOROVJE / URBANA DVORIŠTA
Borovje Housing / Urban Backyards

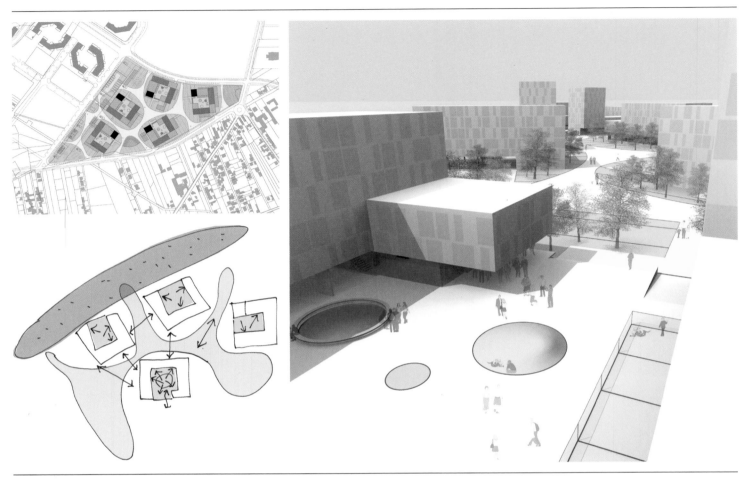

Struktura objekata/stambenih susjedstva nastala je recikliranjem i rekombinacijom uobičajenih stambenih elemenata bloka, štapa i tornja u vertikalnom i horizontalnom smislu kako bi se omogućila raznovrsna stambena konfiguracija, od stana s vrtom, preko klasičnog modela tri stana na stubištu, duplexa s patiom do soba s pogledom.

Različite visine pojedinih dijelova stambene jedinice stvaraju dinamičan stambeni krajolik i omogućavaju jednostavno korištenje pripadajućih terasa na krovovima nižih objekata, kao privatne i zajedničke prostore. Multipliciranjem jedinica u različitim položajima nastaju i prostori između različitih karakteristika unutar samog naselja.

AUTORI AUTHORS : bn. arhitekti; bradić. nizić
SURADNICI COLLABORATORS : Joseph Stroh
Schneider, David Stanka, Lana Rozić
LOKACIJA LOCATION : Borovje, Zagreb

STATUS: projekt / project
GODINA PROJEKTIRANJA DESIGN YEAR : 2006.
INVESTITOR CLIENT :
Grad Zagreb / City of Zagreb

POVRŠINA PARCELE SITE AREA : 7 ha
POVRŠINA TLOCRTA FOOTPRINT : 83.000 m2

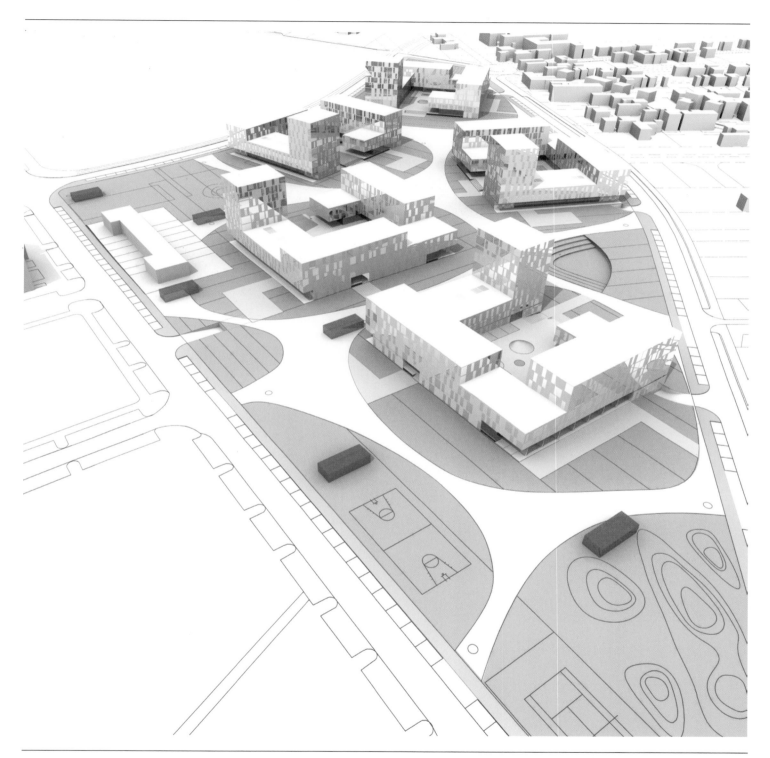

The structure of buildings / residential neighbourhoods has emerged by recycling and recombining the usual residential elements of block, bar, and tower in vertical and horizontal sense, in order to enable a diversified residential configuration, from the apartment with a garden and the classic model of three apartments per stair to a duplex with a patio and rooms with a view. Different heights of particular parts of the residential unit create a dynamic residential landscape and enable simple usage of adjoining terraces on the roofs of lower structures as private and common areas. By multiplying units in different positions interstices with different characteristics emerge within the block.

BAČVARIJA – STAMBENO-POSLOVNA GRAĐEVINA
Coopery – Residential and Business Building

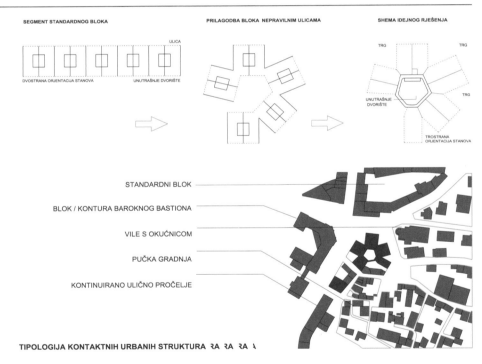

SEGMENT STANDARDNOG BLOKA

PRILAGODBA BLOKA NEPRAVILNIM ULICAMA

SHEMA IDEJNOG RJEŠENJA

ULICA

DVOSTRANA ORIJENTACIJA STANOVA — UNUTRAŠNJE DVORIŠTE

TRG TRG

TRG

UNUTRAŠNJE DVORIŠTE

TROSTRANA ORIJENTACIJA STANOVA

STANDARDNI BLOK

BLOK / KONTURA BAROKNOG BASTIONA

VILE S OKUĆNICOM

PUČKA GRADNJA

KONTINUIRANO ULIČNO PROČELJE

TIPOLOGIJA KONTAKTNIH URBANIH STRUKTURA

Novi sklop i urbanistička artikulacija prostora Bačvarije djeluju kao katalizator različitih urbanih tipologija, mjerila, prometnih tokova i načina življenja. Sklop se referira na okolne građevine i ulice kako bi s njima stvorio nove oblikovane javne prostore.

Kombinira tipičnu organizaciju bloka i pučke gradnje kako bi preuzeo najbolje kvalitete svake od njih. Time se stvara stambeni ambijent veće gustoće i mjerila koji odgovara blokovskoj i soliternoj gradnji, primjeren urbanom stanovanju. Istovremeno se koristi razvedenost i usitnjenost oblika, gustoća prohodnih putova i kompleksni javno-privatni odnosi koji stvaraju intimnije i sadržajnije međususjedske odnose. Cilj je bio postići razinu elegantnog urbanog stanovanja uz zadržavanje društvene povezanosti među susjedima.

'Procijepljeni' blok omogućuje istovremeno nastavljanje uličnog pročelja većih zgrada i prisutnost malog mjerila karakterističnog za gradski predio koji se nastavlja iza građevine. U smislu urbanističke morfologije, struktura Lučca time nije getoizirana iza visokih uličnih fasada već se afirmira kao nova kvaliteta u reprezentativnom gradskom prostoru. Svaki segment rasklopljenog bloka prati liniju jedne od šest okolnih ulica. Svaki oblikuje određeni ulični profil prilagođen karakteru prometa i gradnji na suprotnoj strani.

Razine javnosti i privatnosti nisu jednoznačne. Gradacije i opcije privatnosti (sigurnosti, intime, komfora) i javnosti (urbanosti, susretljivosti, otvorenosti, društvene interakcije) postavljene su kako bi se unaprijedio svaki od sadržaja.

AUTOR AUTHOR : Dinko Peračić
SURADNICI COLLABORATORS :
Nadia Oblkhova, Viktor Perić, Sanja Koren
LOKACIJA LOCATION : Split, Bačvarija

STATUS : projekt / project
GODINA PROJEKTIRANJA DESIGN YEAR : 2009.
INVESTITOR CLIENT :
Cross Holding d.o.o.

POVRŠINA PARCELE SITE AREA : 3145 m2
POVRŠINA TLOCRTA FOOTPRINT : 1052 m2

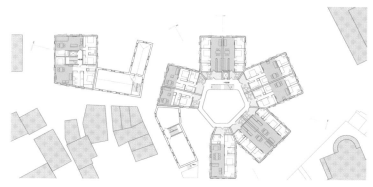

The new complex and the city-planning articulation of the Coopery act as a catalyst for different urban typologies, scales, traffic fluxes, and ways of life. The complex refers to surrounding buildings and streets in order to generate newly shaped public areas together with them. It combines a typical block organization and traditional building, in order to take over the best qualities of each. In this way an environment of higher density and on larger scale, correspondent to block and high-rise construction, adequate for urban dwelling, is created. At the same time, the indentation and fragmentation of forms is also used, as well as the density of thoroughfare ways and complex public-private relations that create more intimate and meaningful neighbourly relations. The aim was to achieve the level of elegant urban dwelling, provided that social connections between neighbours would be preserved.

The 'fissured' block enables a parallel continuation of the street facades of larger buildings and the presence of a small scale characteristic of the city area that stretches behind the building. In the sense of urban morphology, the structure of Lučac is in that way not ghettoized behind high street facades, but it emerges as a new quality in representative city space. Each segment of the unfolded bock follows a line of one of the five surrounding streets. Each forms a certain street profile, adapted to the character of the traffic and structures on the opposite side. The levels of public and private are not unambiguous. Gradations and options of the private (security, intimacy, comfort) and the public (urbanity, hospitality, openness, social interaction) are set to improve each of these contents.

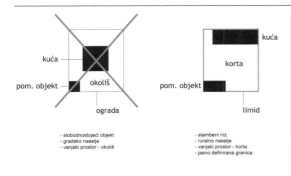

kuća

okoliš

pom. objekt

ograda

kuća

korta

pom. objekt

limid

- slobodnostojeći objekt
- gradsko naselje
- vanjski prostor - okoliš

- stambeni niz
- ruralno naselje
- vanjski prostor - korta
- jasno definirana granica

TP Baretini-Krnja Loža
koncept / tipologija smještajne jedinice / 06

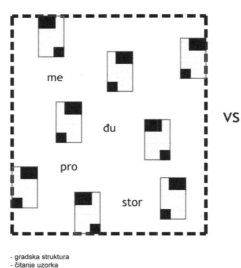

me

đu

pro

stor

vs

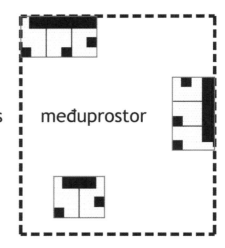

međuprostor

- gradska struktura
- čitanje uzorka
- međuprostor mali i rascjepkan

- ruralna struktura
- varijacija modela iste tipologije
- adekvatan jedinstven međuprostor

TP Baretini-Krnja Loža
koncept / morfologija / 07

Valorizirajući tipologiju istarske stancije (gospodarski niz kuća s jasno definiranom granicom - limid, s unutarnjom kortom i pomoćnim gospodarskim objektima), stvoren je koncept smještajnih jedinica-vila u funkciji turističkog punkta.

Urbanističkim modelom nizanja i grupiranja vila daje se prioritet međuprostoru kao generatoru aktivnosti turističkog punkta, analogno gospodarskoj aktivnosti stancije u prošlosti. Vila poštuje gabarite iščitane u tipologiji stancija. Suptilni konkavni rez na pročelju usmjerava stranice kuće prema korti, dodatno pojačavajući osjećaj intime unutar jedne smještajne jedinice. Tako definiran prostorni niz kuća na glavnom pročelju dobiva dinamiku kakvu su nekad imale kuće različitih visina kod stancija. Bazen kao element koji ne korespondira s tipologijom stancije iskorišten je kao modifikator tipologije, te je uvlačenjem pod kuću dobio dvije razine intime korištenja.

AUTORI AUTHORS :
URBIS 72; Dino Krizmanić, Leonid Zuban
LOKACIJA LOCATION : Krnja Loža, Pula (Vodnjan)

STATUS : projekt / project
GODINA PROJEKTIRANJA DESIGN YEAR : 2008.
INVESTITOR CLIENT : P. Mirković

POVRŠINA PARCELE SITE AREA : 2 ha
POVRŠINA TLOCRTA FOOTPRINT : 2200 m2

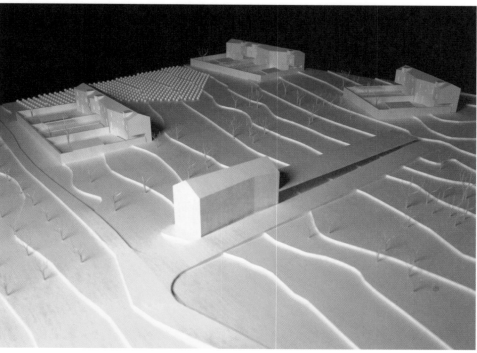

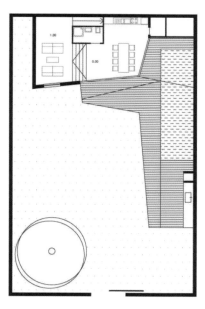

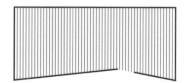

Through the valorization of the typology of an Istrian estate (stancija – a row of commercial structures with a clearly defined borderline, an inner courtyard, and auxiliary structures), a concept of residential units – villas, functioning as a tourist point has been created.
In the city-planning model of sequencing and grouping of villas, priority is given to interspace as the generator of the tourist point's activity, analogously to the commercial activity of the estate in the past. The villa follows the dimensions derived from the typology of such estates. A subtle concave cut-in on the front directs the walls of the house towards the courtyard, additionally enhancing the feeling of intimacy within one residential unit. The thus defined spatial sequence of houses acquires the kind of dynamics comparable to the one of houses with different heights on such estates. The swimming pool as an element that does not correspond to the estate typology has been used as a typology modifier, and by shifting underneath the house it acquired two levels of usage intimacy.

VIŠESTAMBENO NASELJE SOPNICA – JUG
Residential block Sopnica – South

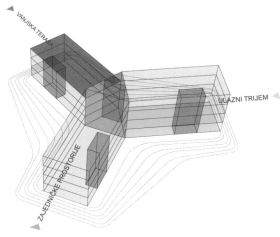

Lokacija novoplaniranog stambenog naselja Sopnica - Jug nalazi se na rubu zagrebačkog gradskog područja, ali je položaj novog naselja u zoni trase tradicionalnog i kontinuiranog smjera širenja grada istok-zapad. Sopnica - Jug unutar je zadnje velike zelene zone koju Grad čuva kao prostornu rezervu za širenje pa je postupna prenamjena tog područja u gradsko tkivo neupitna. Urbanistička koncepcija koja se predlaže ovim radom odgovara na pitanje kako iz zelene zone u stambenu i mješovitu i kako formirati stambeno naselje koje je na periferiji metropole, a istovremeno gotovo u centru maloga grada (Sesvete). Artikulirajući proces transformacije, koji se u načelu odvija od 'praznog' (zelenog, neizgrađenog) prema 'punom' (izgrađenom) urbanom tkivu i u kojem je infrastruktura glavni agent teritorijalizacije u danom kontekstu, tendencijama i aspiracijama, ovaj projekt predlaže strategiju hibridizacije naspram aplikacije uobičajenih modela 'urbanizacije'. Izgradnju ovog naselja potrebno je sustavno planirati unutar budućeg razvoja šire zone i spoja na gradsko područje Sesveta. Koncept nudi dinamički model postupne transformacije iz ruralnog područja u urbanizirano stanovanje u zelenilu, poštujući pritom sve prirodne datosti i ambijentalne kvalitete lokacije. Uslužni sadržaji locirani su u zasebnoj zgradi smještenoj neposredno uz jezero. Lokacija parcele vrtića predviđa se na sjevernom dijelu zone obuhvata, u području koje odgovara ciljanom radiusu potrebe šire zone.

AUTORI AUTHORS :
Dubravko Bačić, Roman Šilje, Milan Štrbac
SURADNICI COLLABORATORS :
Jelena Botteri, Petra Galić
LOKACIJA LOCATION : Zagreb

STATUS : projekt / project
GODINA PROJEKTIRANJA DESIGN YEAR : 2008.
INVESTITOR CLIENT :
Grad Zagreb / City of Zagreb

POVRŠINA PARCELE SITE AREA : 6 ha
POVRŠINA TLOCRTA FOOTPRINT : 32.000 m2

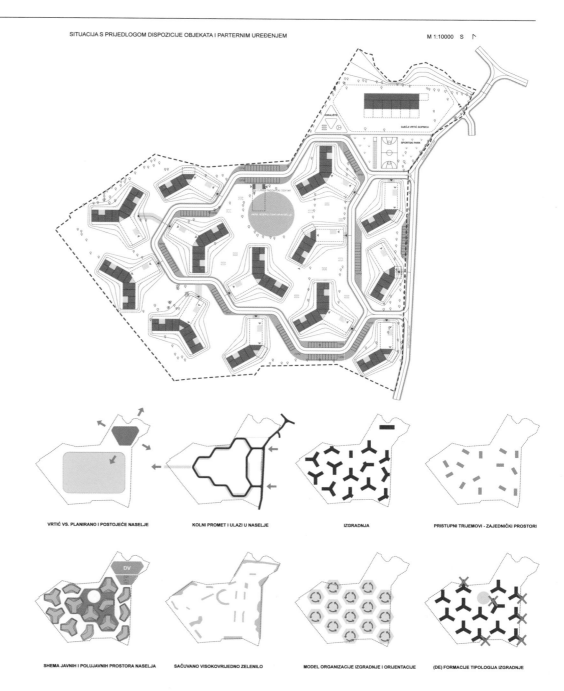

SITUACIJA S PRIJEDLOGOM DISPOZICIJE OBJEKATA I PARTERNIM UREĐENJEM   M 1:10000   S   N

VRTIĆ VS. PLANIRANO I POSTOJEĆE NASELJE   KOLNI PROMET I ULAZI U NASELJE   IZGRADNJA   PRISTUPNI TRIJEMOVI - ZAJEDNIČKI PROSTORI

SHEMA JAVNIH I POLUJAVNIH PROSTORA NASELJA   SAČUVANO VISOKOVRIJEDNO ZELENILO   MODEL ORGANIZACIJE IZGRADNJE I ORIJENTACIJE   (DE) FORMACIJE TIPOLOGIJA IZGRADNJE

The newly planned residential block Sopnica-Jug is located on the verge of the Zagreb city area, but its position is in the zone of the envis-aged traditional and continuous expansion of the city along the east-west line. Sopnica-Jug is conceived within the last large green zone preserved by the City as a spatial reserve for expansion, so that gradual reuse of this area into city tissue is beyond any doubt. The city-planning concept proposed by this work answers the question how to make a transition from a green zone into a residential and mixed-use one, and how to design a residential block which is on the periphery of the metropolis, but at the same time almost in the centre of a small city (Sesvete). By articulating the transformation process that in principle develops from 'void' (green, unbuilt) to 'full' (built) urban tissue, in which infrastructure is the principal agent of territorialization in the given context under consideration of the existing tendencies and ambitions, this project proposes the strategy of hybridization, as opposed to applying the usual models of 'urbanization'. The construc-tion of this block should be systematically planned within the future development of the wider zone and its connection to the city area of Sesvete. The concept offers a dynamic model of gradual transformation from a rural area into urbanized living in a green environment, respecting all the natural givens and ambience qualities of the location. Service facilities are located in a separate building next to the lake. The location of the kindergarten parcel is envisaged in the northern part of the site, in the area that corresponds to the target radius of the wider zone's needs.

STAMBENO–POSLOVNA GRAĐEVINA MERCATOR
Mercator Residential and Commercial Structure

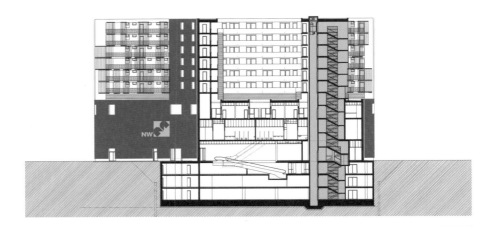

'Centar Zagrebačka' osamljeni je objekt izrezan periferijskim prometnicama koje ga okružuju. Stambeni prostor (po svojoj prirodi diferenciran i 'dug ') podignut je uvis neprivlačne periferijske prometnice, nad (po svojoj prirodi uniformiranim i 'širokim') prostorom masovne kupovine. Ovakva prostorna dispozicija sasvim je svakodnevna u manjem mjerilu ugrađene gradske ili slobodnostojeće periferijske kuće. Posebnom je čini mjerilo: 40.000 četvornih metara razvijenih na tri podzemne i devet nadzemnih etaža i periferijska situacija u kakvoj logičan odgovor na hibridnost programa nije dodavanje različitih horizontalnih slojeva, nego oduzimanje od jedinstvenog i zatvorenog volumena, u prostornoj operaciji minimalističke skulpture i potpune apstrakcije programa. Apstrahirana izostankom detalja, svedena na bezbojni volumen sa sasvim tankom crvenom kožom iza čijih se perforiranih dijelova samo noću pokazuju dijelovi upakiranog programa, 'arhitektura' ovdje nije komponirana nego kvantificirana .
izvod iz teksta Čovjek i prostor 11-12/2007 piše / Krunoslav Ivanišin

AUTOR AUTHOR : Igor Franić
SURADNICI COLLABORATORS :
Tajana Derenčinović, Andreja Dodig,
Petar Reić, Simona Sović, Zorana Zdjelar
LOKACIJA LOCATION : Zagreb

GODINA PROJEKTIRANJA DESIGN YEAR : 2005.
ZAVRŠETAK GRADNJE COMPLETION: 2007.
INVESTITOR CLIENT : Mercator / Tehnika
POVRŠINA PARCELE SITE AREA : 7064 m2
POVRŠINA TLOCRTA FOOTPRINT : 40.275 m2

FOTOGRAFIJA PHOTOGRAPHY :
Domagoj Blažević, Boris Cvjetanović

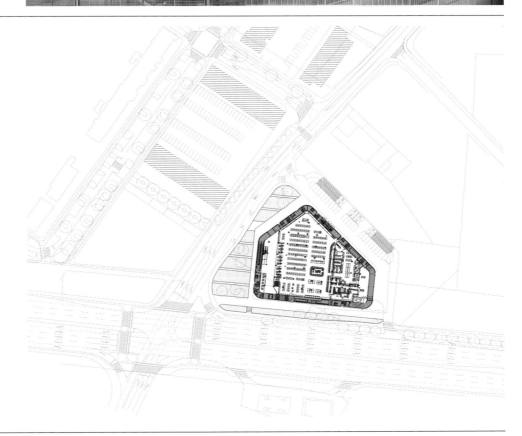

Zagrebačka Centre is a solitary structure carved out of the landscape by suburban roads that surround it. The residential area (in its nature differentiated and 'long') is elevated in relation to the unattractive suburban road, up and away from the mass shopping space (in its nature uniform and 'broad'). Such spatial disposition is entirely common on the smaller scale of an embedded city house or a detached suburban one.

What makes it special is its scale: 40,000 square metres developed over three underground and nine surface storeys, and a suburban situation in which a logical answer to the hybridity of the program is not adding different horizontal layers, but distracting from a unified and closed mass, in a minimalist sculpture spatial operation and full abstraction of the program.

Abstracted by missing details, reduced to a colourless mass with an entirely thin red skin behind whose perforated portions parts of the enveloped program show only at night, 'architecture' is here not composed but quantified.

Excerpt from a text in Čovjek I prostor (Man and Space) 11-12 / 2007 by Krunoslav Ivanišin

'ŠUMSKI GRAD'
'Forest city'

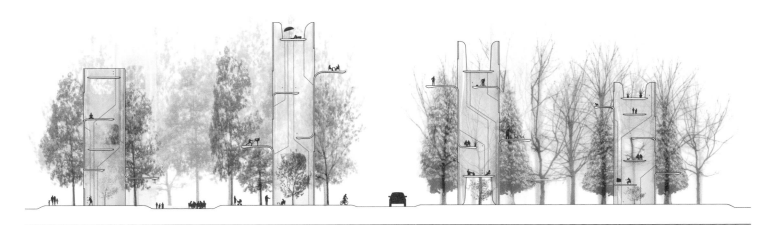

'ŠIREĆI GRAD, GRADEĆI ŠUMU'

STABLO. Kako bi izgledala kuća ili grad kada bi stablo bilo njihov glavni strukturalni element? Stablo koje predstavlja prostor, promjenu, prirodu, strukturu, identitet ili okvir sa svim svojim prirodnim promjenama. Ovdje nije riječ o odnosu 'stablo vs. arhitektura', već o odnosu koji bi izjednačio vrijednosti prirodnog okoliša kao građevne strukture. Granice arhitektonskog prostora i prirode sada se postavljaju u nehijerarhijski simbiotički odnos s ciljem stvaranja nove prostorne, fenomenološke i prirodne kvalitete.

KUĆA. Transparentna, zamagljenih granica, u obliku tornja i okružena drvećem, kuća je modelirana suptilnim vertikalnim perforacijama površinskog elementa kojim se jednako tretira vanjski i unutarnji prostor.

HIPOSTILNA DVORANA. Stablo kao glavni prostorni element definira hipostilnu dvoranu na postojećem rasteru. Raspodjela stabala po prede-finiranom rasteru nije samo kontekstualni element, već je vanjski prostor sugeriran kao svojevrsni unutarnji krajobraz hipostilne dvorane.

GRAD. Ideja reintegracije prirode u gradu razvijena je u 'Šumskom gradu' koji aktivira novu dimenziju urbaniteta. Šuma bi uključivala cjelovitiju viziju arhitekture koja nadrasta rigidne koncepte grada. Novi urbanitet stalne promjene manifestirao bi se kroz prirodu, gdje se sve unutarnje i vanjske razlike neutraliziraju. Arhitektura 'Šumskoga grada' koja definira suptilne prostorne odnose predstavlja kuću čija je pojavnost ostvarena prirodom i korisnikom.

AUTORI AUTHORS :
Iskra Filipović, Miro Roman, Luka Vlahović
SURADNICI COLLABORATORS :
Tomislav Katić, Jurica Sinković

LOKACIJA LOCATION : 'grad' / 'city'
STATUS: istraživački projekt / research project
GODINA PROJEKTIRANJA DESIGN YEAR : 2009.
POVRŠINA PARCELE SITE AREA : 1296 m2

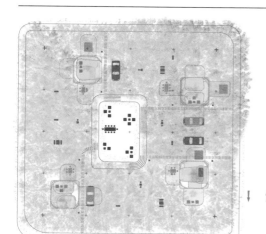
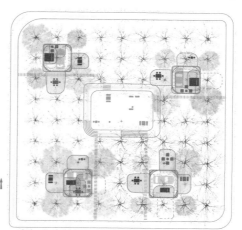

'GROWING THE CITY, EXPANDING THE FOREST'

TREE. What would a house or a city look like when a tree were their principal structural element? A tree that represents space, change, nature, structure, identity, or a frame with all its natural changes. This here is not about the relation 'tree vs. architecture', but about a relation that would equalize the assets of natural environment with building structures. The borders of architectural space and nature are now set in non-hierarchical symbiotic relationship with the aim of generating new spatial, phenomenological, and natural qualities.

HOUSE. Transparent, with blurred borders, in the form of a tower and surrounded by trees, the house is modelled by subtle vertical perforations of the surface element that was equally applied to outdoor and indoor areas.

HYPOSTYLE HALL. A tree as the principal spatial element defines the hypostyle hall on the existing raster. The distribution of trees along the pre-defined grid is not only a contextual element, but also free space suggested as a kind of inner landscape of the hypostyle hall.

CITY. The idea of reintegration lof nature in the city has been developed in the 'Forest City' that activates the new dimension of urbanity. The forest would include a more holistic vision of architecture that surpasses rigid city concepts. The new urbanity of constant changes would be manifested through the nature where all inner and outer differences are neutralized. The architecture of the 'Forest City' that defines subtle spatial relations presents a house whose appearance is realized by nature and its user.

HSI - HORTUM SEPARATUM INHABITANT
POS STAMBENI OBJEKT
State-subsidized Housing Program

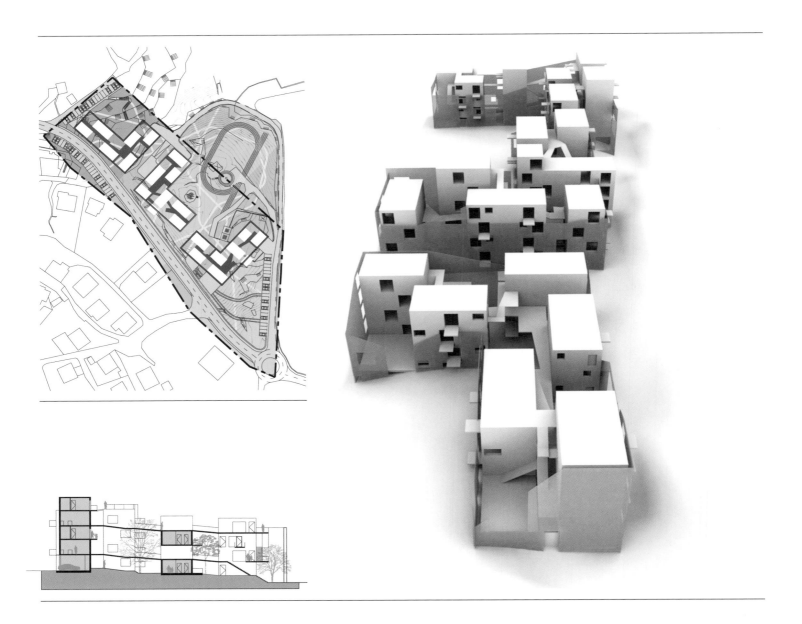

Budući da su kandidati POS programa uglavnom slične dobi, interesa i zanimanja, ovoj relativno svježoj vrsti heterotopije mora se dati nekakav pozitivan socijalni pečat. Ghettokultivator - domaćinstvo u kojem susjedi postavljaju stolice za popodnevnu kavu ispred kućnih vrata, posuđuju ulje i šećer ili pak gledaju djecu u igri skrivača na rubovima šume izgleda kao primjeren odgovor.

Organizirani sustav 'mini zgrada' koje su povezane uličicama pod nagibom - karakteristična riječka razglednica.

Je li možda neophodno raditi skelu za radnike da bi napravili neku casual fasadu? Građevinskoj skeli daje se značenje fasade kuće. Opna koja obavija sve stambene kubuse i zelenilo (p)ostaje narančasta mreža za građevinske radove. Kao posljedica, dubina prozora raste, staklena ploha se offsetira na 'skelinu' fasadu, a prozor postaje korisno mjesto obavka, učenja ili djevojačkih nadanja u posjet lokalnih Dawsona Leeryja.

AUTORI AUTHORS : Jure Bešlić, Ivan Jurić
LOKACIJA LOCATION : Donja Drenova, Rijeka
STATUS : projekt / project
GODINA PROJEKTIRANJA DESIGN YEAR : 2008

INVESTITOR CLIENT : Grad Rijeka i Agencija za društveno poticanu stanogradnju grada Rijeke / City of Rijeka and the Agency for State-subsidized Housing of the City of Rijeka

POVRŠINA PARCELE SITE AREA : 14153 m2
POVRŠINA TLOCRTA FOOTPRINT : 9386 m2

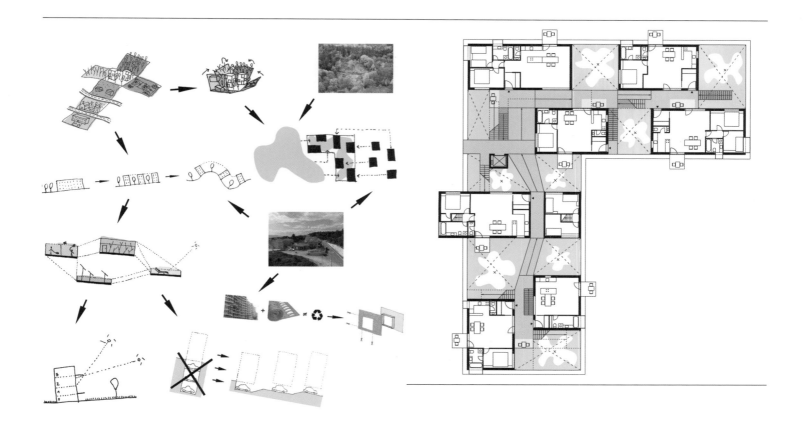

Because the candidates for the SSH Program are usually of similar age and share interests and occupations, this relatively new kind of heterotopia must receive some kind of positive social mark. Ghetto cultivator – a household in which neighbours set their tables for the afternoon coffee in front of the entrance door, borrow oil and sugar or watch the children play hide and seek on the verge of the forest – seems to be an adequate answer.

An organized system of 'mini-buildings', connected by inclined narrow streets – this is a characteristic Rijeka postcard.

Is it maybe necessary to make a scaffold for the workers so that they could make a casual façade? The scaffolding acquires the meaning of the house's façade. The membrane that envelops all residential cubes and the greenery becomes (remains) an orange net for construction works. As a consequence, the depth of windows increases, the glass surface offsets on the 'scaffold's' façade, while the window becomes a useful place for lingering, learning, or girls' hopes in a visit by a local Dawson Leery.

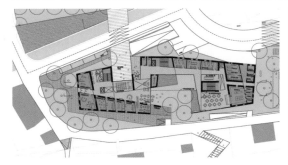

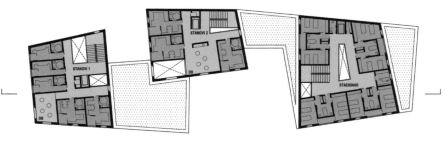

Uključivanje javnog života građana odredilo je potrebu za integriranim urbanističko-arhitektonskim sklopom koji dopunjuje urbanu živost grada Senja i pridonosi joj. Dom za starije i nemoćne osobe sastavni je i vitalni dio gradskog prostora, prisutan svojom aktivnošću u svakodnevici grada. Ograničenja parcele informirala su i konačno uvjetovala postavu i oblik objekta. Nepovoljan smjer bure, osunčanje i vizure izravno utječu na organizaciju prostora, urbanističku dispoziciju i oblikovne principe pročelja. Arhitektonski ansambl je tako gradivi ostatak specifičnih silnica, ograničenja i mogućnosti. Prepoznati i afirmirani su svi bitni pješački tokovi šire i uže situacije, te uključeni u kretanje kroz sam objekt. Povezivanje preko parcele je uključeno kao doprinos u sagledavanju prostora, smatrajući da veličina novog volumena ujedno ne mora biti nova barijera kretanju.

Pješački tokovi i planske odrednice stvaraju tri nova javna prostora - trgove i parkove artikulirane uvlačenjem prizemlja na naglašenim mjestima okupljanja.

Arhitektonska koncepcija proizlazi iz prostorne artikulacije empatičnog odnosa prema starijoj populaciji. Svaki kat je maleno susjedstvo; distordirani pravokutnici isklesani prirodnim i urbanim silnicama mjesta ostvaruju svakom stanaru individualan dom na izlasku iz kojeg ga umjesto koridora dočekuje trg. Uvažavajući istovremenu potrebu za individualnošću i kolektivnošću korisnika, postupno je gradiran privatni prostor. Lako dostupno prizemlje doma je ujedno društveno najaktivniji dio kompleksa.

AUTORI AUTHORS :
xyz arhitektura; Mia Roth Čerina, Tonči
Čerina, Damir Mioč, Konzultant / Consultant:
Zvonimir Prlić
LOKACIJA LOCATION : Senj

STATUS : projektna dokumentacija u izradi /
project documentation in progress
GODINA PROJEKTIRANJA DESIGN YEAR : 2009.
INVESTITOR CLIENT : Grad Senj / City of Senj

POVRŠINA PARCELE SITE AREA : 4000 m2
POVRŠINA TLOCRTA FOOTPRINT : 4500 m2

The inclusion of the public life has determined the need for an integrated city-planning and architectural complex that enhances the urban vivacity of the city of Senj and contributes to it. The Nursing Home is a constituent and essential part of the city space, present in the everyday life of the city with its activity. The limitations of the parcel have formed and finally conditioned the set-up and the shape of the structure. The unfavourable direction of the bora, insolation, and views directly influence the spatial organization, urban disposition, and the design approach to the facades. Thus is the architectural ensemble a constructible remnant of specific force lines, limitations, and possibilities. All major pedestrian ways and detailed situations have been recognized, realized, and included into the movement through the structure. The connection over the parcel is included as a contribution to the encompassing view of the area, because the size of the new mass does not have to be a new barrier to movement.

Pedestrian ways and planning determinants create three new public areas – squares and parks articulated by the indentation of the ground floor in prominent gathering places.

The architectural concept emerges from the spatial articulation of the emphatic relationship towards the senior population. Each floor is a micro-neighbourhood; distorted rectangles hewn by natural and urban force lines of the place realize for each tenant an individual home from which he exits into a square instead of a corridor. Taking into consideration the simultaneous need for individuality and collectivity of the users, private space was slowly gradated. The easily accessible ground floor of the Home is socially the most active part of the complex.

Volumeni definirani urbanističkim planom s volumenom garaže formiraju 'U' presjek, te tvore jedinstvenu cjelinu.
'Add-on' balkoni dinamiziraju kompoziciju i predstavljaju ekstenziju volumena u prostor.
Refleksija u lomljenim plohama balkona osigurava vizualnu promjenjivost pojavnosti objekta ovisno o dobu dana i vremenskim uvjetima.

AUTORI AUTHORS : Neno Kezić, Nora Roje
SURADNIK COLLABORATOR : Josip Katalinić
LOKACIJA LOCATION : Žnjan, Split

GODINA PROJEKTIRANJA DESIGN YEAR : 2006.
ZAVRŠETAK GRADNJE COMPLETION : 2008.
INVESTITOR CLIENT : Elanija

POVRŠINA PARCELE SITE AREA : 2564 m2
POVRŠINA TLOCRTA FOOTPRINT : 9000 m2
FOTOGRAFIJA PHOTOGRAPHY: Arhipolis

The masses, as defined by the master plan, form the U-shaped cross-section with the mass of the garage and form a united whole.
'Add-on' balconies dynamize the composition and represent a spatial extension of the mass. The reflection in folded balcony surfaces pro-
vides visual alternations to the structure's appearance, depending on the time of the day and weather conditions.

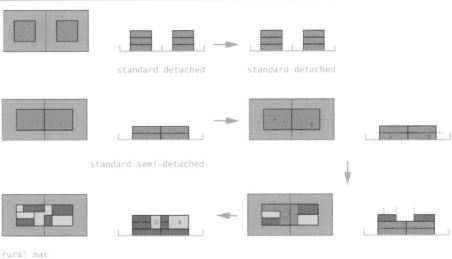

Ovo je još jedan pokušaj interpretacije urbanih pravila s nakanom izbjegavanja sindroma „urbane vile". U idiličnom okruženju nekadašnjeg markuševačkog sela, koje se godinama širilo i postalo dijelom grada, ruski je naručitelj tražio građansko stambeno naselje. Opći urbanistički raspored poštuje postojeće puteve koji vode do središta sela. Stambene su jedinice okupljene uz te pravce. Javno je igralište izgrađeno kao završna točka na kraju tog poteza.

Uzevši kao polaznu točku ruralno mjerilo, tipologija dvojnih objekata presložena je u niz kompaktnih *ruralnih prostirki* – niskih, introvertnih i zgusnutih. Parcele nisu uobičajene, nego su skrojene da zadovolje minimum od 600 m2. Uvučeni dijelovi drugog kata nastali su uslijed odredbe o najvećoj površini potkrovlja koja ga ograničava na 75% standardnog kata. Ako se izbjegava standardni kat, može se uzeti aritmetička sredina dvaju donjih katova, tako da se zahvaljujući tom postupku može dobiti više kvadrata. Slijedom toga, uvučeni dijelovi se razlikuju od kuće do kuće i neposredno odražavaju matematiku, više nego oblikovnu nakanu. Nadstrešnice za automobile, popločani dijelovi dvorišta, terase i stambeni prostori obuhvaćeni su unutar jasno ocrtanih granica. To je pokušaj da se svojstva pojedinačnog stanovanja zadrže u skupini – zgusnutije i uz manji utrošak zemljišta.

Objedinjujuća razina prizemlja predstavlja osnovu jedinica koje sadrže po jedan ili dva stana, odnosno osam po prostirci. Gornji su dijelovi prema unutra obloženi drvetom, stvarajući ugodnu okolinu za korisnike. Vanjske su plohe obučene u aluminij koji štiti od vremenskih utjecaja. U skladu s topografijom, prostirke koje gledaju prema cesti u razini su tla, dok su druge dvije, okrenute prema potoku, spuštene za jednu etažu. Sama činjenica da je prostirke moguće pomicati gore ili dolje naznačava njihove generičke značajke.

Terase su trebale biti opremljene tvornički proizvedenim roštiljima – koje bi posebno projektirao ured – kao pokušaj stvaranja specifičnog prigradskog / post-ruralnog načina života. No na kraju ih je naručitelj odbacio, ne uvidjevši njihovu temeljnu stratešku važnost.

AUTORI AUTHORS :
njiric+ arhitekti; Hrvoje Njirić, Helena Sterpin
SURADNICI COLLABORATORS :
David Kabalin, Vedran Škopac, Davor Bušnja,
Igor Ekštajn, Ljiljana Gaši

LOKACIJA LOCATION : Markuševec, Zagreb
GODINA PROJEKTIRANJA DESIGN YEAR :
2005. - 2007.
ZAVRŠETAK GRADNJE COMPLETION : 2008.
INVESTITOR CLIENT : Titan d.o.o.; Oksana
Dvinskykh, Dino Hotić

POVRŠINA PARCELE SITE AREA : 5900 m2
POVRŠINA TLOCRTA FOOTPRINT : 3500 m2
FOTOGRAFIJA PHOTOGRAPHY : Domagoj Blažević

Another attempt to interpret the urban rules in order to avoid 'the urban villa' syndrome. In a peaceful scenery of the former village of Markusevec which grew over the years to become a part of the city, a Russian client asked for a middle-class residential settlement. The general urban layout respects the rooted paths leading to the center of the village. The housing units are accumulated along these lines. A public playground is set as the terminal point on the other end of the route.

Taking the rural scale as a point of departure, the typology of semi-detached houses has been recombined into a series of compact rural mats - flat, introverted, and dense. Lots are not regular but tailored to meet the area of 600m2 minimum. The setbacks of the second floor are generated by the rule for the maximum attic area that limits the surface to 75% of a typical floor. By avoiding such a typical floor, an arithmetical average of the two lower floors could be taken. By virtue of this manipulation a bigger amount of square meters could be achieved. Subsequently, the setbacks differ from house to house and directly reflect the mathematics, rather than design. Carports, patios, terraces and dwellings are all contained within clearly outlined limits. An effort to maintain the qualities of individual housing in the group - more congested and less land-consuming.

The unifying ground level acts as a pediment for the units comprising one or two appartments, eight of them per mat. The upper parts are clad in timber towards the inside, offering a user-friendly environment. The outer sides are clad in aluminium as a protection from weathering. According to the topography, the mats facing the main road are set on the ground, while the other two, facing the stream, are lowered for one floor. The very fact that the mats could be manipulated up and down gives a hint about their generic qualities.

The terraces were supposed to be equipped with prefab barbecues - custom designed by the office - as an effort to create a specific sub-urban/post-rural lifestyle. However, they were finally rejected by the client who failed to see their crucial strategic importance.

KUĆA FN
FN House

Kuća FN primjer je stambene arhitekture koja na uspješan način objedinjuje teme zajedničkog stanovanja i obiteljske kuće.
Projekt je ušao i u kritičku polemiku sa suburbanim širenjem tipičnim za sva hrvatska predgrađa i gradnju je artikulirao kao 'cluster' više individualiziranih elemenata.
Pojavnost kuće je istovremeno geometrijski jednostavna i specifična te u prigradski ambijent unosi urbani identitet. Kompozicijska koncepcija neposredno proizlazi i iz dispozicije stambenih jedinica i iz nosivog sustava. Bočne zatvorene strane prizmi statički funkcioniraju kao visokostijeni nosači, što je i olakšalo konzolnu projekciju volumena iznad brijega.
Kuća se sastoji od 4 stambene jedinice objedinjene zajedničkim ulaznim prostorom. Jedna stambena jedinica proteže se kroz 'lebdeće' povišeno prizemlje zgrade, dok se druge tri jedinice nalaze u zasebnim mini tornjevima visine dvije, odnosno tri etaže.
Maroje Mrduljaš

AUTOR AUTHOR : NOP studio; Ivan Galić
SURADNICI COLLABORATORS :
Dražen Banković, Saša Kalanj; statika /
structural engineering: Krešimir Tarnik

LOKACIJA LOCATION : Zagreb
GODINA PROJEKTIRANJA DESIGN YEAR :
2006. - 2007.
ZAVRŠETAK GRADNJE COMPLETION : 2008.

INVESTITOR CLIENT : Zagorjegradnja d.o.o.
POVRŠINA PARCELE SITE AREA : 940 m2
POVRŠINA TLOCRTA FOOTPRINT : 600 m2
FOTOGRAFIJA PHOTOGRAPHY: Robert Leš

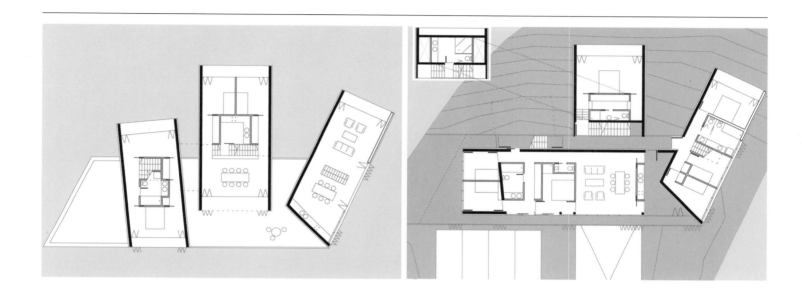

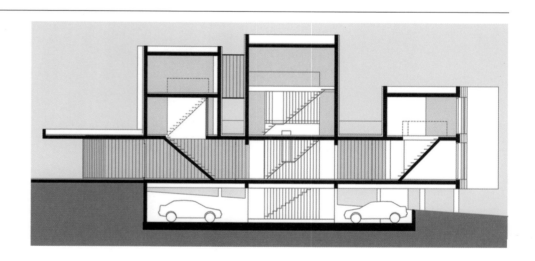

The FN House is an example of residential architecture that in a successful way unifies the themes of apartment housing and a family house. The project has also started a critical polemics with the suburban expansion typical of all Croatian town outskirts and articulated the structure as a cluster of several individualized elements.

The appearance of the house is at the same time geometrically simple and specific, introducing urban identity into a suburban ambience. The compositional concept directly emerges both from the disposition zagref residential units and the load-bearing system. Lateral closed sides of the prisms statically function as deep girders, which has facilitated a cantilevered projection of the mass above the hill.

The house consists of four residential units, unified by the common entrance area. One residential unit stretches through the 'hovering', raised ground-floor of the structure, while the other three units are placed into separate mini-towers, two or three storeys high.

Maroje Mrduljaš

KOMPLEKS URIHO
URIHO Complex

Koncept rješava glavne teme i kontradikcije: 1. raznorodnost sadržaja - jedna cjelina, 2. velika izgrađenost - javni prostor, 3. štetni utjecaji/buka - radni procesi.

Volumen A objedinjuje sadržaje proizvodnje, uprave, rehabilitacije i sportske dvorane u jednu cjelinu. Glavne karakteristike kuće su kosi vanjski 'pojasevi' i 'trbuh', gdje se izmjenjuju otvorena dvorišta i prostori velikih jedinstvenih volumena, odnosno prostori koji imaju veću visinu ili katnost. Kose stranice omogućuju da se krov kuće može koristiti kao šetnica s prostorima za boravak i sportske aktivnosti. To pridonosi činjenici da tako velika kuća ne predstavlja barijeru nego pojačava uzdužne i poprečne veze na parceli, te ne oduzima javni prostor svojom izgrađenošću.

AUTOR AUTHOR : NOP studio; Ivan Galić
SURADNICI COLLABORATORS :
Ante Senjanović, Tomislav Matušin, Bojana Benić, Anja Mraković, Mladena Ahmetović, Dubravka Perica

LOKACIJA LOCATION : Zagreb
STATUS: projektna dokumentacija u izradi – lokacijska dozvola u tijeku / project documentation in progress, building permit in process

GODINA PROJEKTIRANJA DESIGN YEAR : 2008.
INVESTITOR CLIENT :
Grad Zagreb / City of Zagreb
POVRŠINA PARCELE SITE AREA : 27.150 m2
POVRŠINA TLOCRTA FOOTPRINT : 28.700 m2

The concept solves major themes and contradictions: 1/ different facilies – one unit, 2/ a high degree of built area – public space, 3/ hazardous influences / noise – work processes.

The mass A unifies production, management, rehabilitation and sports hall facilities into one unit. The main characteristics of the house are slanting outer 'belts' and the 'belly', where open courtyards interchange with large unified masses, that is to say spaces featuring enhanced height or more storeys. The slanting flanks enable the roof of the house to be used as a promenade with amenities for leisure and sporting activities. This contributes to the fact that such a large structure does not represent a barrier, but stresses longitudinal and transversal connections on the parcel, without reducing public space with its built mass.

OBITELJSKE KUĆE U NIZU
Semi-Detached Family Houses

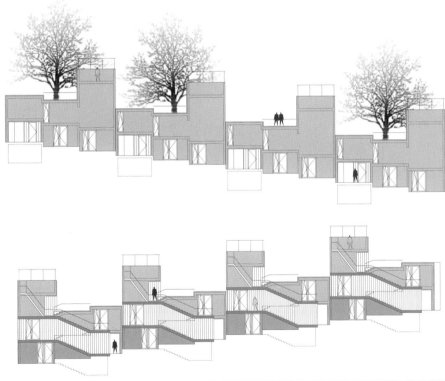

Kuće se kaskadno nižu hrptom brda. Uzdužni presjek ponavlja nagib terena, pročelje pokazuje presjek. Svaka kuća spiralno izrasta iz tla: od konobe do vidikovca, od potpunog mraka do krošanja stabala; sve su domaće aktivnosti usput obuhvaćene.
Šuma je izbor, zato je stalno prisutna u kući - ovisno o prirodi pojedinačnog prostora, jednom je u naznaci, drugi put u širokoj panorami.

AUTORI AUTHORS :
Petar Mišković, Tomislav Pavelić
LOKACIJA LOCATION : Rukavac

STATUS : projekt / project
GODINA PROJEKTIRANJA DESIGN YEAR :
2007. - 2008.

INVESTITOR CLIENT : privatni / private
POVRŠINA PARCELE SITE AREA : 17.053 m2
POVRŠINA TLOCRTA FOOTPRINT : 361,3 m2

The houses cascade along the ridge of the hill. The longitudinal section repeats the slope of the terrain, the facade shows the section.
Every house spirally grows from the ground: from celler to belveder, from complete darkness to the tree tops; all the domestic activities are included alongside.
Forest is the choice, therefore it is present in the house constantly - depending on the nature of singular space it is either just a hint or a wide prospect.

VIŠESTAMBENA ZGRADA POS DRENOVA
Drenova State-Subsidized Housing

Projektirana višestambena zgrada smještena je na kraju grada/početku prirode. Susjedstvo: tipična riječka suburbija koju povezuje natjecanje u koloritu sa susjedom i opsjednutost pogledom na more. Tipologija stanova s dvostrano orijentiranim dnevnim prostorima koristi najbolje od mikrolokacije. 'Stack 'em' principom složene stambene jedinice prilagodavaju se topografiji terena, tvoreći polupropusnu opnu na granici prirode i grada.

AUTORI AUTHORS :
Projectura;
Leora Dražul, Siniša Glušica, Siniša Zdjelar
SURADNICI COLLABORATORS :
Iva Ćuzela Bilać, Antonija Ružić, Oliver Čikeš

LOKACIJA LOCATION : Rijeka, Gornja Drenova
STATUS : projekt / project
GODINA PROJEKTIRANJA DESIGN YEAR : 2008.
INVESTITOR CLIENT : Grad Rijeka / City of Rijeka

POVRŠINA PARCELE SITE AREA : 13.000 m2
POVRŠINA TLOCRTA FOOTPRINT : 13.000 m2

The designed multi-storey building is located on the outskirts of the town / at the point where nature begins. Neighbourhood: typical Rijeka suburbs with the common features of competing with the neighbour by means of colour and the obsession with the view of the sea. The residential typology with living-rooms oriented to two sides makes the best of this micro-location. The residential units arranged after the 'stack them' principle are adapted to terrain topography and form a semipermeable membrane on the border of nature and the city.

STAMBENO NASELJE SOPNICA
Sopnica Residential Block

Urbanističko naselje Sopnica bio je pokušaj projektiranja novog naselja koje bi bilo manje grafički, a više organski novi znak upisan u memoriju grada. Stambene zgrade formiraju isprekidani krug. Izvan kruga ostaju parkirališta i obodna cesta. U krugu je park, u njemu jezero (postojeće!) i vrtić. Kuće su obične, tipična socijalna izgradnja, ali svi boravci su nad parkom. Projektirajući ovu oazu, pomalo epskih razmjera, bili smo uvjereni da bi se stanovnicima prilično jednostavno dalo objasniti zašto bi tu bilo poželjno živjeti.

AUTORI AUTHORS :
Radionica arhitekture;
Goran Rako, Nenad Ravnić, Josip Sabolić,
Vedrana Ivanda, Kristina Jeren,
Kata Marunica

LOKACIJA LOCATION : Sopnica, Zagreb
STATUS : projekt / project
GODINA PROJEKTIRANJA DESIGN YEAR : 2007.
INVESTITOR CLIENT :
Grad Zagreb / City of Zagreb

POVRŠINA PARCELE SITE AREA : 45.000 m2
POVRŠINA TLOCRTA FOOTPRINT : 14.400 m2

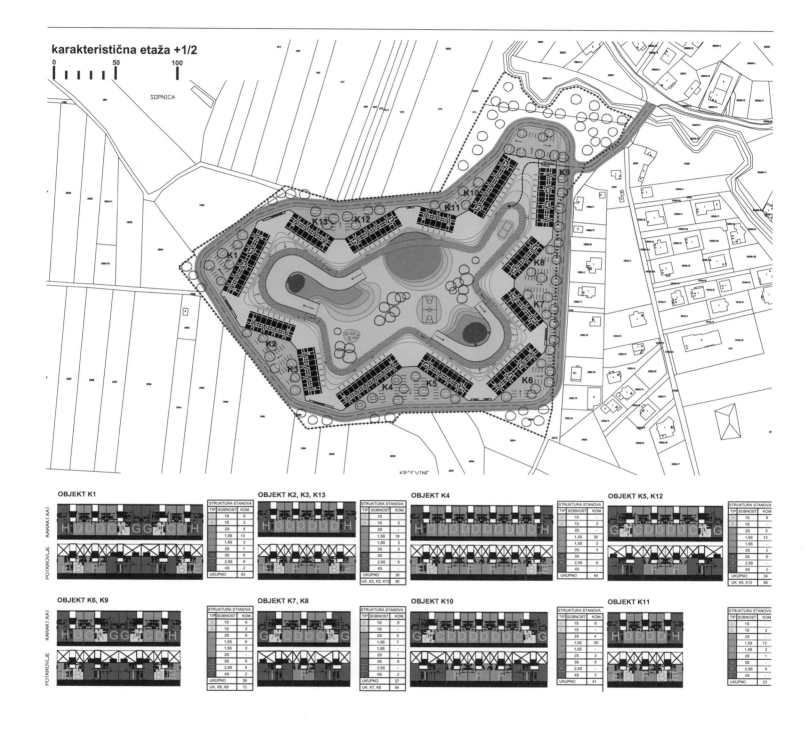

karakteristična etaža +1/2

The Sopnica block, as a result of city-planning, was an attempt to design a new block that would be a less graphic and more organic new symbol inscribed into the memory of the city. Residential buildings form a discontinuous circle. The parking lots and the perimeter road remain outside the circle. In the circle is a park with an (existing!) lake within it, and a nursery. The houses are ordinary, typical social constructions, but all the living-rooms overlook the park. Designing this oasis of somewhat epic proportions, we were convinced that it should not be too difficult to explain to the inhabitants why it might be desirable to live here.

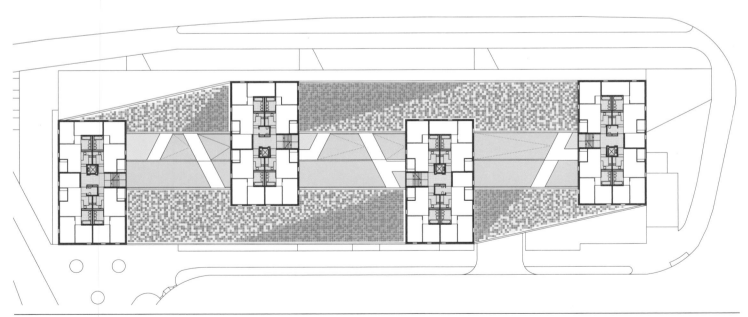

Na izduženom slobodnom prostoru 'splitskog ringa', između blokovske izgradnje na istoku i kontroverzne nadogradnje zgrade Geoprojekta, a u dijagonalnoj osi s gradskim poslovno-administrativnim centrom i vezom sa stadionom NK Split, u ritmu tornjeva na ringu formiran je hibridni poslovno-stambeni sklop. Sustav četiriju stambenih tornjeva s prizemnim prstenom izložbeno-prodajnih salona i komercijalnih sadržaja uvlači pješački tok u seriju mediteranskih dvorišta/vrtova, štiteći tako pješake od prometne ulice, dok je golemim izlozima 'showrooma' izložen vozačima.

AUTORI AUTHORS :
Studio Up; Lea Pelivan, Toma Plejić
SURADNICI COLLABORATORS :
Antun Sevšek, Marina Zajec, Mojca Smode,
Ida Križaj, Marko Rukavina, Saša Relić, Damir
Gamulin (grafika/graphics)

LOKACIJA LOCATION : Split
GODINA PROJEKTIRANJA DESIGN YEAR : 2006.
ZAVRŠETAK GRADNJE CONSTRUCTION YEAR : 2009.
INVESTITOR CLIENT: Oramont d.o.o., Split

POVRŠINA PARCELE SITE AREA : 4300 m2
POVRŠINA TLOCRTA FOOTPRINT : 3260 m2
FOTOGRAFIJA PHOTOGRAPHY : Robert Leš

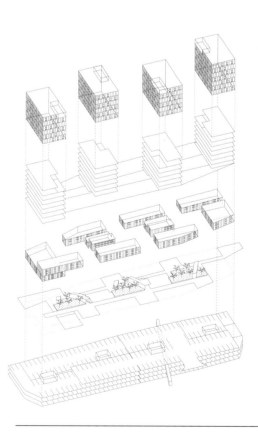

In the elongated free space of the 'Split Ring' between the block construction in the east and the controversial extension of the Geoprojekt building, on the diagonal axis of the city business land administrative centre and the connection with the FC Split stadium, following the rhythm of towers on the ring, a business and residential complex was formed. The system of four residential towers with the ground-floor belt of showrooms and commercial amenities draws the pedestrian flux into a series of Mediterranean courtyards / gardens, thus protecting the pedestrians from heavy traffic in the street, while the giant shop-windows of showrooms address the drivers.

VIŠESTAMBENE ZGRADE HABITUS
Habitus Housing Block

Stambeno naselje nastaje na parceli složene topografije i strmog nagiba. Oblikovna artikulacija zgrada temelji se na interpretaciji kuća, koje se po visini gabaritno mijenjaju formiranjem otvorenih prostora - terasa. Dok se bazni dio zgrade prilagođava i maksimalno koristi kvalitete specifične konfiguracije terena, gornji volumen zgrade prostorno se i funkcionalno formira u skladu s mogućnostima ostvarivanja kvalitetnih vizura i orijentacija prostora. Oplošje zgrade se interpretira 'kao kutija koja se otvara ili zatvara', pri čemu važnu ulogu u oblikovanju imaju vizualno transparentni elementi bris-solea od perforiranog valovitog aluminija.

AUTOR AUTHOR : Vladimir Kasun
SURADNICI COLLABORATORS : Marijana Kasun,
Davor Plavšić, Ana Srdelić, Sanja Jasika
LOKACIJA LOCATION : Zagreb

GODINA PROJEKTIRANJA DESIGN YEAR : 2006.
ZAVRŠETAK GRADNJE COMPLETION : 2008.
INVESTITOR CLIENT : Grupo Machin-Zaragoza
POVRŠINA PARCELE SITE AREA : 700 m2

POVRŠINA TLOCRTA FOOTPRINT : 600 m2
FOTOGRAFIJA PHOTOGRAPHY :
Davor Plavšić, Robert Leš

This residential block has been created on a land lot with complex topography and strongly inclined slope. The design articulation of the structures is founded on the interpretation of houses that change their vertical dimensions by forming open spaces – terraces. While the base part of the building adapts and maximally uses the qualities of the specific terrain configuration, its upper mass is spatially and functionally formed in concordance with the possibility of attaining quality views and spatial orientations. The superficies of the building are interpreted as 'a box that opens or closes', where an important design role is assigned to the visually transparent sun-breaker elements made of perforated corrugated aluminium.

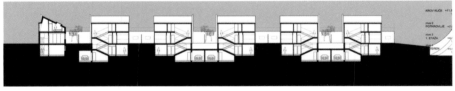

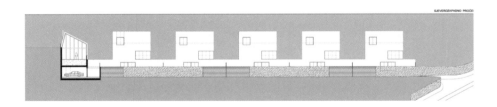

Građevine će se formirati u skladu s topografijom, ugrađene u postojeći teren. Umjesto zgrade jedinstvenog volumena - predlaže se građevina vizualno podijeljena na dva gabarita, koja afirmira strukturu i individualne karakteristike života u stambenom nizu. Takav pristup u oblikovnoj artikulaciji temelji se na pristupu koji traži dijalog s postojećim okruženjem manjih obiteljskih građevina. Volumen se formira punom ovojnicom koja prerasta iz zida u krov u vanjskoj oblozi od prinudno oksidiranog lima, te s bočnim ostakljenjem s aluminijskom bravarijom i drvenom oblogom.

AUTORI AUTHORS :
Vladimir Kasun, Bojan Linardić, Davor Plavšić
LOKACIJA LOCATION :
Markuševačka Dubrava, Zagreb

STATUS : projekt / project
GODINA PROJEKTIRANJA DESIGN YEAR : 2007.
INVESTITOR CLIENT : SZ Stanograd, Zagreb

POVRŠINA PARCELE SITE AREA : 1700 m2
POVRŠINA TLOCRTA FOOTPRINT : 1200 m2

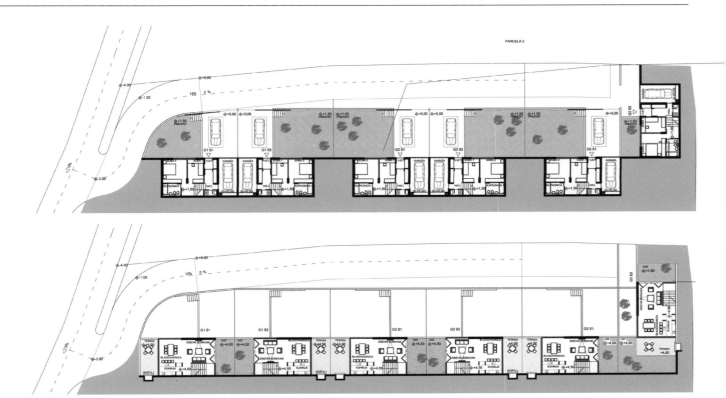

The buildings will be shaped in concordance with the topography, dug into the existing terrain. Instead of a building with a unified mass, a structure visually divided into two masses is proposed; it affirms the structure and individual characteristics of life in a residential train. This kind of approach to formal articulation is founded on a concept that requires a dialogue with the existing environment consisting of small-scale family houses. The mass is formed by a full envelope continued from the wall to the roof; the external cladding is executed in artificially oxidised metal sheets, glazed on the sides, with aluminium metalwork and wooden panels.

URBANI UZORCI
Urban Patterns

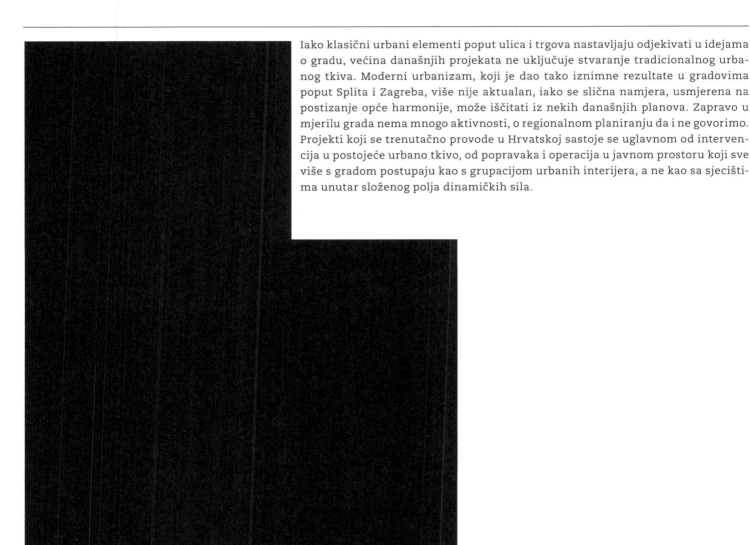

Iako klasični urbani elementi poput ulica i trgova nastavljaju odjekivati u idejama o gradu, većina današnjih projekata ne uključuje stvaranje tradicionalnog urbanog tkiva. Moderni urbanizam, koji je dao tako iznimne rezultate u gradovima poput Splita i Zagreba, više nije aktualan, iako se slična namjera, usmjerena na postizanje opće harmonije, može iščitati iz nekih današnjih planova. Zapravo u mjerilu grada nema mnogo aktivnosti, o regionalnom planiranju da i ne govorimo. Projekti koji se trenutačno provode u Hrvatskoj sastoje se uglavnom od intervencija u postojeće urbano tkivo, od popravaka i operacija u javnom prostoru koji sve više s gradom postupaju kao s grupacijom urbanih interijera, a ne kao sa sjecištima unutar složenog polja dinamičkih sila.

Although classic urban elements such as streets and squares continue to resonate in ideas over the city, most present-day projects do not involve the design of a traditional urban fabric. The modern urbanism, which has led to such exceptional results in cities such as Split and Zagreb, is no longer on the agenda, even though a similar ambition, aimed at realising total harmony, can be detected in some present-day plans. In actual fact, not much activity is happening on the scale of the city let alone on the regional landscape scale.

The projects presently being carried out in Croatia consist mostly of interventions in the existing urban fabric: repairs and operations in the public space, which increasingly deal with the city as a collection of urban interiors rather than as intersections in a complex field of dynamic forces.

ANA KUNST, ROMAN ŠILJE
Turističko naselje Brsečine / *Brsečine Tourist Settlement*
ANTE KUZMANIĆ
Urbanistička studija most Split – Kaštela sa arhitektonskim rješenjem
polivalentne športske dvorane / *City-Planning Study of the Split Kaštela Bridge with*
the Architectural Solution for a Polyvalent Sports Hall
DINKO PERAČIĆ
Split 5 - Mejaši
DVA PLUS
Park po mjeri / *Park Made to Measure*
FANI FRKOVIĆ, IVANA GARDLO
Park Zagorska-Selska-Krapinska / *Park on Zagorska-Selska-Krapinska Street*
HELENA PAVER NJIRIĆ
Gračani
IVONA JERKOVIĆ, DAMIR PETRIC, HRVOJE VIDOVIĆ, JOSIP JERKOVIĆ,
MARTA LOZO
Idejno urbanističko-arhitektonsko rješenje područja Trsteničke uvale /
Preliminary City-Planning and Architectural Solution of the Trstenik Bay Area
koFAKTOR
Uređenje Fošala Omiš / *Fošal Omiš Makeover*
MARKO AMBROŠ, HRVOJE BAČURA
Gradski trg / *City Square*
MIROSLAV GENG
Rekonstrukcija Kvaternikova trga sa izgradnjom podzemne garaže /
Reconstruction of the Kvaternik Square and Construction of the Underground Car Park
PORTICUS, NEMICO / DAMIR RAKO, NENAD MIKULANDRA
P26 - Split - Nova vrata grada / *P26 New Entry to Town*
SVEBOR ANDRIJEVIĆ, IVANA GARDLO, FANI FRKOVIĆ
Recube - urbana oprema / *Recube - Urban Mobiliar*
VESNA KOVAČEVIĆ NENEZIĆ, MARKO LIPOVAC
ST8 - urbanističko rješenje uvale Trstenik
ST8 - City-Planning Design of the Trstenik Bay

TURISTIČKO NASELJE BRSEČINA
Brsečine Tourist Settlement

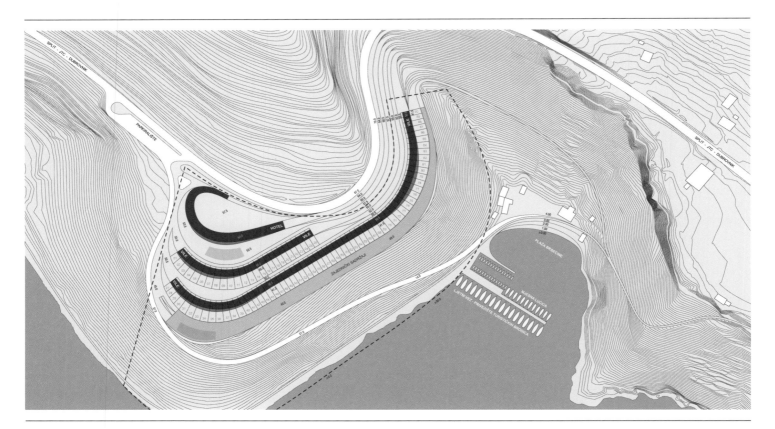

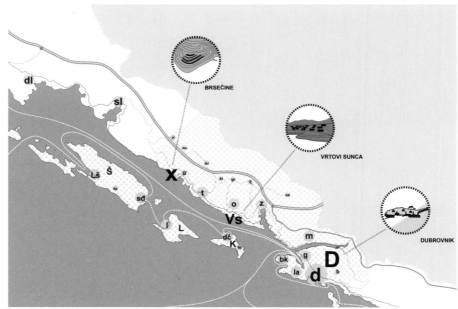

Migracijski procesi su pokretačke sile koje su oblikovale izgled i pravila življenja u mediteranskim predjelima. Ubrzani razvoj turističkih tehnologija koji vrši pritisak na obalna područja ima atribute visoko efektivnog i kompleksnog sustava. Nove imigrante: turiste, koji koloniziraju prostore iznimnih kvaliteta, možemo smatrati predvodnicima sljedeće mediteranske geneze, u vremenu ponovnog promišljanja i definiranja obalnih prostora. Spektakularnost pejzaža transformira se u raznovrsne oblike dokolice kako bi se osigurao osjećaj nečega iznova novoga i neokaljanog, gotovo platonskog i čistog.

Hotel Parazit traži odgovore u stvaranju novih hibridnih tipologija za stalne, povremene i privremene stanovnike kroz usporedni razvoj sustava javnih prostora i društvenih sadržaja u sklopu s turističkom ponudom. Promišljanjem tipologije hotela kao dijela (naseljive) komunalne infrastrukture amplificira se imanentna kvaliteta prostora kao osnova identiteta obalnih područja.

AUTORI AUTHORS : Ana Kunst, Roman Šilje
SURADNICI COLLABORATORS :
Jana Dabac, Petra Galić, Tomislav Stepić

LOKACIJA LOCATION : Dubrovnik
STATUS: projekt / project
GODINA PROJEKTIRANJA DESIGN YEAR : 2008.

INVESTITOR CLIENT : privatni / private
POVRŠINA PARCELE SITE AREA : 5 ha
POVRŠINA TLOCRTA FOOTPRINT : 25.000 m2

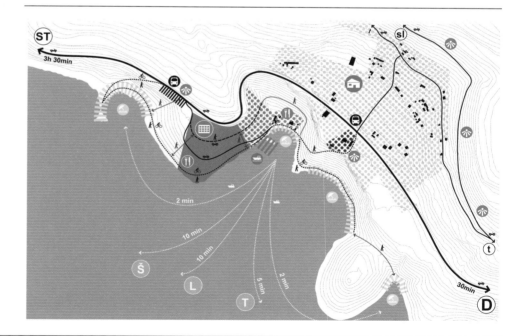

Migration processes are the moving forces that formed the appearance and the rules of living in Mediterranean environment. The increasing development speed of tourist technologies exerts pressure on coastal areas and has the characteristics of a highly effective and complex system. New immigrants, tourists who colonize the areas of exceptional quality, can be considered the forerunners of the next Mediterranean genesis at the time of new conceiving and defining of coastal areas. The spectacular landscape is transformed into different forms of leisure, so that it could provide the feeling of something new and unstained, almost platonic and pure.
The Parasite hotel seeks for answers by creating new hybrid typologies for permanent, occasional, and temporary tenants, through the parallel development of the system of public spaces and social contents connected with the tourist programs. By conceiving hotel typology as part of (inhabitable) municipal infrastructure, the immanent quality of an area as the basis of the coastal regions' identity is amplified.

URBANISTIČKA STUDIJA MOSTA SPLIT – KAŠTELA S ARHITEKTONSKIM RJEŠENJEM POLIVALENTNE SPORTSKE DVORANE City-Planning Study of the Split Kaštela Bridge with the Architectural Solution for a Polyvalent Sports Hall

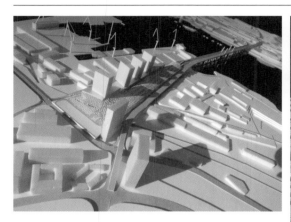

Idejnom studijom prezentira se rješenje razvoja prometa grada Splita, pretpostavka za izlazak grada Splita na sjevernu obalu kao nositelja aglomeracije bazena od Trogira do Omiša.

Rezultat:

—— Skraćenje puta do aerodroma za 5 km - novi ulazak u grad.

—— Oslobađanje centra grada od prometnih čepova.

—— Priključak grada na drugi izlazak s autoceste (petlja Vučevica).

—— Integralno rješenje novog prometnog čvorišta (Željeznički - Autobusni - Trajektni terminal).

—— Oslobađamo teritorij od 170.000 m2 - izlazak grada na drugu obalu

—— Šest perona željezničke stanice, autobusni terminal sa 25 perona i parking-prostor sa 3200 mjesta. Ideja je razdijeljena na dva mosta; jedan cestovni, a drugi željeznički zbog opterećenja i dinamike gradnje.

—— Između terminala i prometnice predviđeni su poslovno-turistički sadržaji na ulazu u grad.

—— Polivalentna sportska dvorana kapaciteta 12.000 gledatelja sa svim pratećim sadržajima smještena je na lokaciji vojnog skladišta u Kaštelima, s jako dobrom prometnom povezanošću.

AUTOR AUTHOR : Ante Kuzmanić
SURADNICI COLLABORATORS : Darinka Kuzmanić
konzultant / consultant, Projektantski tim /
Design team: Samuel Martin, Sanja Vondra,
Sanja Matijević, Marin Kaliterna,
Andrej Čikeš, Dujmo Žižić, Mate Jurić

LOKACIJA LOCATION : Kaštelanski zaljev /
Kaštela Bay / Split-Kaštela / Stinice-Brižine
STATUS : u izvedbi / under construction
GODINA PROJEKTIRANJA DESIGN YEAR : 2007.
INVESTITOR CLIENT : IGH
FOTOGRAFIJA PHOTOGRAPHY : B. Ostojić

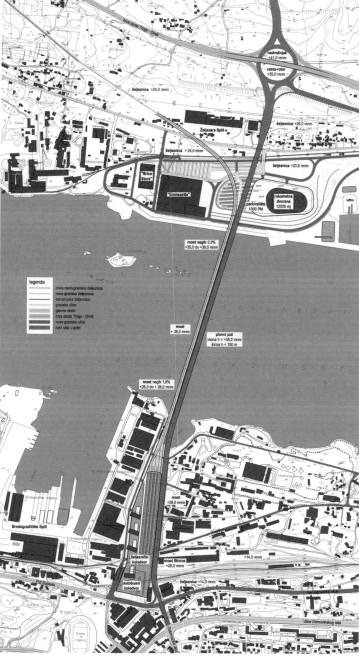

The draft study presents a solution for traffic development of the city of Split. This is a preconditon for Split's connection with the northern waterfront and its carrier role for the agglomeration of the basin reaching from Trogir to Omiš.
The result:
—— A 5 km shorter way to the airport – a new entrance into the city
—— Disburdening the city centre of traffic jams
—— The city's entry slip road from the second highway exit (Vučevica Interchange)
—— Integral solution of the new traffic node (Railway – Bus – Ferry Terminal)
—— We open a 170,000 sq.m. territory – the connection of the city with its other waterfront
—— Six platforms at the railway station, a bus terminal with 25 platforms, and a parking area with 3,200 parking lots. The draft is divided into two bridges, a road bridge and a railway bridge for the reasons of load-bearing and construction dynamics
—— Between the Terminal and the road, business and tourist facilities are envisaged at the entrance into the city
—— A polyvalent sports hall for 12,000 spectators, with all the supporting amenities, is placed at the location of the military warehouse in Kašteli; its traffic connections are very good

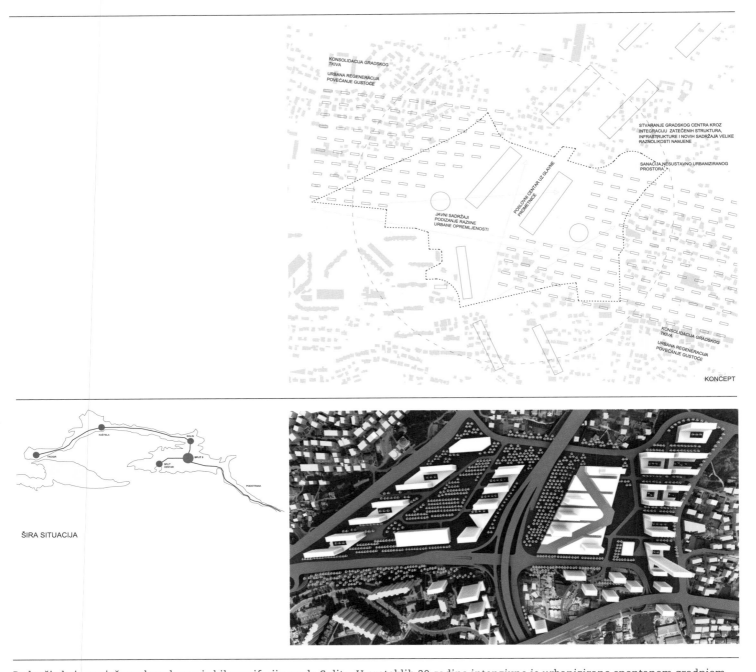

KONCEPT

ŠIRA SITUACIJA

Područje koje se rješava donedavno je bilo periferija grada Splita. U proteklih 30 godina intenzivno je urbanizirano spontanom gradnjom i infrastrukturnim zahvatima velikog mjerila. Dobra povezanost, pozicija križanja i gravitacijskog centra konurbacije, blizina poslovnih sadržaja i gustih stambenih naselja otvaraju mogućnost za stvaranje gradskog centra velikog intenziteta.

Koncept urbanističkog rješenja usmjeren je na tri urbana procesa: sanaciju, integraciju i konsolidaciju. Sanacija kao temeljni zahvat priprema prostor za nove sadržaje i druge procese. Integracija podrazumijeva uključivanje svih zatečenih i novih zainteresiranih aktera i struktura. Područje se treba urbanizirati kroz spletove društvenih odnosa i prostora, a ne isključivim djelovanjem pojedinaca. Također mrežom javnih prostora osigurava se programsko i prostorno povezivanje. Konsolidacija se odnosi na povećanje gustoće i podizanje razine urbanosti. Urbanistička dispozicija temelji se na prisutnosti dva jaka elementa koji uvjetuju gradnju u slobodnom međuprostoru. Uz jake prometnice postavljaju se poslovni i trgovački sadržaji većeg mjerila. Na kontaktu s neplanski i spontano nastalim naseljima predlaže se izgradnja guste strukture sastavljene od sklopova manjih građevina. Na taj način nova izgradnja se funkcionalno i morfološki povezuje s postojećim naseljima. Središnji otvoreni prostori oblikuju se na način da ne služe samo novoj gradnji već i širem gradskom području.

Nova gradnja prati linije infrastrukture i postavljena je na način da otvara središnje prostore prema okolnim stambenim naseljima.

AUTOR AUTHOR : Dinko Peračić
SURADNICI COLLABORATORS :
Nadia Obukhova, Viktor Perić, Sanja Koren

LOKACIJA LOCATION : Split
GODINA PROJEKTIRANJA DESIGN YEAR : 2008.
INVESTITOR CLIENT : Mejaši d.o.o.

POVRŠINA PARCELE SITE AREA : 382.815 m2
POVRŠINA TLOCRTA FOOTPRINT : 104.850 m2

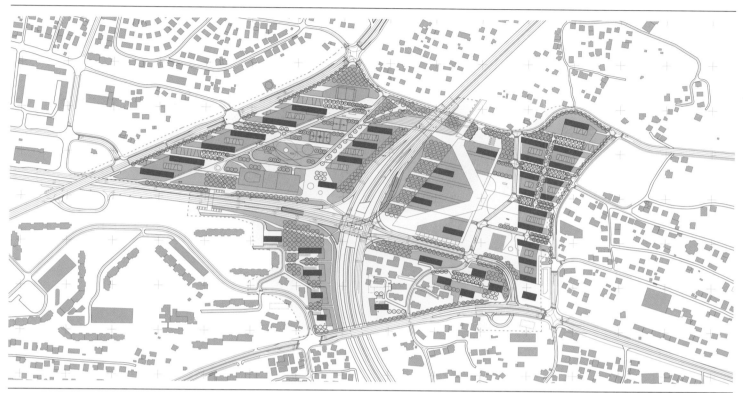

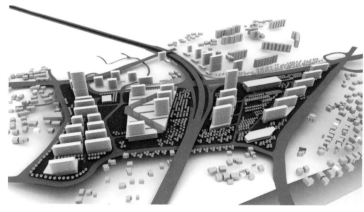

The area to be solved has until recently been the periphery of the city of Split. During the last 30 years it has been intensively urbanized by spontaneous construction and large-scale infrastructural undertakings. Good traffic connections, the position at the intersection and the gravitational centre of conurbation, the proximity of business facilities, and densely populated residential areas open the possibility for creating a high-intensity city centre. The concept of the city-planning solution is directed at three urban processes: remediation, integration, and consolidation. Remediation as the basic undertaking prepares the area for new facilities and other processes. Integration implies the inclusion of all existing and new interested participants and structures. The area should be urbanized through interweaving of social relations and spaces, and not exclusively through individual actions. A network of public spaces also ensures programmatic and spatial connections. Consolidation refers to the increase of density and raising of the urbanity level. The urban disposition is founded on the presence of two strong elements that condition building in free interspaces. Along the major roads large-scale business and commercial facilities will be constructed. At contact points with unplanned and spontaneously built city blocks a densely structured construction is proposed, consisting of smaller structure complexes. In this way, the new construction will be functionally and morphologically linked with the existing settlements. The central open spaces are shaped in the way that they do not serve only the new construction, but also a wider city area. The new construction follows infrastructural lines. It is set in the way that it opens the central areas towards the surrounding residential blocks.

PARK PO MJERI
Park Made to Measure

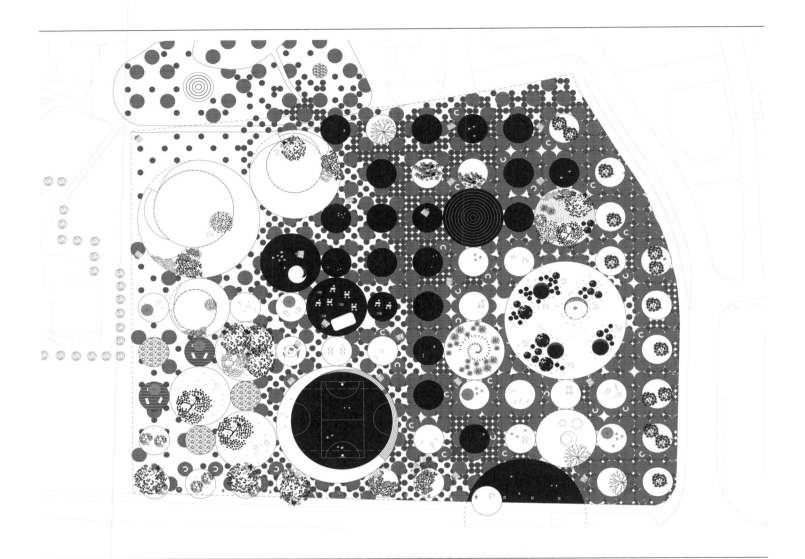

Pristup oblikovanju Parka po mjeri otvoren je - vizualno, ekološki i društveno - s naglaskom na proces stvaranja. Strateškim programiranjem javnog prostora autori zamjenjuju sveobuhvatan projektantski pristup. Nova parkovna platforma osmišljena je kao vanjski boravak lokalne zajdenice. Parkovni mobilijar odgovara mjerilu pokućstva, što pridonosi aproprijaciji javnog prostora. Stanari naselja pozvani su da aktivno sudjeluju u oblikovanju parka, a njihov kreativni doprinos nije samo formalne prirode već domesticira zadanu površinu u park po mjeri. U oblikovanju polifuncionalne parkovne platforme autori polaze od načela inverzije brišući jasnu granicu između dekorativnih i uporabnih površina parka. Uvođenjem promjenjivih sadržaja gradi se dinamička scenografija koja programatski i oblikovno nadopunjuje pojam parka, te konceptom participativnog stvaranja identiteta povećava prvenstveno sociološku, ali i ostale vrijednosti javnog prostora.

AUTORI AUTHORS : Dva Plus; Judita Ljutić,
Damir Ljutić, Ana Dana Beroš, Iskra Filipović
SURADNICI COLLABORATORS :
Branimira Grgurić Boban, Alen Farago,
Enco Dell'Olio, Ante Žeravica

LOKACIJA LOCATION : Špansko, Zagreb
STATUS : projekt / project
GODINA PROJEKTIRANJA DESIGN YEAR : 2008.
INVESTITOR CLIENT :
Grad Zagreb / City of Zagreb

POVRŠINA PARCELE SITE AREA : 2,20 ha

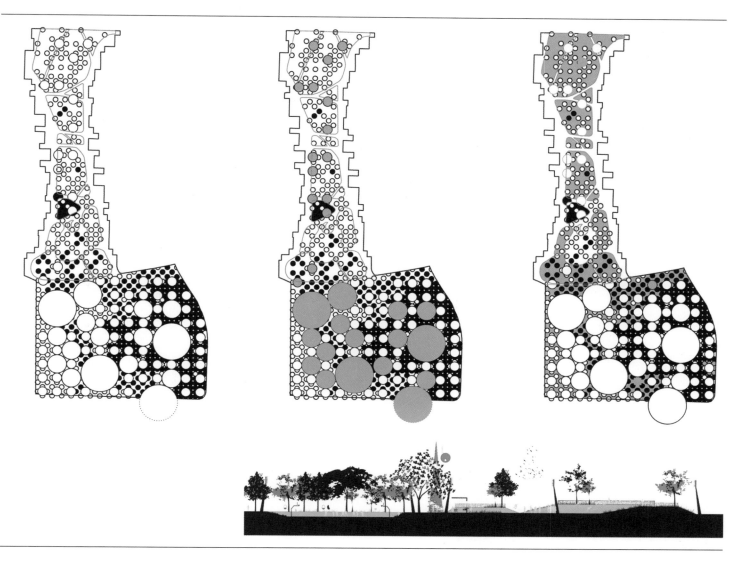

The approach to the design of the Park Made to Measure is open – visually, ecologically, and socially – with a stress on the process of creation. The authors have replaced an encompassing design approach by strategically programming public space. The new park platform is conceived as an outdoor living-room for the local community. The park equipment fits the furniture scale, which contributes to appropriation of public space. The inhabitants of the block have been invited to publicly contribute to the design of the park; their creative contribution is not only of formal nature, but it domesticates the area delineated by the brief into a park made to measure. In forming the poly-functional platform of the park, the authors' departure point was the principle of inversion, which erases the clear border between decorative areas and the areas intended for usage. Through the introduction of variable contents, dynamic set design is constructed; programmatically and formally it supplements the notion of the park, while with the concept of participative creation of identity it first and foremost enhances the sociological, but also other assets of public space.

PARK ZAGORSKA – SELSKA – KRAPINSKA
Park on Zagorska – Selska – Krapinska

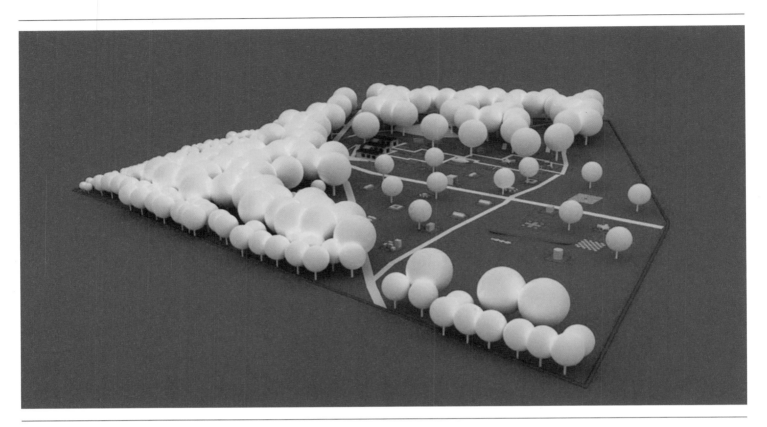

Utjecaj prometnica Selske i Krapinske eliminiran je zaštitnim zelenim zidom, tj. stupnjevanjem niske i visoke vegetacije gradirane vrstama i bojom. Urbani elementi su hipertrofirani kako bi se istaknuli u plošnosti livade i naglasili kontrast umjetno-prirodno.
Edukacija i ekologija su aktivan odgovor na negativnu situaciju koja okružuje park i pasivnost ustaljenu u tradiciji. Svaki komadić uređenja parka je maksimalno ekološki prihvatljiv i održiv, utrošak energije za izvedbu je minimaliziran, a intervencije su edukativno-ekološke. Urbana oprema je od iskorištenih materijala i moguće ju je, slijedeći primjere, napraviti u sklopu edukativnih radionica (npr. koš za otpad od uporabljenih bubnjeva perilica za rublje, klupa od prešanih limenki, reciklirane plastike i sl.). Dječje igralište je sastavljeno od prirodnih materijala (drvo, kamen, voda). Rasvjetna tijela funkcioniraju na bazi solarne energije, a kišnica se skuplja za održavanje parka.

AUTORI AUTHORS : Fani Frković, Ivana Gardlo
SURADNICI COLLABORATORS :
Dario Jakovljević, Ivica Zmiša
LOKACIJA LOCATION : Zagorska - Selska -
Krapinska ulica / roads, Zagreb

STATUS : projekt / project
GODINA PROJEKTIRANJA DESIGN YEAR : 2008.
INVESTITOR CLIENT : Grad Zagreb,
gradsko poglavarstvo / City of Zagreb,
City Administration

POVRŠINA PARCELE SITE AREA : 4 ha

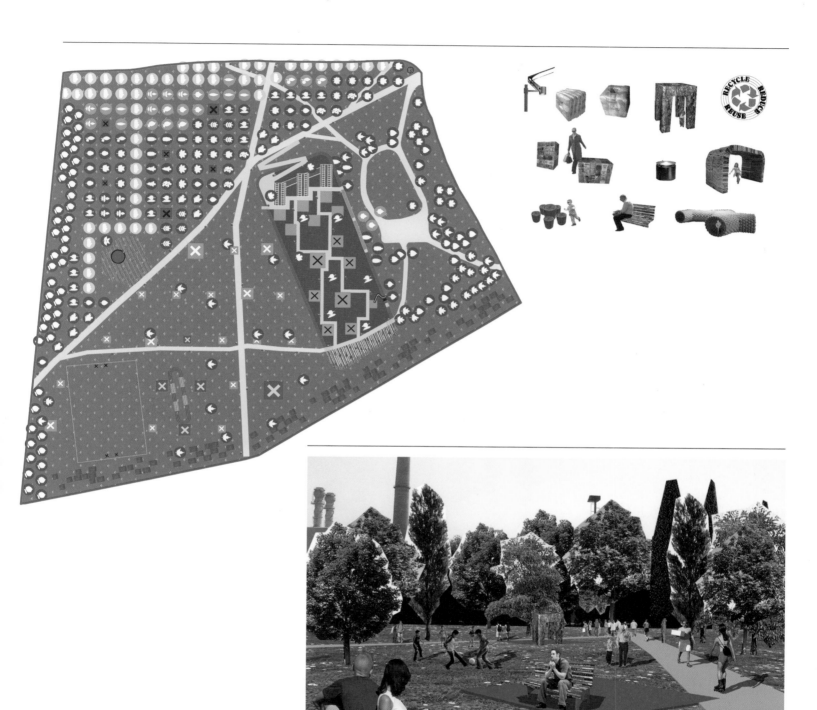

The influence of the Selska and Krapinska Roads has been eliminated by a green protection wall, i.e. grading of low and high vegetation by means of species and colour. Urban elements are hypertrophied so that they can stand out in the two-dimensionality of the meadow and stress the contrast artificial-natural.

Education and ecology are an active answer to the negative situation surrounding the park and the passivity rooted in tradition. Each piece of the park's redesign is maximally ecologically acceptable and sustainable, energy consumption during the execution is minimalized, while interventions are educational and ecological. Urban equipment is made of recycled materials and it is possible to produce it during educational workshops after a model (e.g. waste baskets made of used washing machine cylinders, benches made of pressed cans, recycled plastics etc.) The children's playground is made of natural materials (wood, stone, and water). Lighting functions on the basis of solar energy, while rainwater is collected for the maintenance of the park.

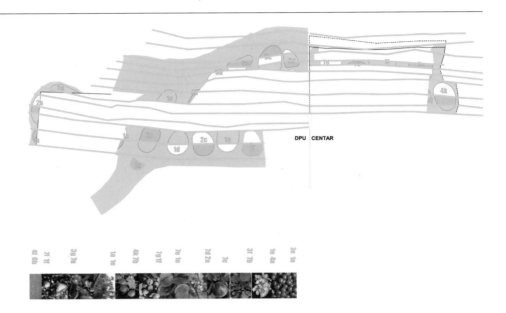

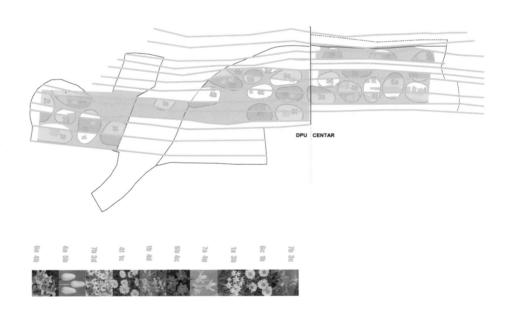

Gradsko rubno područje prema Parku prirode Medvednica, dužine 500 m planirano je podržavanjem prirodne topografije i geometrije nekadašnjih vrtova – traka.

Krov je kontinuirano ozelenjeni javni prostor sa kojeg se ulazi u sve programe smještene u podzemnim etažama, i objedinjuje javnu investiciju (javni natječaj 2004) nove donje stanice žičare sa garažama i pratećim sadržajima za relaksaciju sport-zabava-rekreacija, čime se nadopunjuje program Parka prirode i privatnu investiciju (pozivni natječaj 2004) Centra pretežito trgovačko-poslovnog programa

Krajobrazna koncepcija vrtova – livada, oblikovanje krova laganim naborima i staklenici agrikulturnog karaktera (u koje su smješteni ugostiteljski,sadržaji, prodaja karata, informacije i ulazi u donje etaže) program velikog mjerila prilagođavaju mjerilu susjedstva. Nepod-građeni dio terena planira se na isti način i ozelenjen je otocima-voćnjaci.

Eliptični kružni tok prometa, pravilom desnog skretanja omogućuje nesmetani protok vozila.

AUTOR AUTHOR : Helena Paver Njirić
SURADNICI COLLABORATORS :
Ana Krstulović, Vesna Jelušić, Mario Car,
Katrin Bayr, Marko Zlonoga, Jenny Katamajaki,
Kazimir Rahlicki, Zdenko Lanović, Elipsa

LOKACIJA LOCATION : Gračani Dolje, Zagreb
GODINA PROJEKTIRANJA DESIGN YEAR :
2004. - 2008.
STATUS : projekt / project

INVESTITOR CLIENT :
Grad Zagreb/City of Zagreb (infrastruktura,
parkiralište/infrastructure, parking), Privatni/
Private (shopping mall)
POVRŠINA PARCELE SITE AREA : 3.2 ha + 1.8 ha

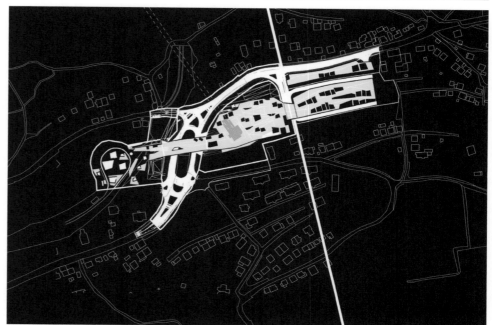

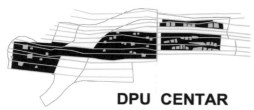

DPU CENTAR

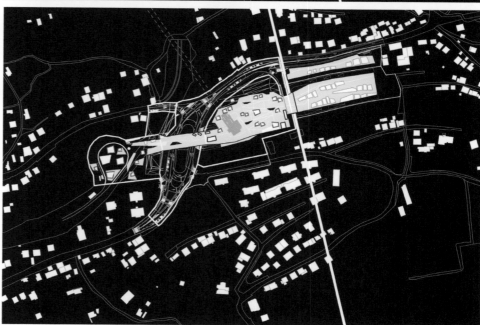

The suburban area beneath the Medvednica Nature Reserve, 500 m long, has been planned in the way that it supports natural topography and geometry of former gardens – stretches. The roof is a continuous green public area from which all programs contained on underground storeys can be accessed. It unifies

—— the public investment (public competition 2004) in the new cable car lower station with garages and additional facilities for relaxation (sport-entertainment-recreation), which supplement the Nature Reserve program and

—— a private investment (invited competition 2004) in a centre with prevailingly commercial and business program

The landscape concept of gardens – meadows, the shaping of the slightly corrugated roof and agriculturally conceived glasshouses (that host catering facilities, ticket sale, information desk, and entrances into lower storeys) adapt the large scale program to the neighbourhood scale. The unshored part of the terrain is planned in the same way and planted with green islands – orchards.

The elliptic flow of the traffic enables unhindered passage of vehicles through the appliance of the right hand turn rule.

IDEJNO URBANISTIČKO-ARHITEKTONSKO RJEŠENJE PODRUČJA TRSTENIČKE UVALE
Preliminary city – Planning and Architectural Solution of the Trstenik Bay Area

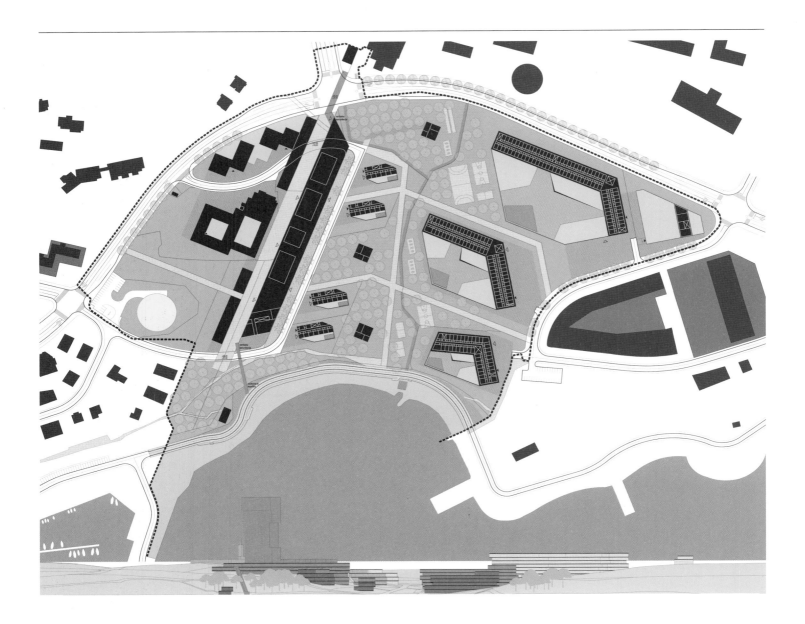

Rješenje u obuhvatu natječajnog zadataka iščitava tri prostorno-programske cjeline:

Zapadna cjelina tretirana je kao završetak šireg centra grada, za koju je bitno definiranje završetka Sveučilišne ulice. Ova cjelina postaje jedno od novih gradskih žarišta, čiji je hiperurbani ambijent pješačkih pasarela, visećih vrtova, intenzivne izgradnje i dominacije antropogenog logičan nastavak postojeće izgradnje.

S druge strane potoka Trstenik suprotstavljena je istočna cjelina, ambijent turističke kulture 21. stoljeća - kompleks hotela na početku dužobalne, mahom turističke izgradnje.

Međusobni odnos ovih dviju cjelina medijatizira se u trećoj, središnjoj cjelini parkovno-rekreacijskog karaktera duž potoka Trstenik, koja je za obje cjeline, ali i širi obuhvat, prirodan put do morske obale, put koji parkovnim uređenjem doživljava javnu afirmaciju i integrira turističku izgradnju u gradsko tkivo. Kroz odnos prema prostornim vektorima Sveučilišne ulice te rimske centurijacije gradi se optimalna urbana matrica - u smislu simultanog otvaranja prostora, najpovoljnijih orijentacija građevina i razrješenja odnosa zgrada i prometnica prema složenom reljefu.

U rješenju je naglasak stavljen na ciljanu međuigru i prožimanje upravo dostatnog broja javnih i što veće količine de facto privatnih površina u javnom korištenju kao ključa za kvalitetnu i održivu integraciju velike količine hotelskih sadržaja u gradsko tkivo, ali i za, u razdoblju završetka sveučilišnog kampusa, uspjelo rješenje završetka Sveučilišne ulice.

AUTORI AUTHORS : Ivona Jerković, Damir Petric,
Hrvoje Vidović, Josip Jerković, Marta Lozo
SURADNIK COLLABORATOR : Damir Sekulić
LOKACIJA LOCATION : Split

STATUS : detaljni plan uređenja u izradi /
detailed plan in progress
GODINA PROJEKTIRANJA DESIGN YEAR : 2009.
INVESTITOR CLIENT : Grad Split / City of Split

POVRŠINA PARCELE SITE AREA : 14 ha
POVRŠINA TLOCRTA FOOTPRINT : 199.600 m2

In the site area, the solution of the competition task envisages three spatial and program units:
The western area is treated as the end of the wider city centre, of which defining the end of the University Street is important. This unit will become one of the new focal points, whose hyper-urban environment of pedestrian gangways, suspended gardens, intensive construction, and the domination of man-made elements is the logical continuation of the existing built structure.
On the other side of the Trstenik brook is the juxtaposed eastern area, a tourist culture environment of the 21st century, a hotel complex at the beginning of the long stretch of mostly tourist structures along the coast.
The mutual relationship of these two areas is mediated by the third, recreational central area along the Trstenik brook that also includes a park. For both other areas, but also for the larger zone, this is a natural way to the waterfront, which by makeover into a park comes to public acknowledgement and integrates tourist structures into city tissue. Through the relationship to spatial vectors of the University Street and Roman centuriation, an optimal urban matrix is built – in the sense of simultaneous spatial opening, most favourable orientation of the structures, and the resolution of the relation of buildings and roads to the complex relief.
In the solution the accent is on targeted interplay and interweaving of a sufficient number of public and a larger number of actually private areas used publicly as a key for successful and sustainable integration of a large number of hotel facilities into urban tissue, but also for a successful solution of the end of the University Street in the completion period of the university campus.

UREĐENJE FOŠALA OMIŠ
Fošal Omiš Makeover

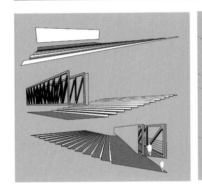
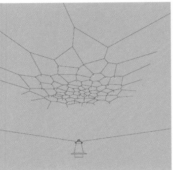
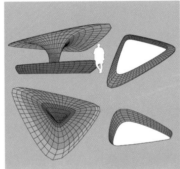
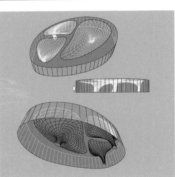

Rad se temelji na činjenici da se zbog izgradnje obilaznice drastično smanjuje kolni promet kroz samo središte grada. Glavni problem grada Omiša je prometni čep koji nastaje na Fošalu zbog prevelike količine ljudi kojima prometnica predstavlja barijeru kroz centar grada. Izmicanje prometnice i izgradnja novog mosta južnije na poluotoku ima uporište u povijesnom razvoju grada; kako se grad širio, tako su se most i glavna prometnica premještali. Pretvaranjem Fošala u pješačku zonu i Omiškog mosta u pješački omogućava se spajanje staroga grada i novog centra na Priku, a pozicija novog mosta smanjuje udaljenost sportsko-rekreacijskih sadržaja s novoplaniranom turističkom zonom na vrhu poluotoka, ali i samog centra grada.
Fošal svojom pozicijom tako poprima glavnu pješačku ulogu i postaje javni prostor koji dimenzijama odgovara potrebama i načinu života grada Omiša, njegovih stanovnika i ostalih korisnika.
Oblikovanje je proizašlo iz poprečnih smjerova kretanja koji deformiraju pravocrtnu liniju Fošala i stvaraju otoke različitih funkcija. Drvored platana u potpunosti se čuva, a vijugava linija kretanja i zelenilo pojedinih otoka dodatno naglašavaju parkovnu vrijednost lokacije.

AUTORI AUTHORS : koFAKTOR;
Silvija Laković + Dujam Ivanišević
SURADNICI COLLABORATORS :
Višnja Milan, Đenko Ivanišević

LOKACIJA LOCATION : Omiš
STATUS : projekt / project
GODINA PROJEKTIRANJA DESIGN YEAR : 2009.
INVESTITOR CLIENT : Grad Omiš / City of Omiš

POVRŠINA PARCELE SITE AREA : 9600 m2
POVRŠINA TLOCRTA FOOTPRINT : 9600 m2

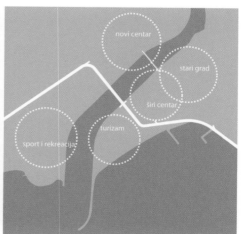

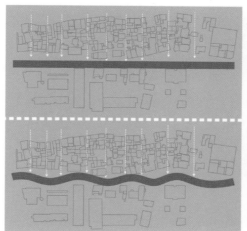
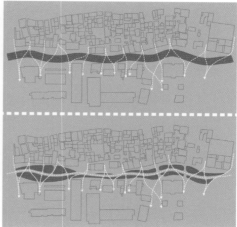

The work is founded on the fact that because of the bypass road construction, car traffic through the city centre is radically reduced. The principal problem of the city of Omiš is the traffic jam that occurs at Fošal because of too many people for whom this road is a barrier in the centre of the city.

The displacement of the traffic line and the construction of a new bridge more to the south of the peninsula is founded in the historical development of the city; as the city grew, the bridge and the main traffic line moved. By turning Fošal into a pedestrian zone and the Omiš bridge into a pedestrian bridge, connection of the old town and the new centre at Priko is enabled while the position of the new bridge reduces the distance to sports and recreational facilities with the newly planned tourist zone at the headland of the peninsula, but also of the city centre.

By its position, Fošal acquires the main pedestrian role and becomes a public space that in its dimensions fits the needs and the way of life of Omiš, its inhabitants and other users.

The design has emerged from transversal directions of movement that deform the straight line of Fošal and create islands with different functions. The line of plane-trees is entirely preserved, while the swerving line of movement and the greenery of particular islands stress the park assets of the location.

GRADSKI TRG
City Square

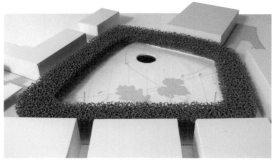

Trg je položen u prirodnom postojećem padu. Definiran je novoplaniranim zelenim pročeljem – 'prstenom' i oblikovan kao okvir mogućih događanja - popločena ploha s plitkim bazenom kao fokusom djece i dokonih građana. Unutar zelenog prstena položen je potez klupa. Rubno prema okolnoj gradnji postavljen je asfaltni ophod - komunikacijska ploha, kao i mjesto zabave - utrke na rolama, romobilima, korzo dječjih kolica. U sjevernom dijelu obuhvata, uz građevinu Muzeja, pozicionirani su, programom traženi, novi sadržaji, objedinjeni krovom u prizemni 'paviljon'.

AUTORI AUTHORS :
Marko Ambroš, Hrvoje Bačura
SURADNICI COLLABORATORS :
Azra Suljić, Igor Vrbanek

LOKACIJA LOCATION : Kutina
STATUS : projekt / project
GODINA PROJEKTIRANJA DESIGN YEAR : 2009.

INVESTITOR CLIENT :
Grad Kutina / City of Kutina
POVRŠINA PARCELE SITE AREA : 9500 m2

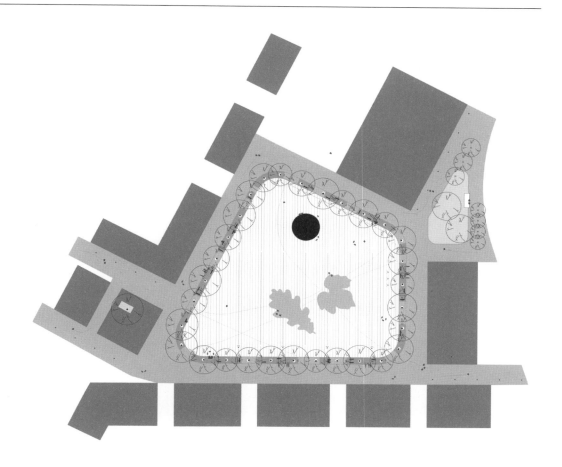

The square follows the natural inclination of the terrain. It is defined by the newly planned green front – a 'ring', and shaped as a frame of possible events, a paved surface with a shallow pool as a focus for children and citizens at leisure. Within the green ring is a stretch of benches. On the verge of the surrounding structures is an asphalt promenade – a communication plane and a place for fun – for in-line skates and scooter races and a 'paseo' for strollers. In the northern part of the site, along with the Museum building, are new amenities demanded by the brief, united in a roofed-over single storey pavilion.

REKONSTRUKCIJA KVATERNIKOVA TRGA
S IZGRADNJOM PODZEMNE GARAŽE
Reconstruction of the Kvaternik Square and
Construction of the Underground Car Park

Natječajno rješenje nastalo je od premise da prostor treba prvo 'srediti i potom urediti'. Koncepcija organizacije prostora temelji se na osnovnim postavkama važećih prostorno-planskih dokumenata i zadanih programskih smjernica.
Osnovna ploha, kao i parterno rješenje, zadržana je prema natječajnom projektu, ali je izvršena modifikacija prometa prema rješenju ZET-a. Omogućeno je proširenje pješačkog komunikacijskog dijela uz zapadno pročelje trga, koje će u budućnosti biti dopunjeno ugostiteljskim sadržajima u proširenoj funkciji novoizmještene tržnice 'Gorica'.
Raspored ostalih elemenata, kao i elemenata urbane opreme uz modifikaciju dizajna u budućoj razradi, identičan je natječajnom rješenju. Osnovni element trga - signum prostora, vertikalni je 'svijetleći obelisk' s infodisplejom. Također je dizajnirana i prolazna nadstrešnica kao element ulaza - izlaza u prostor garaže.

AUTOR AUTHOR : Miroslav Geng
SURADNICI COLLABORATORS :
Ivan Tutanić, Ivana Perić
LOKACIJA LOCATION : Kvaternikov trg, Zagreb

GODINA PROJEKTIRANJA PROJECT YEAR : 2007.
ZAVRŠETAK GRADNJE COMPLETION : 2008.
INVESTITOR CLIENT :
Grad Zagreb / City of Zagreb

POVRŠINA PARCELE SITE AREA : 6000 m2
POVRŠINA TLOCRTA FOOTPRINT : 18.000 m2
FOTOGRAFIJA PHOTOGRAPHY : Miljenko Bernfest

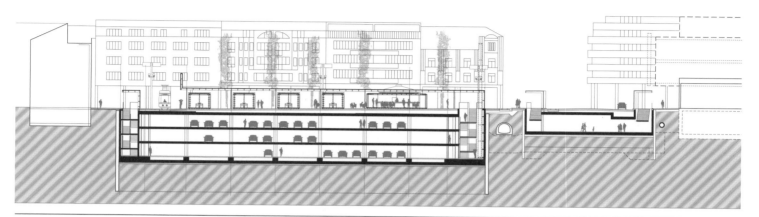

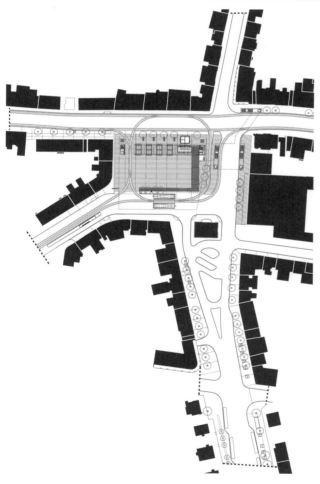

The competition solution emerged from the premise that an area must first be 'ordered and then re-arranged'. The concept of spatial organization is founded on basic guidelines of the valid planning documents and the brief. The basic plane, as well as the parterre solution, is retained according to the competition project, but a traffic modification according to Zagreb Electric Tram's solution has been introduced. The extension of the pedestrian communication part along with the western front of the square has been enabled; in the future it will be supplemented by catering facilities, as part of the enhanced function of the recently relocated Gorica marketplace.
The distribution of other elements, as well as the elements of urban equipment, with design modifications in future detailed elaboration, is identical to the competition solution. The principal element of the square, its spatial mark, is the vertical 'illuminated obelisk' with info display. Pass-through eaves, as an element of the entrance into and exit out of the garage, have also been specially designed.

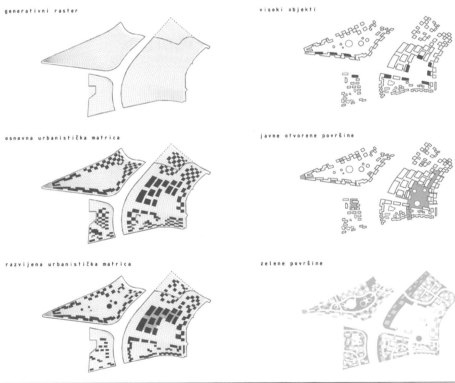

generativni raster

visoki objekti

osnovna urbanistička matrica

javne otvorene površine

razvijena urbanistička matrica

zelene površine

Osnovna urbanistička premisa polazi od geometrijske matrice koja se prilagođava uvjetima zadane lokacije. Istraživanjem je konstruiran generativni raster koji omogućava simbiozu novih tipologija sa susjednim zonama. Na taj se način zadana matrica transformira u realni urbanistički predložak gradirajući gustoću gradnje, kao i intenzitet visina. Unutar predložene matrice zelene i pješačke površine snažnije ostvaruju integritet s pojedinim sklopovima gradnje. Otvoreni prostor podliježe različitim načinima generiranja odnosa javno - polujavno - privatno. Prijedlogom su izrazito naglašene javne otvorene i zelene površine (50% površine obuhvata) koje u zonama poprimaju različite karaktere. Zona A sadrži veliki javni trg u međuodnosu s neboderima koncentričnog rasporeda, slično se formira trg u zoni C, dok je u zoni B dominantna središnja površina u funkciji parka sa zajedničkim sadržajima od općeg interesa.
Koncept istražuje mogućnosti 'humanog susjedstva' u svrhu integracije i suživota novih sadržaja sa susjednim stambenim zonama.

AUTORI AUTHORS :
Porticus & Nemico; Radna grupa / Work group:
Damir Rako, Nenad Mikulandra
SURADNICI COLLABORATORS :
Franz Zahra, Goran Pavlović, Sanja
Radovniković, Ivana Bakotić, Ana Palac

LOKACIJA LOCATION :
Mejaši, Neslanovac, Pujanke - Split
STATUS : projekt / project
GODINA PROJEKTIRANJA DESIGN YEAR :
2008. - 2009.

INVESTITOR CLIENT :
Grad Split / City of Split + Mejaši d.o.o.,
Vodovod d.o.o, Sanitogradnja d.o.o.
POVRŠINA PARCELE SITE AREA : 312.600 m2
POVRŠINA TLOCRTA FOOTPRINT : 86.070 m2

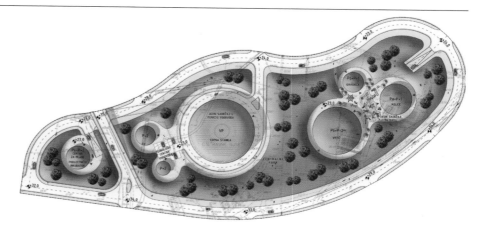

The basic city-planning premise is founded on the geometrical matrix adapted to the conditions on the set location. Our research has resulted in a generative raster that enables the symbiosis of new typologies with neighbouring zones. In this way the set matrix is transformed into a real city-planning pattern that gradates the density of the built environment, as well as the intensity of heights. Within the proposed matrix, green and pedestrian areas attain integrity with particular construction complexes. Open space is subjected to different ways of generating the relationship public – semi-public - private.

The proposal pronouncedly stresses public open and green areas (50% of the site area), which assume different characters in different zones. The zone A contains a large public square in relation with concentrically distributed high-rise buildings; in a similar way the square in the C zone is formed, while the dominant central area has the function of a park with common facilities of general interest.

The concept investigates the possibilities of 'humane neighbourhood' with the aim of integration and coexistence of the new facilities with neighbouring residential zones.

Razmatanjem plašta kocke nastaju elementi koji čine sadržaje parka. Klupa, nadstrešnica, sjenica, rampa, penjalica, tobogan, ljuljačka, vidikovac - nastaju iz kocke, sugeriraju način korištenja, ali ga nipošto do kraja ne definiraju. Osnovni oblik se svojom geometrijom suprotstavlja prirodnim elementima uređenja i razmješten je po cijelom parku. Način korištenja svakog od elemenata je spontan i individualan, te potiče kreativnost.

'Kocka' kao element uređenja ima 20 predloženih varijanti, a različitih mogućnosti kombiniranja ima nebrojeno, kako u otvaranju - zatvaranju stranica tako i u veličinama i visinama. Ne inzistira se na ustaljenom korištenju opreme dječjeg igrališta i njegovim ograđivanjem već ono proizlazi iz osnovnog elementa.

Elementi kocke jednostavni su i ekonomični za izradu i održavanje. Sastoje se od čelične konstrukcije obložene limenim pločama izvana i gumenom oblogom na unutarnjim stranicama.

AUTORI AUTHORS :
Svebor Andrijević, Ivana Gardlo, Fani Frković
LOKACIJA LOCATION : javni prostor – Hrvatska
public space - Croatia

STATUS : idejni projekt / preliminary project
GODINA PROJEKTIRANJA DESIGN YEAR : 2009
INVESTITOR CLIENT : nepoznat / unknown

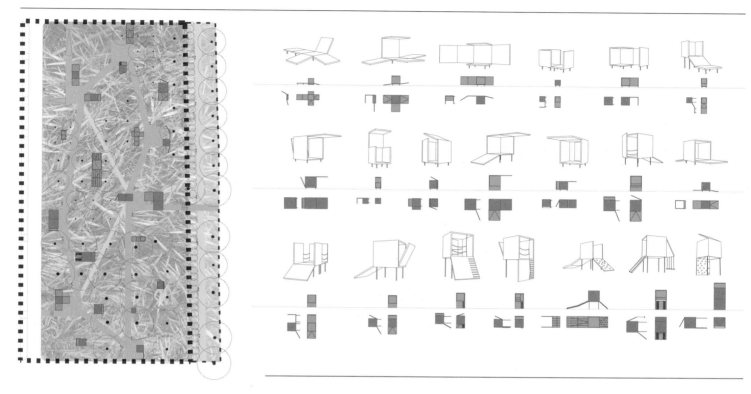

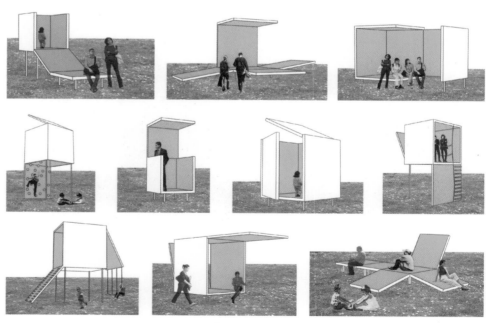

By unfolding the lateral area of a cube, elements that constitute the park amenities are created. A bench, canopy, arbour, ramp, step iron, slide, swing or belvedere emerge from a cube, suggest the way of using them, but by no means define it entirely. The basic shape with its geometry is juxtaposed to natural design elements and it is distributed over the entire park. The way of using each of the elements is spontaneous and individual, encouraging creativity.

The 'cube' as a makeover element has 20 suggested variants, with an unlimited number of combinations, both in opening and closing of its sides and its size and height. The usual usage of the children playground mobiliar is not stressed and the elements are not fenced in; it is derived from the basic element.

The elements of the cube are simple and easy to manufacture and maintain. They consist of a steel construction clad in metal sheets on the outside and rubber lining on the inside.

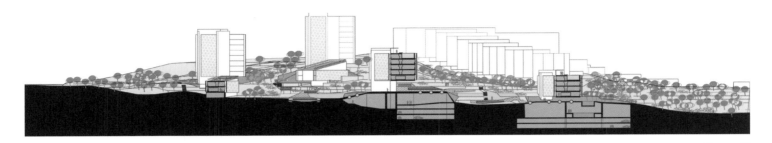

St 8 promatra turizam kao specifičnu vrstu stanovanja, koja u suvremenoj interpretaciji pomalo briše razlike između tipologije namijenjene stalnom i povremenom boravku, s obzirom na užurbanu svakodnevicu, sve veće i učestalije poslovne migracije, sve dostupniji luksuz i okrupnjivanje objekata potrošnje.

Sadržajno ispreplitanje, kao i afirmacija svakovrsnih zatečenih kvaliteta (ne samo provjereno atraktivnih, već i stvaranje novih, manje uočljivih, ambijentalnih) bliski su marketinškim strategijama razvoja turističkih tipologija gradnje. St 8 ne postavlja hijerarhijsku kvalitativnu podjelu u zatečenoj situaciji. I pozitivni i negativni imperativi mjesta afirmiraju se u suživotu.

Traženi prostorni akcent je interpretiran dinamički, programski i simbolički, a stvarni fizički akcent visoke gradnje pomaknut je sjevernije, na prolongirani ulaz u sklop, u odnosu na afirmaciju postojećih i planiranih okolnih akcenata iste vrste.

AUTORI AUTHORS :
Vesna Kovačević Nenezić, Marko Lipovac
SURADNICI COLLABORATORS :
Maja Zelić, 'enter' doo - vizualizacija /
visualization, Mario Lipovac - fotografija /
photography, Andrej Nuić stud.arh - maketa /
model, Alojz Kokolek dig - promet / traffic
LOKACIJA LOCATION :
Split, Trstenička uvala / Trstenik Bay
STATUS : projekt / project

GODINA PROJEKTIRANJA DESIGN YEAR : 2009.
INVESTITOR CLIENT : Grad Split / City of Split
POVRŠINA PARCELE SITE AREA : 14.100 m2
POVRŠINA TLOCRTA FOOTPRINT : 135.000 m2

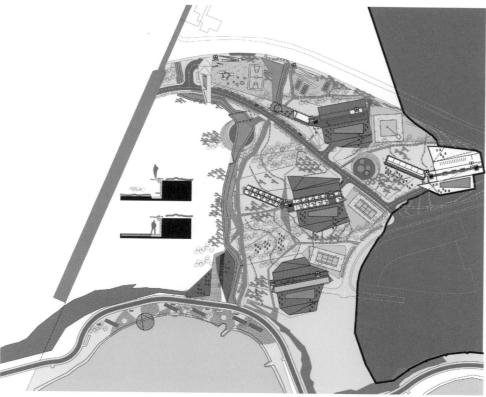

St 8 sees tourism as a specific kind of living, which in the contemporary interpretation gradually erases the differences between the typology intended for permanent and occasional usage, if we consider the acceleration of everyday life, the increasing and more frequent business migrations, the more and more accessible luxury, and the increasing value and size of consumer goods.

Intertwining of contents, as well as affirmation of all kinds of previously existing qualities (not only of the already known attractive ones, but also of the new, less visible, ambience-related ones) are close to marketing development strategies of tourist construction typologies. St 8 does not set up a hierarchical qualitative division in the existing situation. Both positive and negative imperatives of the place attain their affirmation in coexistence.

The demanded spatial accent has been interpreted dynamically, programmatically, and symbolically, while the real physical accent of high-rise construction has been moved to the north, to the prolonged entrance into the complex, in relation to the affirmation of the existing and planned surrounding accents of the same kind.

In a strikingly large number of homes, the intimacy of residential life is finding expression in a large degree of openness. Individuals who can afford to have a house built for them have a sufficient sense of security in their own existence to give up the traditional sense of protection offered by a private home. And there is often sufficient space around the house to be able to create a certainf openness while at the same time retaining a high level of privacy.

The private home has traditionally been a domain of experimentation, and this is also true of contemporary residential architecture in Croatia, although the conventions of luxury and comfort sometimes stand in the way of originality and innovation.

Kod neobično velikog broja privatnih kuća intima stanovanja dobiva izraz u visokom stupnju otvorenosti. Pojedinci koji sebi mogu priuštiti gradnju kuće imaju dostatan osjećaj sigurnosti vlastite egzistencije da mogu odustati od tradicionalnog osjećaja zaštićenosti kakav im nudi posjedovanje doma. Često je oko kuće dovoljno mjesta da se može stvoriti određena otvorenost, a da se istodobno zadrži visok stupanj privatnosti.

Privatna kuća je tradicionalna domena eksperimenta, a to vrijedi i za suvremenu stambenu arhitekturu u Hrvatskoj, iako uobičajeno poimanje luksuza i komfora ponekad stoji na putu originalnosti i inovaciji.

3LHD
Kuća J2 / *J2 House*
DARINKA KUZMANIĆ
Obiteljska kuća Dompnier / *Dompnier Family House*
IVICA PLAVEC
Klik dom - sustav gradnje drvenih montažnih kuća /
Klik Home – Concept of Construction of Wooden Prefabricated Houses
IVANIŠIN.KABASHI.ARHITEKTI
DOTS OR LINES, obiteljska kuća / *DOTS OR LINES, Family House*
LENKO PLEŠTINA
Obiteljska kuća Bračun / *Bračun Family house*
MARGITA GRUBIŠA, MARIN JELČIĆ, IVANA ŽALAC
Seosko imanje / *Land Property*
MILOŠ PECOTIĆ
Obiteljska kuća / *Family House*
SVEBOR ANDRIJEVIĆ, JASNA ZMAIĆ
Obiteljska kuća 'Dugi Dol' / *'Dugi Dol' Family House*
TOMISLAV ČURKOVIĆ, ZORAN ZIDARIĆ
Obiteljska kuća / *Family House*
VELJKO OLUIĆ
Obiteljska kuća / *Family House*

KUĆA J2
J2 House

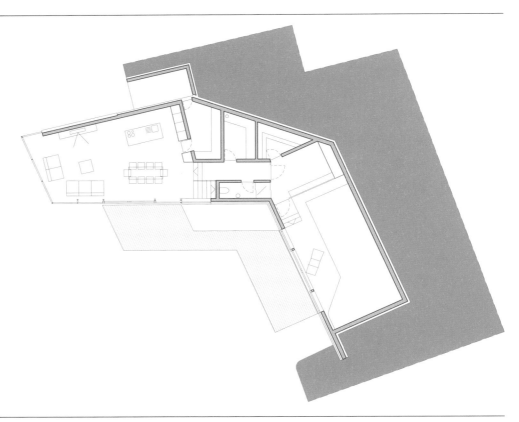

Obiteljska kuća za bračni par s djecom smještena je u zagrebačkoj podsljemenskoj zoni. S dvije strane parcela je definirana ulicom, odnosno visokim susjednim objektom. Iz tih činjenica je izašao osnovni projektni koncept. Tlocrtom 'L' oblika i zatvorenim pročeljima kuća se 'zaštitila' od ulice i susjednog objekta. Istovremeno je prepoznat i redefiniran vrijedan prostor vrta, svi glavni sadržaji su orijentirani prema njemu. Dnevni boravak, blagovaonica i kuhinja čine cjelinu i zajedno s bazenom ukopani su u tlo i pozicionirani na razinu vrta od kojeg su odijeljeni samo staklenom stijenom. Iznad, na razini ulice, nalaze se ulazna etaža, garaža sa spremištem i radni dio. Roditeljski dio i dio za djecu nešto su povišeni i smješteni iznad ulazne etaže, odnosno dnevnih prostora.

AUTORI AUTHORS : 3LHD;
Saša Begović, Marko Dabrović, Silvije Novak,
Tatjana Grozdanić Begović, Irena Mažer,
Marin Mikelić

SURADNICI COLLABORATORS :
Paula Kukuljica, Lucija Staničić
LOKACIJA LOCATION : Čačkovićeva 9, Zagreb
GODINA PROJEKTIRANJA DESIGN YEAR : 2005.
ZAVRŠETAK GRADNJE COMPLETION : 2007.

INVESTITOR INVESTOR : privatni / private
POVRŠINA PARCELE SITE AREA : 687 m2
POVRŠINA TLOCRTA FOOTPRINT : 159 m2
FOTOGRAFIJA PHOTOGRAPHY :
DAMIR FABIJANIĆ

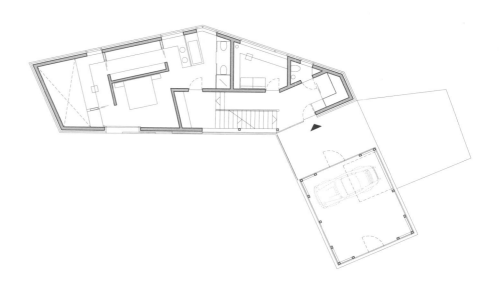

The family house for a married couple with children is located in Zagreb, in the area under the Sljeme Mountain. On two sides the parcel is delineated by a street and by a high neighbouring structure. The basic project concept has emerged from these facts. With its L-shaped ground-floor plan and closed fronts, the house 'protects' itself from the street and the neighbouring structure. However, the valuable garden area has been recognized and redefined, so that all the principal contents face that side. The living-room, dining-room, and the kitchen form a unit; together with the swimming-pool they are dug into the ground and positioned at the level of the garden from which they are divided only by a glass wall. Above, at the street level, is the entrance storey, the garage with a storeroom, and the study. The parents' and the children's rooms are somewhat elevated and situated above the entrance storey and the living area.

OBITELJSKA KUĆA DOMPNIER
Dompnier Family House

Obiteljska kuća Dompnier je slobodnostojeća dvoetažna građevina smještena na sjevernim padinama otoka Čiova, u neposrednoj blizini morske obale, u zoni 'kupališta', s pogledom na Kaštelanski zaljev. Kako je riječ o kosom terenu koji pada od juga prema sjeveru, ulaz u kuću je na razini više etaže s postojeće pristupne ceste. Parcela je nepravilnog trokutastog oblika, iz čega je proizašao i trokutasti oblik kuće. Uz zapadnu granicu parcele postoji javna pristupna cesta do plaže, što je rezultiralo zatvorenošću zapadne fasade.
Maksimalna visina kuće je 6 m. Njena ukupna neto površina iznosi 172 m2. Površina građevinskog dijela parcele iznosi 405 m2.
Na gornjoj ulaznoj etaži nalaze se roditeljska spavaonica s terasom i kupaonicom, dvije dječje sobe, kupaonica, hodnik-galerija te jednokrako stepenište. Hodnik sa stepeništem proteže se duž cijele zapadne fasade i svojim staklenim ulaznim vratima na jugu, staklenim stijenama u prizemlju i na katu duž sjeverne fasade te dugačkim 'strip' prozorom na zapadnoj fasadi omogućava transparentnost kuće i pogled na more i borovu šumu već na samom ulazu u kuću.
U prizemlju se nalaze dnevni boravak, kuhinja, gostinjska soba, kupaonica, garderoba i gospodarska prostorija.
Konstrukcija kuće je armiranobetonska. Fasadni zidovi obrađeni su termo žbukom u sivom tonu. Na zapadnom pročelju izvedene su fragmentalno drvene vertikalne lamele kao zaštita od pogleda s javne ceste. Otvori na fasadi izvedeni su od eloksiranog aluminija u tamnosivom tonu. Svi podovi su od prozirne epoksidne smole. Unutarnji zidovi djelomično su obloženi furniranim mediapanom svijetlog tona. Vanjske terase, staze i stepenice izvedene su od pranog kulira.

AUTOR AUTHOR : Darinka Kuzmanić
LOKACIJA LOCATION :
Slatine - otok Čiovo / Island of Čiovo
GODINA PROJEKTIRANJA DESIGN YEAR : 2005.

ZAVRŠETAK GRADNJE COMPLETION : 2007.
INVESTITOR CLIENT : obitelj / family Dompnier
POVRŠINA PARCELE SITE AREA : 96,34 m2
POVRŠINA TLOCRTA FOOTPRINT : 172 m2

FOTOGRAFIJA PHOTOGRAPHY :
Darinka Kuzmanić

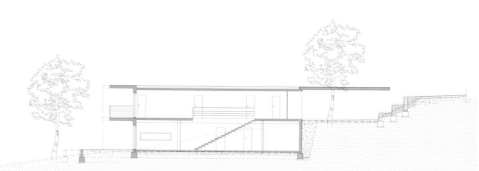

The Dompnier family house is a detached two-storey structure situated on the northern slopes of the Čiovo Island in the immediate vicinity of the coast, in the beach zone, with a view of the Kaštela Bay. As the terrain slopes from the north to the south, the entrance is at the level of a higher storey from the existing access road. The parcel has the shape of irregular triangle, which influenced the triangle form of the house. Along the western border of the parcel there is a public access road to the beach, which resulted in a closed western front.

The maximum height of the house is 6 metres. The net surface area of the house is 172 m2. The surface area of the buildable part of the parcel is 405 m2.

On the upper entrance floor there is the parental bedroom with a terrace and a bathroom, two children's rooms, a bathroom, a gallery-corridor and a single-arm stair. The corridor with the stairway stretches along the entire western front and with its glass entrance door in the south, glass walls on the ground floor and on the first floor, along the northern front, and a long strip window on the western front, it enables the transparence of the house and a view of the sea and the pine wood already at the house entrance.

On the ground floor there is a living-room, a kitchen, a guest room, a bathroom, a walk-in closet, and a service room.

The construction of the house is reinforced concrete. The façade walls are finished in grey plaster. On the western front there are fragments covered with wooden vertical slats as a protection from looks into the house from the road. The façade openings have been executed in anodized aluminium in dark grey colour. All floors are made of transparent epoxy resin. The inner walls are partially clad in light-coloured veneered plates. Outdoor terraces, paths, and stairs are executed in exposed aggregate.

KLIK DOM - SUSTAV GRADNJE DRVENIH MONTAŽNIH KUĆA
Click Home – Construction Concept of Wooden Prefabricated Houses

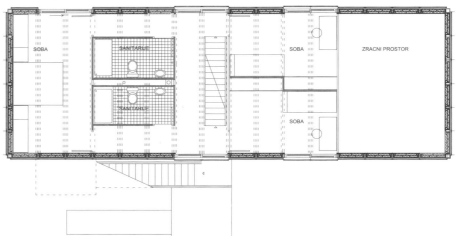

Ovaj projekt odnosi se na lako i brzo građenje drvenih kuća sistemom montiranja uz minimalan broj jednostavnih zahvata od unaprijed radionički pripremljnih elemenata kojima se jednostavno i lagano rukuje.

Primarni cilj ovog projekta je lako i brzo građenje drvenih montažnih kuća bez primjene bilo kakve mehanizacije, kao i maksimalno pojednostavljenje metode montiranja uz mogućnost samodovršenja same gradnje od strane kupca, tj. korisnika.

Daljnji cilj je omogućiti korisniku da bira prema vlastitim potrebama i sklonostima između mnoštva varijanti prema razrađenom upitniku (katnost, kvadratura, oblik krova, završna obloga pročelja, stupanj opremljenosti interijera, tlocrtna dispozicija i organizacija prostora itd.), uz mogućnost trenutne kompjutorske simulacije odabrane varijante uz uvid u cijenu kuće s varijantama kompletnog završenja ili određenih faza gotovosti uz razne mogućnosti samodovršenja.

AUTORI AUTHORS :
Ivica Plavec, prof. dr. Vlatka Rajčić d.i.g.
(suradnica na arhitekturi i autorica statičke
provjere / Architectural collaborator and
structural engineer)

LOKACIJA LOCATION : razne / various
STATUS : projekti / projects
GODINA PROJEKTIRANJA DESIGN YEAR : 2007.
INVESTITOR CLIENT : razni / various

POVRŠINA PARCELE SITE AREA :
200 m2 – 2000 m2
POVRŠINA TLOCRTA FOOTPRINT :
50 m2 – 1000 m2

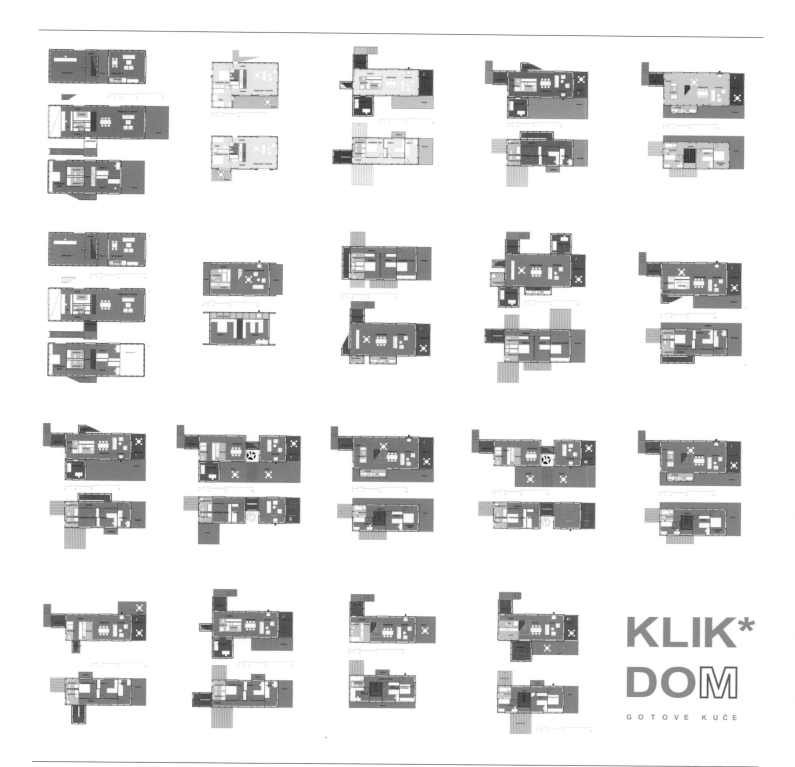

KLIK*
DOM

GOTOVE KUĆE

This project is related to effortless and quick construction of wooden houses by means of a montage system with a minimal number of easy steps, using prefabricated elements simple and easy to handle.

The primary goal of this project is easy and quick construction of wooden prefabricated houses without using any kind of machinery, as well as maximal facilitation of the montage method, with the possibility that the buyer, i.e. user can finish the construction himself.

A further goal is to enable the user to choose between many variants in concordance with his needs and preferences, using an elaborate questionnaire (number of storeys, surface area, roof form, final finish of the façade, the grade of interior furnishings, ground-floor disposition and spatial organization, etc.), with the possibility of instantaneous computer simulation of the selected variant, insight into the price of the house and the possibilities of complete finish or certain phases with different modes of do-it-yourself finish.

'DOTS OR LINES', OBITELJSKA KUĆA
'Dots or Lines', Family House

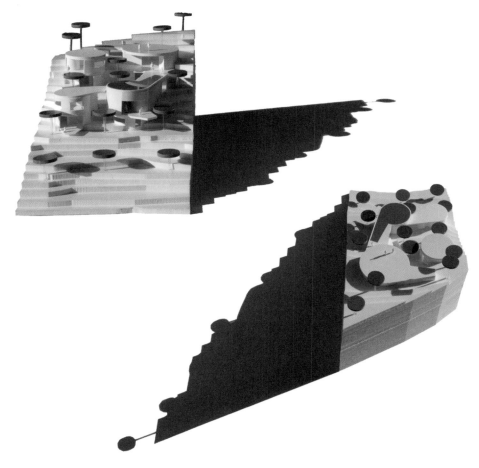

Lokacija je stari maslinik smješten u blizini srednjovjekovnog benediktinskog samostana s lijepim pogledom preko Jadranskog mora na Dubrovnik i otok Lokrum. Prirodna padina bila je kultivirana prije više stotina godina gradnjom paralelnih suhozida koji zadržavaju plodno tlo. Masline su bile zasađene s velikom pažnjom u prilično preciznom rasteru 12 x 12 metara. Maslinik je bio napušten i preuzet od makije. Zahvaljujući svojim dubokim korijenima, masline su preživjele dekade nebrige. Zajedno sa suhozidima, otvorenim pogledom i neposrednim okolišem tvore slojevit okvir nepomičnih čvorova.

Kontekstualni kapacitet lokacije ispitan je dvjema varijantama projekta luksuzne ljetne rezidencije: 'točkama' s kružnim i 'crtama' s trapezoidnim oblicima. Masline su ostavljene na svojim mjestima, suhozidi pretvoreni u temelje vile. Dijelovi njezina volumena potopljeni su u padinu. Tako je utjecaj na pejzaž smanjen, a posebne kvalitete prirodne mikroklimatske kontrole istaknute. Naručitelji su odabrali varijantu 'crta'.

AUTORI AUTHORS :
IVANIŠIN. KABASHI. ARHITEKTI: Krunoslav
Ivanišin, Lulzim Kabashi, Maja Milat, Iva Ivas
LOKACIJA LOCATION : Dubrovnik

STATUS : projekt / project
GODINA PROJEKTIRANJA DESIGN YEAR : 2007.
INVESTITOR CLIENT : Vedran Perše

POVRŠINA PARCELE SITE AREA : 1481 m2
POVRŠINA TLOCRTA FOOTPRINT : 440 m2

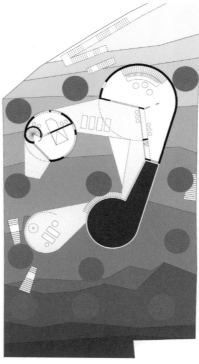
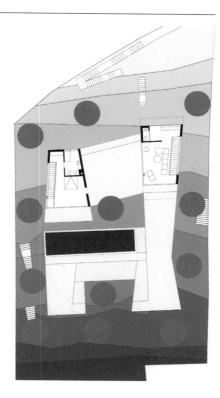

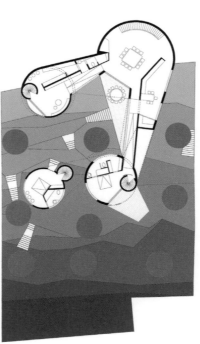
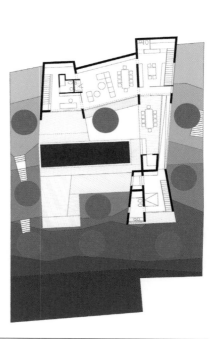

The ancient olive grove is situated in the proximity of the medieval Benedictine monastery with a view to the old city of Dubrovnik and to the island of Lokrum. The natural slope was cultivated by the construction of dry stone walls several hundred years ago. Olives were planted with great care in a fairly regular grid of 12 by 12 metres. The olive grove was abandoned and taken over by low bush. Deeply rooted olives have survived decades of neglect. Together with dry stone walls, the open view, and immediate surroundings they constitute the multilayered frame of fixed nodes for this project.

The contextual capacity of the site was investigated in two alternative projects for a luxurious summer residence: 'dots' with round and 'lines' with trapezoid shapes. Olives were left in their places, dry stone walls turned into fundaments. Parts of the volume were sunken into the ground and thus the qualities of the site were improved. The clients have chosen the 'lines' alternative.

OBITELJSKA KUĆA BRAČUN
Bračun Family House

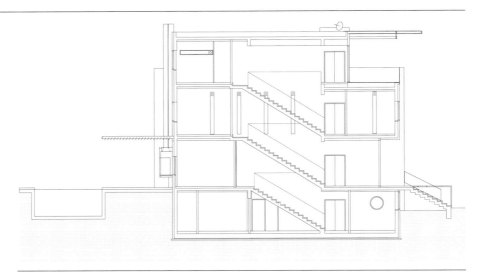

Jednoobiteljska kuća 'Bračun' na sjevernom zagrebačkom području udaljila se od ulice, od sjevernog i južnog susjeda prema zg - propisima. Po regulativi je dobila i tri etaže i četvrtu uvučenu sa strane ulice. Time je definiran gabarit. Uz sjeverni zid su instalacije i zona komunikacija, stubište i dizalo (Kahn: serving space), dok je južna zona prostor opuštanja i relaksacije (served space). Klijenti su sljedbenici feng shui filozofije, pa su neki elementi sugerirani, kao 'WC na vanjskim zidovima, prostor spolnog života u jugozapadnom dijelu kuće'. Postfestum reference ili mogući korijeni su iz Stuttgarta, iz Rupenhorna i Vila Kraus zagrebačke moderne 1936.

AUTOR AUTHOR : Lenko Pleština
SURADNIK COLLABORATOR : Nikola Šimunić
LOKACIJA LOCATION : Zagreb, Tošovac 15
GODINA PROJEKTIRANJA DESIGN YEAR : 2006.

ZAVRŠETAK GRADNJE COMPLETION : 2008.
INVESTITOR CLIENT : A&B Bračun
POVRŠINA PARCELE SITE AREA : 592 m2

POVRŠINA TLOCRTA FOOTPRINT : 531 m2
FOTOGRAFIJA PHOTOGRAPHY : David Hošnjak

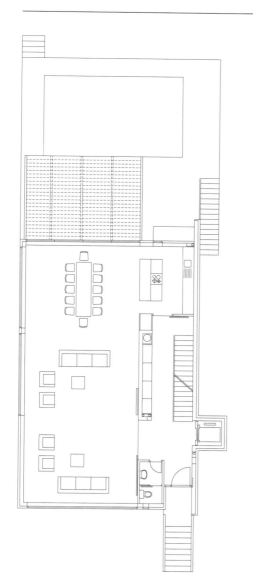

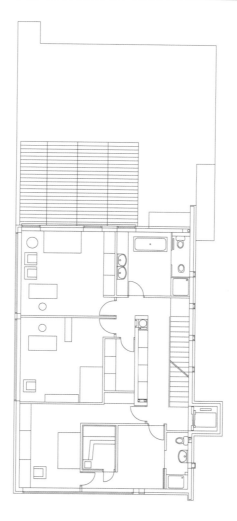

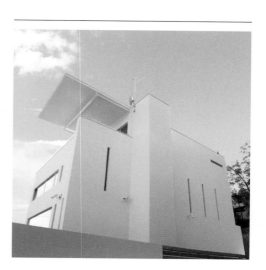

The Bračun family house in the northern part of Zagreb is detached from the street, from the northern and the southern neighbour in concordance with Zagreb regulations. The regulations also determined its three storeys and the indented fourth storey as viewed from the street. This defined its dimensions. Along the northern wall are installations and the communication zone, stairs and the elevator (Kahn: serving space), while the southern zone is the space of relaxation and rest (served space). The clients are adherents of the feng-shui philosophy and therefore some of the elements are their suggestion, like the 'toilet on the outer walls and the space for sexual life in the south-western part of the house'. The references after the completion or the possible roots are from Stuttgart, Rupenhorn or the Zagreb modernist Villa Kraus from 1936.

SEOSKO IMANJE
Land Property

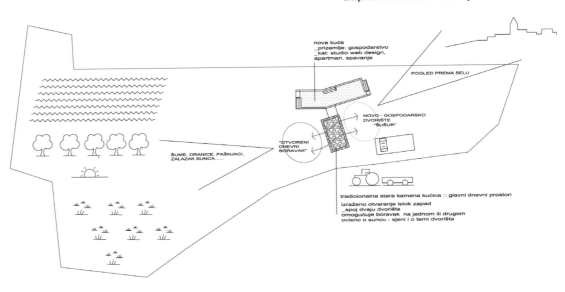

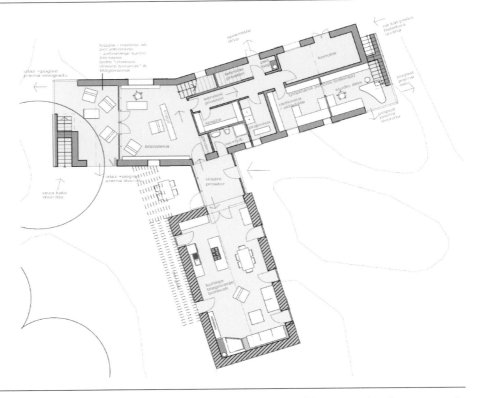

Djedova kuća - tradicionalna prizemna kamena kućica - preuzima glavne dnevne prostore - centar dnevnog života te uz izraženo otvaranje istok-zapad kao spoj dvaju dvorišta omogućuje boravak na jednom ili drugom ovisno o suncu, sjeni, temi dvorišta, podržavajući tipični seoski život na otvorenom. Nova kuća - jednokatnica s galerijom - definira dvorišta te komunicira s njima i u prizemlju i na katu, ne ograničava vizure staroj kući, dopunjuje zahtjeve urbanog čovjeka. Direktno je povezana sa starom kućom te je dio istog organizma. Prostor kata i galerije jedinstveni je prostor, dok se po potrebi omogućuje potpuna privatnost zatvaranjem u prostore ispod galerije. Konačna pojavnost definirana je željom za tradicionalnom kućom uz maksimalno utapanje u okoliš, ali s naznakom da je to ipak dom mlade obitelji nove generacije. Tradicionalni elementi doživljavaju se kroz arhetipski oblik kuće, elemente oblikovanja te boju pročelja, dok se kroz ekološki pristup, unutarnju organizaciju, oblikovanje zelenog krova i galerijski prostor ističu elementi suvremenosti. Ekološke karakteristike projekta su energetska efikasnost s minimalnim utjecajima na okoliš (zeleni krov sa solarnim panelima, sakupljanje i korištenje oborinskih voda...).

AUTORI AUTHORS :
Margita Grubiša, Marin Jelčić, Ivana Žalac
LOKACIJA LOCATION : Istra / Istria
STATUS : projekt / project

GODINA PROJEKTIRANJA DESIGN YEAR :
2008. - 2009.
INVESTITOR CLIENT : privatni / private

POVRŠINA PARCELE SITE AREA : 6500 m2
POVRŠINA TLOCRTA FOOTPRINT : 300 m2

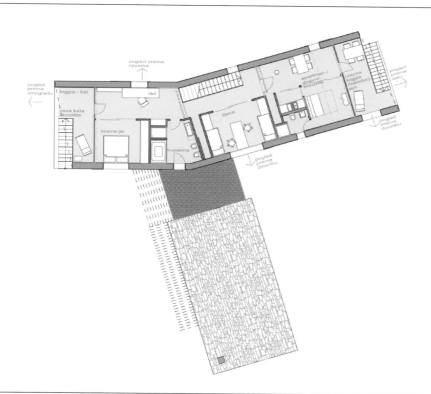

Grandfather's house – a traditional single-storey stone house – takes over the principal functions during the day – it is a centre of day life pronouncedly opening towards the east-west line; as a connection point of two yards it enables the use of one or the other, depending on the sun, shadow, and the theme of the yard, supporting the typical country life in the open. The new house – a single-storey structure with a gallery – defines the yards and communicates with them both on the ground floor and on the gallery; it does not limit the views from the old house and helps meet the requirements of a person from the city. It is directly connected with the old house and it is part of the same organism. The first floor / gallery space is a unified area, but if necessary full privacy can be enabled by closing the area beneath the gallery. The final appearance is defined by the wish for a traditional house with maximal immersion into the environment, but with an indication that this is still a new generation young family's home. Traditional elements are experienced through the archetypal form of the house, shaping elements, and the istre colour of the front, while the environmental approach, interior organisation, the shaping of the green roof, and the gallery area stress the contemporary elements. The ecological characteristics of the project are energy efficiency with minimal impact on environment (green roof with solar panels, collecting and use of storm water)

OBITELJSKA KUĆA
Family House

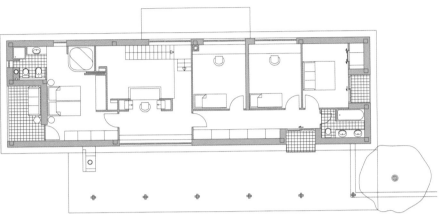

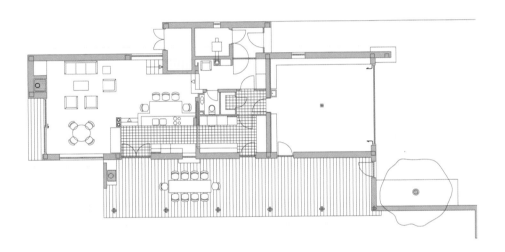

Konvencionalni program obiteljske kuće od oko 350 m2 riješen je tako da prizemni unutarnji prostor koji pokriva 'dnevne' aktivnosti ukućana (dolazak i odlazak - kolni ili pješački, doprema, gospodarstvo, kuhinja, dnevni boravak) ima svoj paralelni, također intenzivno koristiv, vanjski prostor, orijentiran na prostranu okućnicu.
Taj prostor je izveden u obliku dvoetažnog trijema, koji je nastavak krovne plohe cijele zgrade.
U tlocrtu prizemlja značajna pozicija je dana prostoru kuhinje i gospodarstva koji servisiraju vanjski i unutarnji prostor.
Pješački pristup i ulaz u kuću riješeni su dijagonalno, zajedno s pozicioniranjem stubišta za kat, kako bi se dobila veća dubina prostora.
Kat sadržava spavaći trakt s dijelom radnog prostora i biblioteke, otvoren prema dvoetažnom prostoru boravka u prizemlju.

AUTOR AUTHOR : Miloš Pecotić
LOKACIJA LOCATION : Zaprudski otok, Zagreb
GODINA PROJEKTIRANJA DESIGN YEAR :
2003. – 2006.

ZAVRŠETAK GRADNJE COMPLETION : 2006.
INVESTITOR INVESTOR : privatni / private
POVRŠINA PARCELE SITE AREA : 1600 m2

POVRŠINA TLOCRTA FOOTPRINT : 283 m2
FOTOGRAFIJA PHOTOGRAPHY :
Miljenko Bernfest

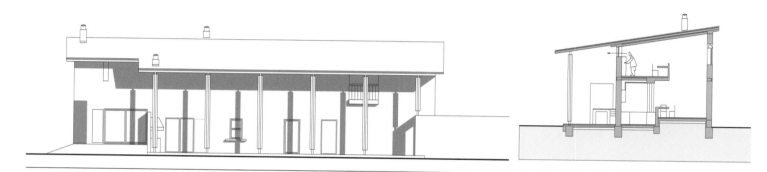

A conventional program of a family house encompassing ca 350 m2 is solved in a way that the ground-floor interior space of the house, intended for 'day' activities of the users (arrival and departure – on foot or by car, supply, economic zone, kitchen, living-room) has a parallel, equally intensively usable outdoor space, oriented towards an ample garden and a yard.

This space has been designed as a split-level porch, which is a continuation of the entire structure's roof surface. In the ground-floor storey plan an important position has been given to the kitchen and the economic zone that service the indoor and the outdoor area.

The pedestrian access and the entrance into the house have been solved diagonally, together with the positioning of the stairway leading to the first floor, in order to obtain depth.

The first floor contains bedrooms with a study part and a library, open towards the split-level living-room on the ground floor.

OBITELJSKA KUĆA 'DUGI DOL'
Dugi Dol Family House

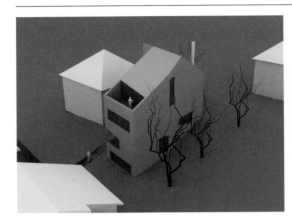

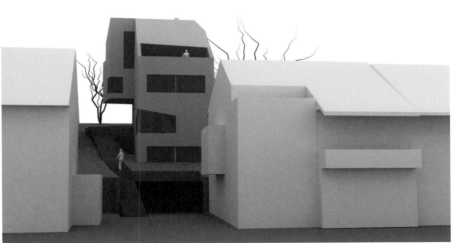

Parcelu stambene zgrade na Dugom dolu karakteriziraju: strmi teren prema istoku i postojećoj kući, zaklonjenost okolnom izgradnjom, kvalitetne vizure na najvišoj točki parcele, postojeći urbanistički uvjeti.

Stanovi su koncipirani u dva segmenta na različitim visinama - poluetažama, s razdvojenim 'dnevnim' i 'noćnim' prostorijama. Zgradu odlikuje lom u tlocrtu uz pomoć kojeg se ostvaruje najbolja moguća vizura u smjeru pada terena. U prizemnoj etaži 'oduzet' je dio volumena kako bi se formirao natkriveni ulazni pretprostor. Na zadnjoj etaži, u potkrovlju, izrezivanjem kose krovne plohe formirane su dvije terase s kojih se pruža pogled. Sve plohe su tretirane jednako, pa su tako vanjski zidovi i krov obloženi istim materijalom (lim) kako bi se kuća doživjela kao jedinstven izlomljeni volumen.

AUTORI AUTHORS :
Svebor Andrijević, Jasna Zmaić
SURADNICI COLLABORATORS :
Fani Frković, Ivan Grgić

LOKACIJA LOCATION : Dugi Dol, Zagreb
STATUS : u fazi ishođenja dozvole / in the
phase of obtaining a building permit
GODINA PROJEKTIRANJA DESIGN YEAR : 2008.

INVESTITOR CLIENT : Darko Grdenić
POVRŠINA PARCELE SITE AREA : 316 m2
POVRŠINA TLOCRTA FOOTPRINT : 315 m2

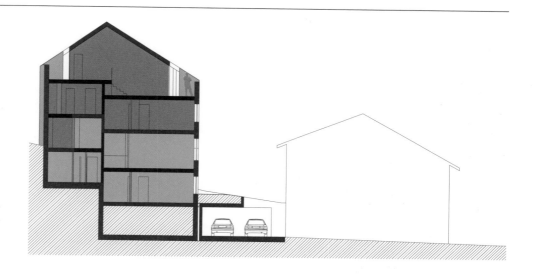

The plot of the residential building in Dugi dol is characterized by: a sloping terrain towards the east and the existing house, screening by surrounding structures, quality views at the highest point of the land lot, and the existing urban development conditions.

The apartments are conceived in two segments on different levels – entresols with separated 'day' and 'night' rooms. The building is characterized by a fold in the ground-floor plan which helps realize the best possible view in the direction of the terrain slope. On the ground-floor storey a part of the mass has been 'deduced', so that a roofed-over entrance area could be formed. On the last storey, in the attic, two terraces with a view were formed by cutting into the slanting roof surface. All surfaces have been treated equally; therefore the outer walls and the roof are clad in the same material (metal sheets), so that the house could be perceived as a unified, folded mass.

OBITELJSKA KUĆA
Family House

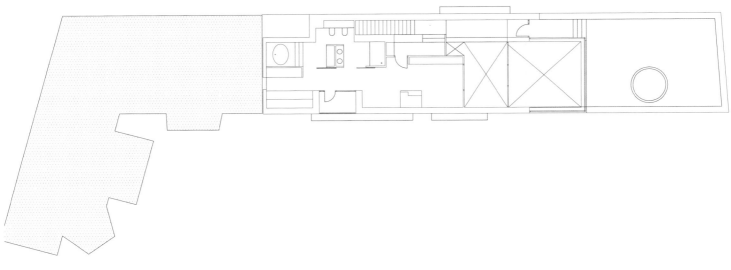

Obitelj je odlučila kupiti staru dotrajalu susjednu kuću koja je naslonjena na njihovu kako bi poboljšali kvalitetu življenja. Dogradnja obuhvaća novi dnevni boravak u prizemlju, roditeljski blok na katu i društvene prostorije u podrumu. Nova cjelina je tlocrtno oblika slova L tako da flankira prostran, bogat i njegovan vrt, koji predstavlja najveću vrijednost ove lokacije. Građevina poštuje mjerilo ulice i tradicionalne građevne elemente, ali ima suvremenu kompoziciju pročelja. Otvori na pročelju imaju dvojaki karakter ovisno o orijentaciji. S dvorišne strane to su stakleni potezi koji kadriraju vrt, a prema ulici su horizontalni svjetlici koji osiguravaju intimu. Krovni vrt i ostakljeni tropski vrt s palmama na zapadnom krilu filtriraju sunčeve zrake, a akvarij na istočnom dijelu obogaćuje interijer svojim koloritom.

AUTORI AUTHORS :
Tomislav Ćurković, Zoran Zidarić
SURADNICI COLLABORATORS :
Barbara Vuković, Majda Vidović

LOKACIJA LOCATION : Varaždin
GODINA PROJEKTIRANJA DESIGN YEAR : 2003.
ZAVRŠETAK GRADNJE COMPLETION: 2007.
INVESTITOR CLIENT : privatni / private

POVRŠINA PARCELE SITE AREA : 1344 m2
POVRŠINA TLOCRTA FOOTPRINT : 450 m2
FOTOGRAFIJA PHOTOGRAPHY: Robert Leš

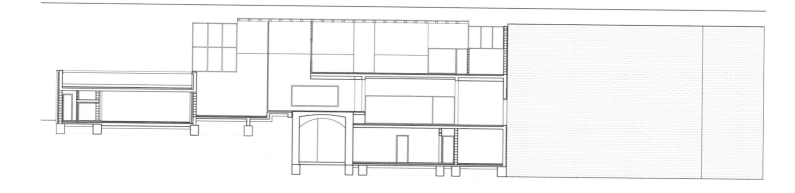

A family decided to buy an old, derelict neighbouring house leaning onto theirs in order to improve the quality of living. The extension encompasses a new living-room on the ground-floor, the parents' block on the first floor, and common rooms in the basement. The new unit features an L-shaped ground-floor plan, thus flanking an ample, rich, and well-tended garden, which is the greatest asset of this location. The structure follows the scale of the street and traditional building elements, but it has a contemporary composition of the front. The openings on the front have an ambiguous character, depending on orientation. On the yard side they are glass stretches framing the garden, while towards the street they are horizontal skylights that protect intimacy. The roof garden and the glazed tropical garden with palms in the west wing filter sunrays, while the aquarium in the eastern part enriches the interior with its colours.

OBITELJSKA KUĆA
Family House

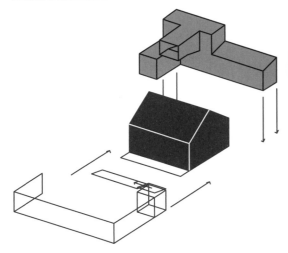

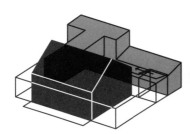

—— dogradnja, kao ekstenzija do granice parcele, bez mogućnosti ugrađivanja novih otvora, bez atraktivnih pogleda, ozelenjenih vrtova nametnuta introvertnost

—— dograđeni prostor definiran laganom i jednostavnom konstrukcijom, fluidnost i protezanje kao jasan okvir novog identiteta i doživljaja životnog prostora - memorija

—— isječak prirode (maslina u atriju) kao prostor trajnog vizualnog užitka i svakodnevnog opuštanja

—— veliki otvoreni prostor potkrovlja udomljuje rad, dnevni boravak, blagovanje, a interpolirane 'kutije' spavanje i kupaonicu

—— vertikalno i horizontalno povezivanje (razdvajanje) generacijskih enklava (roditelji, djeca, baka) unutar jasnih prostornih cjelina postojeće kuće, dogradnje i rekonstruiranog potkrovlja

—— dogradnja i rekonstrukcija kao mogući oblik revitalizacije, zaštite i očuvanja autentičnih urbanih cjelina ugroženih nekontroliranom izgradnjom

AUTOR AUTHOR : Veljko Oluić

LOKACIJA LOCATION :
Ivanićeva 1, Kustošija, Zagreb

GODINA PROJEKTIRANJA DESIGN YEAR :
2003. – 2004.
ZAVRŠETAK GRADNJE COMPLETION : 2006.
INVESTITOR CLIENT : Nikola Pavlinek

POVRŠINA PARCELE SITE AREA : 255 m2
POVRŠINA TLOCRTA FOOTPRINT : 211 m2
FOTOGRAFIJA PHOTOGRAPHY: Damir Fabijanić

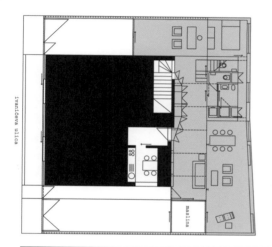

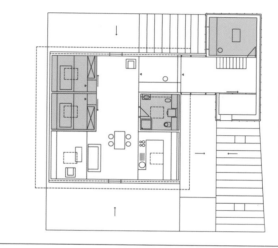

—— an annex in the form of an extension to the border of the parcel, without a possibility of adding new openings, without attractive views and green gardens – imposed introversion

—— an annexed space defined by a light and simple construction, fluidity and extending as a clear framework of the new identity and experience of the living space – memory

—— a clipping from the nature (an olive-tree in the atrium) as an area of lasting visual enjoyment and everyday relaxation

—— the large, open space of the attic hosts work, the living- and the dining-room, while the interpolated 'boxes' contain the bedrooms and the bathroom

—— vertical and horizontal connection (division) of generational enclaves (parents, children, grandmother) within clear spatial units of the existing house, extension, and the reconstructed attic

—— extension and reconstruction as a possible form of revitalisation, protection, and preservation of authentic urban units endangered by uncontrolled construction

1. nagrada

ANDREJ UCHYTIL, RENATA WALDGONI
Župna crkva Sv. Ivana Evanđelista sa župnim dvorom
Zagreb, 1994. – 2008.

Ova crkva, za čiju su izgradnju bila potrebna gotovo dva desetljeća, nije samo dokaz upornosti arhitekata i naručitelja, nego i bezvremenske kvalitete svojstvene projektu. Karl Kraus je izjavio da će se u trenutku kada njegov vlastiti rad postane zastario i suvišan pokazati da je bezvremenski. Na određeni način, zahvaljujući dugotrajnom procesu projektiranja i izgradnje, isto se dogodilo i s ovom zgradom. Ona jasno nosi tragove drugog doba, drugog vremena, no tijekom dugotrajnog procesa uspjela je nadići zastarjele i prolazne modne značajke koje bi imala sredinom devedesetih i postati bezvremenskim arhitektonskim djelom.

1st Prize

ANDREJ UCHYTIL, RENATA WALDGONI
St John the Evangelist Catholic Church and Parish House
Zagreb, 1994-2008

This church, which took almost two decades to be completed, is not only a proof of the persistence of the architects and the client, but also of the timeless quality inherent in its design. It was Karl Kraus who proclaimed that as soon as his own work would become outdated, it would turn out to be timeless. In a certain way, due to the long design and construction process, the same has happened with this building. It clearly bears traces of another time, another era, yet during the long process managed to transcend the dated and fashionable aspects it would have had in the mid-1990s, to become a timeless piece of architecture.

Tri jednakovrijedne 2. nagrade

DINKO PERAČIĆ, MIRANDA VELJAČIĆ
Dom mladih, Split, u izgradnji
VEDRAN DUPLANČIĆ
Osnovna škola u Sesvetskoj Sopnici, Zagreb, 2006.
PRODUKCIJA 004
Zgrada hitne medicinske pomoći, Zagreb, 2009.

Tri druge nagrade dodjeljuju se talentiranim arhitektima koji na različite načine pokazuju sposobnost upotrebe arhitekture u svrhu promjene naših očekivanja.

Three Equal 2nd Prizes

DINKO PERAČIĆ, MIRANDA VELJAČIĆ
Youth Centre, Split, under construction
VEDRAN DUPLANČIĆ
Elementary school Sesvetska Sopnica, Zagreb, 2006
PRODUKCIJA 004
Emergency Terminal, Zagreb, 2009

The three second prizes are given to talented architects who in different ways show their capability to use architecture to change what you expect from it.

AUTORSKO PREDSTAVLJANJE DOBITNIKA
1. NAGRADE 41. ZAGREBAČKOG SALONA, 2006.
Author Presentation of the 1st Award Winners
of 41st Zagreb Salon, 2006

RADNA KRITIKA (IZVADAK)

(...)Prijedlog Hrvoja Njirića i Vedrana Škopca da za ovogodišnji Zagrebački salon umjesto autorske izložbe izvedu paviljon jasna je kritika suvremene kulture građenja u Hrvatskoj. Biti kritičan u zemlji bez jasne kritičke optike (tko je stvarno odgovoran ?) i s malo mjesta za kritički odmak (s ukupnim brojem stanovnika poput metropole srednje veličine) nije lak posao. Otežavajuću okolnost predstavlja i činjenica da arhitektura nije sasvim podatan medij za socijalnu kritičnost, te iziskuje velika ulaganja i konsenzus širokog spektra, čak i kada se projektom nude rješenja problema, umjesto artikuliranja stava. Unutar suvremenog arhitektonskog diskursa skepsa prema mogućnosti kritičke arhitekture prerasta u teorijsku poziciju poznatu kao post-kritičnost, uzimajući bar djelomično u obzir snagu kapitala i popularnu kulturu.
 (...)Karakter ove gradnje jest višeznačan, ali proces produkcije, izbor parcele, suradnika i sponzora, te lobiranje kod institucija to nije. Zvali mi to novim oblikovanjem u smislu Karamanove koncepcije periferijske kulture ili svojevrsnom NGO arhitekturom, uloga arhitekta kao organizatora i sudionika nesumljivo i odjednom biva u rasponu od skromnosti do veličanja, a sama kuća (p)ostaje novom i dijelom tradicije.
Izvadci iz teksta u publikaciji „zg-paviljon 09" - Ivan Rupnik (srpanj 2009)

NJIRIC⁺ ARHITEKTI
HRVOJE NJIRIĆ, VEDRAN ŠKOPAC

WORK CRITICISM (EXCERPT)

(...) The proposal by Hrvoje Njirić and Vedran Škopac to construct a pavilion for this year's Zagreb Salon instead of setting up an authorial exhibition is a clear criticism of contemporary building culture in Croatia. To be critical in a country without a clear critical standpoint (who is actually responsible?) and very little room for critical detachment (the overall number of inhabitants does not exceed a middle-sized metropolis) is not an easy task. An aggravating circumstance is also the fact that architecture is not a medium entirely liable to social criticism, and the fact that it demands large investments and a wide-ranging consensus, even when the project offers solutions to the problem instead of articulating a standpoint. In contemporary architectural discourse, scepticism about the possibility of critical architecture is transformed into a theoretical position known as post-criticism that at least partially takes into account the power of capital and popular culture.

(...) The character of this structure is ambiguous, but the process of production, selection of the parcel, collaborators, and sponsors, as well as lobbying with institutions is not. No matter if we call this new design, in the sense of Karaman's concept of peripheral culture, or a kind of NGO architecture, the role of the architect as the organizer and participant doubtlessly and suddenly covers the scope from modesty to praise and the house becomes and remains new, but also part of tradition.

Excerpts from the text in the publication zg-pavilion 09 – Ivan Rupnik (July 2009)

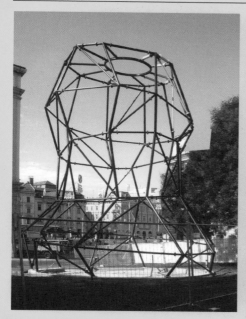

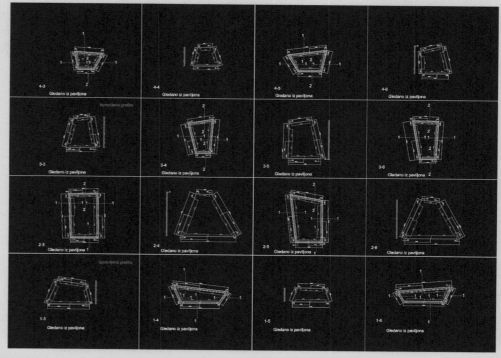

AUTORSKO PREDSTAVLJANJE DOBITNIKA
1. NAGRADE 41. ZAGREBAČKOG SALONA, 2006.
Author Presentation of the 1ˢᵗ Award Winners
of 41ˢᵗ Zagreb Salon, 2006

TRAGOVI

Na Zrinjevcu, u kontejneru dimenzija 12 m x 2,4 m x 2,4 m postavlja se izložba iskustva na projektima za dva javna gradska prosto-ra – Javni gradski krov u Gračanima i Središnji gradski prostor u Ulici Hrvatske bratske zajednice od Avenije Vukovar do Slavonske Avenije.

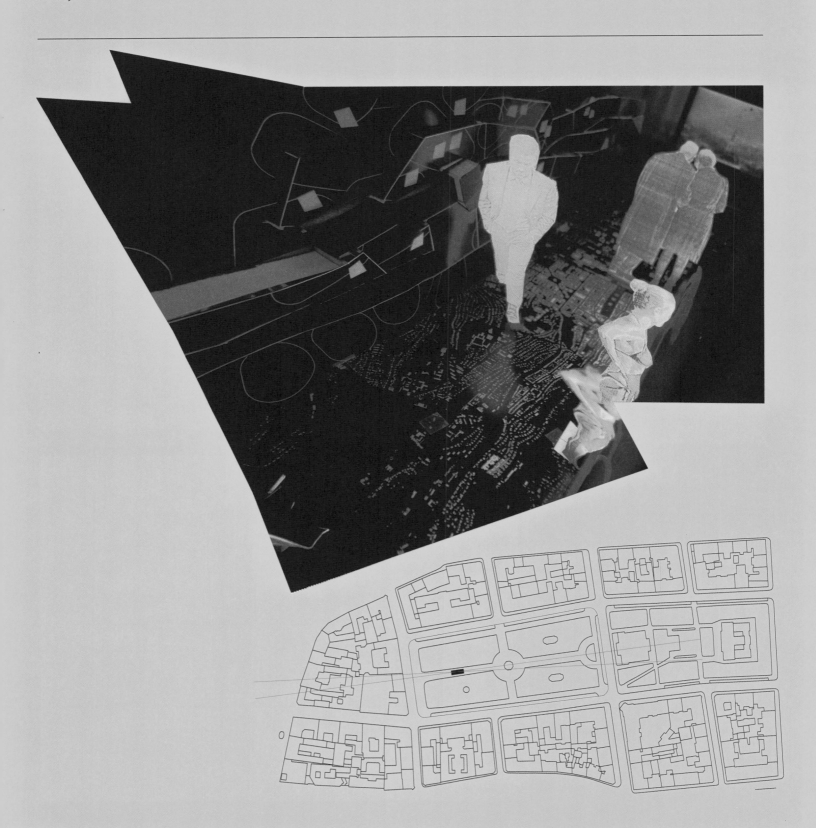

HPNJ+
HELENA PAVER NJIRIĆ, IVAN RUPNIK

SURADNICI / COLLABORATORS
VESNA JELUŠIĆ, JELENA BOTTERI, ŽANA BOSNI

TRACES

An exhibition of two proposals for new public spaces in the city of Zagreb, the Public City Rood in Gračane and the Centrak City Space on the Street of the Croatian Fraternal Union between the Avenue of the of Vukovar and the Slavonska Avenue is being mounted in a 12 m x 2,4 m x 2, 4 m container on Zrinjevac Square.

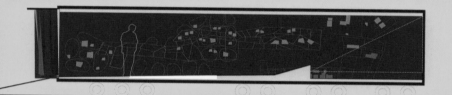

IZLAGAČI
Exhibitors

3LHD
Adresa : N. Božidarevića 13/4, Zagreb
E-mail : info@3lhd.com
Web : www.3lhd.com
Projekti : Kuća J2 / Groblje Kozala – ulazni trg
i servisna zgrada / Poliklinika ST / Riva Split /
Spaladium Arena

AAG DIZAJN CENTAR
Adresa : Ilica 15, Zagreb
E-mail : info@aag.hr
Web : www.aag.hr
Projekt : Neboder Savska

ARCHIsquad
Adresa : Freudova 1
E-mail : info@archisquad.hr
Web : www.archisquad.hr
Projekt : O STANJU NACIJE – oblikovanje prostora
za projekt Andreje Kulunčić

MARKO AMBROŠ (Osijek, 1977.)
Adresa : Vinogradska 21, Zagreb
E-mail : marko.ambros@ask.hr
Web : www.ask.hr
Projekt : Gradski trg u Kutini

SVEBOR ANDRIJEVIĆ (Zagreb, 1969.)
Adresa : Arhitektura Tholos projektiranje,
Lopašićeva 6, Zagreb
E-mail : svebor.andrijevic@zg.t-com.hr
Projekti : Urban furniture-RECUBE /
Obiteljska kuća „Dugi dol" /
Stambeno-poslovna zgrada „Ban centar"

HRVOJE BAČURA (Osijek, 1977.)
Adresa : Hermanova 17J, Zagreb
E-mail : hrvoje.bacura@zg.t-com.hr
Projekt : Gradski trg u Kutini

VJERA BAKIĆ (Zagreb, 1977.)
Adresa : Studio Plazma / Draškovićeva 53, Zagreb
E-mail : vjera.bakic@arhitekt.hr
Web : www.plazma.hr
Projekt : Spinspind

DUBRAVKO BAČIĆ (Dubrovnik, 1977.)
Adresa : Arhitektonski fakultet Zagreb, Kačićeva 26
E-mail : dbacic@arhitekt.hr
Projekt : Višestambeno naselje Sopnica Jug

HRVOJE BAKRAN (Zagreb, 1970.)
Adresa : Urbane tehnike, Vrbik 8a, Zagreb
E-mail : hrvoje.bakran@u-t.hr
Web : www.u-t.hr
Projekt : Crni monolit;poslovni neboder na uglu
Savske ceste i Slavonske avenije

OTTO BARIĆ (Zagreb, 1958.)
Adresa : Arhitektura Tholos projektiranje,
Lopašićeva 6, Zagreb
E-mail : info@tholos.hr
Projekt : Stambeno-poslovna zgrada „Ban centar"

ZRINKA BARIŠIĆ MARENIĆ (1972.)
Adresa : Arhitektonski fakultet Zagreb, Kačićeva 26
E-mail : zrinka.barisic@arhitekt.hr
Projekt : Leksikon arhitekata atlasa Hrvatske
arhitekture XX. Stoljeća

MILJENKO BERNFEST (Zagreb, 1956.)
Adresa : bxl studio / Laginjina 9, Zagreb
E-mail : studberni@bxl-io.com
Projekt : Centar za socijalnu skrb Sisak

ANA DANA BEROŠ (Zagreb, 1979.)
Adresa : DVA PLUS, Izidora Poljaka 21, Zagreb
E-mail : info@dvaplus.hr
Web : www.dvaplus.hr
Projekt : Park po mjeri

JURE BEŠLIĆ (Split, 1986.)
Adresa : Terzićeva 11, Split
E-mail : jbeslic@gmail.com
Projekt : HSI - hortum separatum inhabitant

ANTE NIKŠA BILIĆ (1961.)
Adresa : Sv. Mateja 83, Zagreb
E-mail : anb@antemurales.hr
Projekt : Športska dvorana osnovne škole Zmijavci,
Imotski

SINIŠA BODROŽIĆ (Slavonski Brod, 1977.)
Adresa : Kaptol 27, Zagreb
E-mail : sinisinsanducic@yahoo.com
Projekt : Stolnoteniski dom

NENAD BORGUDAN
Adresa : UPI2M, Krajiška 10, Zagreb
E-mail : info@upi-2m.hr
Web : www.upi-2m.hr
Projekt : Višenamjenska sportska dvorana
Arena Zagreb

ZORAN BOŠEVSKI (Bitola, 1959.)
Adresa : Studio BIF, Klaićeva 23, Zagreb
E-mail : zoran@bifstudio.com
Web : www.bifstudio.hr
Projekt : Pastoralni centar i Pravoslavna makedonska
crkva „Sv. Zlata Meglenska"

SAŠA BRADIĆ / BN arhitekti (Zagreb, 1965.)
Adresa : Zvonimirova 2, Zagreb
E-mail : bn.arhitekti@chello.at
Web : www.architektur-bn.net
Projekt : Stanovanje Borovje / urbana dvorišta

IVICA BRNIĆ (Livno, BiH, 1979.)
Adresa : Via Folett 23, Lugano, Švicarska
E-mail : info@studio-ib.net
Web : www.studio-ib.net
Projekt : Crkva s pastoralnim centrom
i Dom za starije i nemoćne

DAVOR BUŠNJA (Zagreb, 1978.)
Adresa : Njirić + arhitekti, Petrova 140, Zagreb
E-mail : info@njiric.com
Web : www.njiric.com
Projekt : A folded mat - an indigo kindergarten MB

TONČI ČERINA (Split, 1970.)
Adresa : XYZ ARHITEKTURA / Knežija 7, Zagreb
E-mail : tonci@xyz-arhitektura.com
Web : www.xyz-arhitektura.com
Projekti : Dječji vrtić Lanište / Dom za starije i
nemoćne osobe u Senju / Jugoistočni ulaz u Split
sa poslovnim neboderom Elanija

TOMISLAV ĆURKOVIĆ (Zagreb, 1961.)
Adresa : Antuna Bauera 2, Zagreb
E-mail : dva-arhitekta@zg.t-com.hr
Web : www.dva-arhitekta.hr
Projekt : Obiteljska kuća Varaždin

SENKA DOMBI (Vršac, 1973.)
Adresa : Arhitektura Tholos projektiranje,
Lopašićeva 6, Zagreb
E-mail : senka.dombi@drugi-ured.hr
Projekt : Stambeno poslovna zgrada „Ban centar"

VEDRAN DUPLANČIĆ (Split, 1974.)
Adresa : EA studio, Reljkovićeva 8, Zagreb
E-mail : vduplancic@gmail.com
Projekti : Osnovna škola Sesvetska Sopnica /
Art container, umjetnička akademija u Splitu

IVANA ERGIĆ (Zagreb, 1972.)
Adresa : Bijela d.o.o., Vukotinovićeva 7, Zagreb
E-mail : ivana.ergic@zg.t-com.hr
Projekt : Trg i dom kulture

VEDRANA ERGIĆ (Zagreb, 1966.)
Adresa : Jedanjedan arhitektura, Vukotinovićeva 7,
Zagreb
E-mail : vedrana.ergic@inet.hr
Projekt : Trg i dom kulture

ISKRA FILIPOVIĆ (Virovitica, 1984.)
Adresa : Vukovićeva 11, Zagreb
E-mail : iskriza@gmail.com
Projekt : Forest city

BORIS FIOLIĆ (Zagreb, 1959.)
Adresa : Studio BF / Klaićeva 23, Zagreb
E-mail : bif@bifstudio.com
Web : www.bifstudio.com
Projekt : Pastoralni centar i Pravoslavna makedonska
crkva „ Sv. Zlata Meglenska"

IGOR FRANIĆ (Zagreb, 1963.)
Adresa : Studio za arhitekturu / Kačićeva 11
E-mail : sza@sza.hr; igor.franic@sza.hr
Web : www.sza.hr
Projekti : Poslovna zgrada Adris /
Stambeno poslovna građevina Mercator

IVANA FRANKE (Zagreb, 1973.)
Adresa : Studio Franke, Ulica grada Mainza 18, Zagreb
E-mail : info@ivanafranke.net
Web : www.ivanafranke.net
Projekt : Prodavaonica kolača „Piece of cake"

FANI FRKOVIĆ (Zagreb, 1986.)
Adresa : Gruška 20, Zagreb
E-mail : fani.frkovic@gmail.com
Projekt : Park Zagorska – Selska - Krapinska

IVAN GALIĆ (Zagreb, 1976.)
Adresa : Fraterščica 10, Zagreb
E-mail : igalic@nops.hr
Web : www.nops.hr
Projekti : Kuća FN / URIHO

DAMIR GAMULIN (Split, 1974.)
Adresa : Pod zidom 8, Zagreb
E-mail : damir@gamulin.net
Web : www.gamulin.net
Projekti : Labin – Pijacal / Passage Jadran

IVANA GARDLO (Vodnjan, 1985.)
Adresa : Ulica 16. januara 1, Vodnjan
E-mail : ivana.gardlo@gmail.com
Projekt : Park Zagorska – Selska – Krapinska

MIROSLAV GENG (Zagreb, 1955.)
Adresa : Badovinčeva 8E, Zagreb
E-mail : miroslav.geng@zg.t-com.hr
Projekt : Rekonstrukcija Kvaternikova trga
sa izgradnjom podzemne garaže

IGOR GOJNIK (Čakovec, 1971.)
Adresa : Vital, Širolina 8, Zagreb
E-mail : igor.gojnik@vital-gradnja.com
Web : www.siloueta.com
Projekt : Gradski stadion Lapad

ŽELJKO GOLUBIĆ (Čakovec, 1980.)
Adresa : Slovenska 6, Zagreb
E-mail : golubicz@gmail.com
Projekt : Gradska vijećnica u Čakovcu

MARGITA GRUBIŠA (Pula, 1978.)
Adresa : Braće Domany 6, Zagreb
E-mail : g.margita@gmail.com
Projekti : Labin Pijacal/ Seosko imanje Istra

VANJA ILIĆ (Zagreb, 1973.)
Adresa : Amruševa 11, Zagreb
E-mail : vanja.ilic@zg.t-com.hr
Projekt : Spomen soba-obilježje poginulih i nestalih
hrvatskih branitelja

DUJAM IVANIŠEVIĆ (Split, 1982.)
Adresa : A. Mihanovića 2a, Split
E-mail : info@kofaktor.hr
Web : www.kofaktor.hr
Projekt : Uređenje Fošala Omiš

KRUNOSLAV IVANIŠIN (Dubrovnik, 1970.)
Adresa : Prilaz Gjure Deželića 55
E-mail : info@ivanisin-kabashi.hr
Web : www.ivanisin-kabashi.hr
Projekti : MAKESHIFT, dom jedriličara /
DOTS OR LINES, obiteljska kuća / INSIDE – OUSIDE 2,
javna garaža i dvodijelna sportska dvorana

NIKOLA IVANOVIĆ (Zagreb, 1974.)
Adresa : Kneza Ljudevita Posavskog 26, Zagreb
E-mail : arhitekti@noin.hr
Projekt : Dječji vrtić "5 elemenata"

IVA IVAS (Šibenik, 1982.)
Adresa : Prilaz Gjure Deželića 55, Zagreb
E-mail : info@ivanisin-kabashi.hr
Web : www.ivanisin-kabashi.hr
Projekti : MAKESHIFT, dom jedriličara /
DOTS OR LINES, obiteljska kuća / INSIDE – OUSIDE 2,
javna garaža i dvodijelna sportska dvorana

JURICA JELAVIĆ (1964.)
Adresa : Arhitektura Jelavić /
Kralja Zvonimira 14, Split
E-mail : info@arhitekturajelavic.com
Web : www.arhitekturajelavic.com
Projekt : Sveučilišna knjižnica Split

MARIN JELČIĆ (1977.)
Adresa : Vukovićeva 5, Zagreb
E-mail : marinjelcic@net.hr
Projekti : Labin Pijacal / Seosko imanje Istra

KRISTINA JEREN (1979.)
Adresa : Radionica arhitekture / Grahorova 24, Zagreb
E-mail : info@radionica-arhitekture
Projekt : Stambeno naselje Sopnica

IVONA JERKOVIĆ (Ljubljana, 1980.)
Adresa : Nova cesta 42, Zagreb
E-mail : ijerkovic@arhitekt.hr
Projekt : Idejno urbanističko – arhitektonsko
rješenje područja Trsteničke uvale u Splitu

JOSIP JERKOVIĆ (Ljubljana 1981.)
Adresa : Tribaljska 8, Zagreb
E-mail : jjerkovic@arhitekt.hr
Projekt : Idejno urbanističko – arhitektonsko
rješenje područja Trsteničke uvale u Splitu

IVAN JURIĆ (Split, 1986.)
Adresa : Istarska 12, Split
E-mail : juci1rk@yahoo.com
Projekt : HSI

LULZIM KABASHI (Peć, Kosovo, 1969.)
Adresa : Prilaz Gjure Deželića 55, Zagreb
E-mail : info@ivanisin-kabashi.hr
Web : www.ivanisin-kabashi.hr
Projekt : MAKESHIFT, dom jedriličara /
DOTS OR LINES, obiteljska kuća / INSIDE – OUSIDE 2,
javna garaža i dvodijelna sportska dvorana

EMIR KAHROVIĆ (1979.)
Adresa : Arhitektonski fakultet Zagreb,
Kačićeva 26
E-mail : emir.kahrovic@arhitekt.hr
Projekt : Leksikon arhitekata atlasa Hrvatske
arhitekture XX. stoljeća

VLADIMIR KASUN (Zadar, 1963.)
Adresa : Studio Urbana / Ferde Livadića 27, Zagreb
E-mail : urbana@inet.hr
Projekti : Višestambene zgrade Habitus /
Stambeno naselje Markuševačka Dubrava

DAVOR KATUŠIĆ (Banja Luka, 1968.)
Adresa : PRODUKCIJA 004 / Božidarevićeva 13, Zagreb
E-mail : info@produkcija004.hr
Web : www.produkcija004.hr
Projekt : Ustanova za hitnu medicinsku pomoć
Zagreb

NENO KEZIĆ (Split, 1965.)
Adresa : Arhipolis / Plančićeva 14, Split
E-mail : arhipolis@arhipolis.hr
Web : www.arhipolis.hr
Projekti : Stambeni objekt Žnjan / Poljička
developement

NENAD KONDŽA (Zadar, 1955.)
Adresa : Studio A, Trg žrtava fašizma 14, Zagreb
E-mail : studioa@gin.hr
Web : www.gin.hr
Projekt : Rekonstrukcija i dogradnja
Državnog arhiva u Sisku

ALAN KOSTRENČIĆ (Zagreb, 1968.)
Adresa : Suhinova 15, Zagreb
E-mail : alan.k@kostrencic-krebel.com
Web : www.kostrencic-krebel.com
Projekt : Trg Petra Zoranića

VESNA KOVAČEVIĆ NENEZIĆ (Split, 1975.)
Adresa : Korčulanska 6, Zagreb
E-mail : vesna.kovacevic.nenezic@zg.t-com.hr
Projekt : Idejno urbanističko rješenje uvale Trstenik

ZVONIMIR KRALJ (Zagreb, 1976.)
Adresa : AF - Zavod za arhitekturu, Kačićeva 26
E-mail : imperator@inet.hr
Projekt : Labin Pijacal

ZDRAVKO KRASIĆ (Zagreb, 1969.)
Adresa : URBANE TEHNIKE
E-mail : zdravko.krasic@zg.htnet.hr; ut@u-t.hr
Projekt : Crni monolit

ALEKSANDRA KREBEL (Pazin, 1969.)
Adresa : Suhinova 15, Zagreb
E-mail : sandra.k@kostrencic-krebel.com
Web : www.kostrencic-krebel.com
Projekt : Trg Petra Zoranića

DINO KRIZMANIĆ
Adresa : URBIS – 72 / Sv.Teodora 2, Pula
E-mail : urbis@urbis72.hr
Web : www.urbis72.hr
Projekt : Idejno rješenje turističkog punkta
Krnja Loža

ROBERT KRIŽNJAK (1971.)
Adresa : Hribarov prilaz 4
E-mail : robert@kriznjak.com
Projekt : Župna crkva Sv. Luke Evanđelista

ANA KRSTULOVIĆ (Zagreb, 1977.)
Adresa : Drugi Kraljevec 31, Zagreb
E-mail : anakrstulovic@yahoo.com
Projekt : Jasenovac

MATTHIAS KULSTRUNK (Zürich, 1980.)
Adresa : STUDIO PLAZMA /
Draškovićeva 53, Zagreb
E-mail : mkulstrunk@plazma.hr
Web : www.plazma.hr
Projekt : Spinspind

ANA KUNST (Zagreb, 1976.)
Adresa : Prilaz Ivana Visina 1/6, Zagreb
E-mail : ana.kunst@zg.htnet.hr
Projekt : Turističko naselje Brsečine

ANTE KUZMANIĆ (1952.)
ADRESA : Arhitektonski biro Ante Kuzmanić,
Trg Mihovila Pavlinovića 1, Split
E-MAIL : ab.ak@inet.hr
WEB : www.antekuzmanic-arhitekt.hr
PROJEKT : Urbanistička studija mosta Split-Kaštela
sa sportskom dvoranom i prometnim terminalom

DARINKA KUZMANIĆ (Čakovec, 1952.)
ADRESA : Put Firula 20, Split
E-MAIL : darinka.kuzmanic@st.t-com.hr
PROJEKT : Obiteljska kuća Dompnier

SILVIJA LAKOVIĆ (Rovinj, 1979.)
ADRESA : A. Mihanovića 2a, Split
E-MAIL : info@kofaktor.hr
WEB : www.kofaktor.hr
PROJEKT : Uređenje Fošala Omiš

BOJAN LINARDIĆ (Rijeka, 1978.)
ADRESA : Studio Urbana / Livadićeva 27, Zagreb
E-MAIL : urbana@inet.hr
PROJEKT : Stambeno naselje Markuševačka Dubrava

MARKO LIPOVAC (Split, 1974.)
ADRESA : Boktulijin put 26, Split
E-MAIL : lipovac.marko@gmail.com
PROJEKT : Natječaj za izradu idejnog urbanističkog
rješenja uvale Trstenik

MARTA LOZO (Zagreb, 1985.)
ADRESA : Gorenci 45, Zagreb
E-MAIL : martalozo@yahoo.com
PROJEKT : Idejno urbanističko – arhitektonsko
rješenje područja Trsteničke uvale u Splitu

MARTINA LJUBIČIĆ (1977.)
ADRESA : PRODUKCIJA 004 /
Božidarevićeva 13, Zagreb
E-MAIL : info@produkcija004.hr
WEB : www.produkcija004.hr
PROJEKT : Ustanova za hitnu medicinsku pomoć
Zagreb

DAMIR LJUTIĆ (Zagreb, 1970.)
ADRESA : DVA PLUS / Preradovićeva 40, Zagreb
E-MAIL : info@dvaplus.hr
WEB : www.dvaplus.hr
PROJEKT : Park po mjeri

JUDITA LJUTIĆ (Nürtingen, Njemačka, 1972.)
ADRESA : DVA PLUS / Preradovićeva 40, Zagreb
E-MAIL : info@dvaplus.hr
WEB : www.dvaplus.hr
PROJEKT : Park po mjeri

KATA MARUNICA (Zagreb, 1982.)
ADRESA : NFO / Odranska 12, Zagreb
E-MAIL : info@nfo.hr
WEB : www.info.hr
PROJEKT : Idejno urbanističko – arhitektonsko
rješenje za osnovnu školu sa sportskom dvoranom
i vanjskim sportskim terenima u Farkaševcu

MARIO MATIĆ (Split, 1979.)
ADRESA : Prilaz Gjure Deželića 55, Zagreb
E-MAIL : info@ivanisin-kabashi.hr
WEB : www.ivanisin-kabashi.hr
PROJEKTI : MAKESHIFT, dom jedriličara /
DOTS OR LINES, obiteljska kuća / INSIDE – OUSIDE 2,
javna garaža i dvodijelna sportska dvorana

MARIN MIKELIĆ (1974.)
ADRESA : Mikelić Vreš arhitekti /
Frane Petrića 5/1, Zagreb
E-MAIL : info@mva.hr
PROJEKTI : Dječji vrtić Maslačak / Uređenje Kaptola

NENAD MIKULANDRA (1946.)
ADRESA : PORTICUS, NEMICO / Uskočka 8, Split
E-MAIL : porticus@st.t-com.hr
PROJEKT : P26 – Split – Nova vrata grada

MAJA MILAT
ADRESA : Prilaz Gjure Deželića 55, Zagreb
E-MAIL : info@ivanisin-kabashi.hr
WEB : www.ivanisin-kabashi.hr
PROJEKTI : MAKESHIFT, dom jedriličara /
DOTS OR LINES, obiteljska kuća / INSIDE – OUSIDE 2,
javna garaža i dvodijelna sportska dvorana

DAMIR MIOČ (Knin, 1969.)
ADRESA : XYZ Arhitektura / Gradišćanska 26
E-MAIL : info@xyz-arhitektura.com
WEB : www.xyz-arhitektura.com
PROJEKTI : Dom za starije i nemoćne osobe
u Senju / Jugoistočni ulaz u Split sa poslovnim
neboderom Elanija

PETAR MIŠKOVIĆ (Rijeka, 1974.)
ADRESA : Šetalište 13. divizije 47, Rijeka
E-MAIL : petar.miskovic@ri.t-com.hr
PROJEKTI : Prodavaonica kolača Peace of cake /
Obiteljske kuće u nizu

INES NIZIĆ (Makarska, 1964.)
ADRESA : BN.ARHITEKTI /
Zvonimirova 2, Zagreb
E-MAIL : bn.arhitekti@chello.at
WEB : www.architektur-bn.net
PROJEKT : Stanovanje Borovje / urbana dvorišta

HRVOJE NJIRIĆ (Zagreb, 1960.)
ADRESA : NJIRIĆ⁺ ARHITEKTI / Petrova 140, Zagreb
E-MAIL : info@njiric.com
WEB : www.njiric.com
PROJEKTI : Palazzo bolognese / Za_breg 2012 /
Rural mat / A folded mat – an indigo kindergarten MB

VELJKO OLUIĆ (Bjelovar, 1954.)
ADRESA : Arhitektonski fakultet Zagreb, Kačićeva 26
E-MAIL : voluic@arhitekt.hr
PROJEKT : Obiteljska kuća Kustošija

DINA OŽIĆ BAŠIĆ (Vrgorac, 1968.)
ADRESA : Građevinski fakultet - Split
E-MAIL : dina.ozic.basic@gradst.h
PROJEKT : Sveučilišna knjižnica Split

TOMISLAV PAVELIĆ (Zagreb, 1964.)
ADRESA : Pilarova 26, Zagreb
E-MAIL : tomislavpavelic.arhitekt@gmail.com
PROJEKT : Obiteljske kuće u nizu

HELENA PAVER NJIRIĆ (Varaždin, 1963.)
ADRESA : Žerjavićeva 19, Zagreb
E-MAIL : helena.paver.njiric@email.t-com.hr
PROJEKT : Gračani

MILOŠ PECOTIĆ (1952.)
ADRESA : Hrgovići 51, Zagreb
E-MAIL : milos.pecotic@zg.t-com.hr
PROJEKT : Obiteljska kuća

LEA PELIVAN (Split, 1976.)
ADRESA : STUDIO UP / Ulica grada Mainza 18
E-MAIL : info@ studioup.hr
WEB : www.studioup.hr
PROJEKTI : P10 / Zagreb Arena / Adris 2

VINKO PENEZIĆ (Zagreb, 1959.)
ADRESA : A. BAUERA 8, Zagreb
E-MAIL : info@penezic-rogina.com
WEB : www.penezic-rogina.com
PROJEKT : Dječji vrtić Jarun

DINKO PERAČIĆ (Split, 1950.)
ADRESA : Platforma 9,81/ARP, Kliška 15, Split
E-MAIL : dinko@platforma981.hr
PROJEKTI : Split 5 / Bačvarija / Dom mladih

DAMIR PETRIC (Postojna, 1980.)
ADRESA : Ulica grada Vukovara 43a, Zagreb
E-MAIL : damirpetric@gmail.com
PROJEKT : Idejno urbanističko – arhitektonsko
rješenje područja Trsteničke uvale u Splitu

SIKE LOVRE PETROVIĆ (Split, 1963.)
ADRESA : Table 7/III, Split
PROJEKT : Sveučilišna knjižnica Split

IVICA PLAVEC (Sisak, 1963.)
ADRESA : Jukićeva 14/2, Zagreb
E-MAIL : ivica.plavec@zg.t-com.hr
PROJEKT : Klik dom sustav gradnje drvenih
montažnih kuća

DAVOR PLAVŠIĆ (Zagreb, 1978.)
ADRESA : Petrova 71a, Zagreb
E-MAIL : davor.plavsic@zg.t-com.hr
PROJEKT : Stambeno naselje Markuševačka Dubrava

TOMA PLEJIĆ (Rijeka, 1977.)
ADRESA : STUDIO UP / Ulica grada Mainza 18
E-MAIL : info@ studioup.hr
WEB : www.studioup.hr
PROJEKTI : P10 / Zagreb Arena / Adris 2

LENKO PLEŠTINA (Klis, 1947.)
ADRESA : Arhitekstonski fakultet Zagreb,
Kačićeva 26
E-MAIL : lenko.plestina@arhitekt.hr
PROJEKT : OK Bračun

DRAŽEN PLEVKO (Zagreb, 1970.)
ADRESA : URBANE TEHNIKE / Vrbik 8a
E-MAIL : drazen.plevko@u-t.hr
WEB : www.u-t.hr
PROJEKT : Crni monolit

ZVONIMIR PRLIĆ (Tuzla, 1970.)
ADRESA : XYZ Arhitektura / Gradišćanska 26, Zagreb
E-MAIL : info@xyz-arhitektura.com
WEB : www.xyz-arhitektura.com
PROJEKTI : Jugoistočni ulaz u Split sa poslovnim
neboderom Elanija / Dom za starije i nemoćne
osobe u Senju

PROJECTURA
ADRESA : Trpimirova 5, Rijeka
E-MAIL : info@projectura.hr
WEB : www.projectura.hr
PROJEKTI : POS Drenova / Osnovna škola Farkaševac

PUBLIC DESIGN
ADRESA : Prilaz Gjure Deželića 69, Zagreb
E-MAIL : info@publicdesign.biz
WEB : www.publicdesign.biz
PROJEKT : Passage Jadran

LOVORKA PRPIĆ (Zagreb, 1966.)
ADRESA : bxl studio / Laginjina 9, Zagreb
E-MAIL : lovorka@bxl-studio.com
PROJEKT : Centar za socijalnu skrb Sisak

DAMIR RAKO (1964.)
ADRESA : Uskočka 8, Split
E-MAIL : porticus@st.t-com.hr
WEB : www.arhitekt-damir-rako.hr
PROJEKT : P26 - SPLIT-Nova vrata grada

GORAN RAKO (Imotski, 1952.)
ADRESA : RADIONICA ARHITEKTURE /
Grahorova 24, Zagreb
E-MAIL : rako@radionica-arhitekture.hr
PROJEKTI : Arheološki muzej Narona / Dječji vrtić
Šegrt Hlapić / Stambeno naselje Sopnica /
Spomen područje Vodotoranj

IVAN RALIŠ (1979.)
ADRESA : Kaptol 27, Zagreb
E-MAIL : iralis@inet.hr
PROJEKT : Stolnoteniski dom

SAŠA RANDIĆ (Rijeka, 1964.)
ADRESA : Randić – Turato / Delta 5, Rijeka
E-MAIL : info@randic-turato.hr
WEB : www.randic-turato.hr
PROJEKTI : Poslovni kompleks Adris grupe /
Poslovno stambena zgrada u Agatićevoj ulici /
Hotel Rovinj / Aula Ivana Pavla II /
Muzej Apoksiomena

NENAD RAVNIĆ (Rijeka, 1979.)
ADRESA : NFO / Odranska 12
E-MAIL : info@nfo.hr
WEB : www.info.hr
PROJEKT : Idejno urbanističko – arhitektonsko rješenje
za osnovnu školu sa sportskom dvoranom i vanjskim
sportskim terenima u Farkaševcu

KREŠIMIR ROGINA (Rijeka, 1959.)
ADRESA : A. BAUERA 8, Zagreb
E-MAIL : info@penezic-rogina.com
WEB : www.penezic-rogina.com
PROJEKT : Dječji vrtić Jarun

NORA ROJE (Split, 1970.)
ADRESA : Arhipolis, Plančićeva 14, Split
E-MAIL : nora.roje@arhipolis.hr
WEB : www.arhipolis.hr
PROJEKT : Stambeni objekt Žnjan

MIRO ROMAN (Zagreb, 1983.)
ADRESA : Prilaz baruna Filipovića 16, Zagreb
E-MAIL : miro.roman@t-com.zg.hr
PROJEKT : Forest city

MIA ROTH ČERINA (Zagreb, 1974.)
ADRESA : Arhitektonski fakultet Zagreb, Kačićeva 26
E-MAIL : mroth@arhitekt.hr
PROJEKTI : Dječji vrtić Lanište / Dom za starije i
nemoćne osobe u Senju

JOSIP SABOLIĆ (Zagreb, 1982.)
ADRESA : RADIONICA ARHITEKTURE /
Grahorova 24, Zagreb
E-MAIL : info@radionica-arhitekture
PROJEKT : Dječji vrtić Šegrt Hlapić

ZORANA SOKOL GOJNIK (Split, 1977.)
ADRESA : Arhitektonski fakultet Zagreb,
Kačićeva 26
E-MAIL : zorana.sokol@arhitekt.hr
PROJEKT : Gradski sadion Lapad

HELENA STERPIN (1976.)
ADRESA : NJIRIĆ + ARHITEKTI /
E-MAIL : info@njiric.com
WEB : www.njiric.com
PROJEKT : Rural mat

DANIEL SUTOVSKY (Baden - CH, 1978.)
ADRESA : Stauffacherstrasse 28, Zürich
E-MAIL : mailto:sutovsky@gmx.ch
PROJEKT : Crkva s pastoralnim centrom
i Dom za starije i nemoćne

JASMIN ŠEMOVIĆ (Split, 1961.)
ADRESA : Vinkovačka 53
E-MAIL : quadrum1@st.t-com.hr
PROJEKT : Sveučilišna knjižnica Split

ROMAN ŠILJE (Dubrovnik, 1978.)
ADRESA : Reljkovićeva 6
E-MAIL : info@normala.net
WEB : www.normala.net
PROJEKT : Višestambeno naselje Sopnica jug

EUGEN ŠIROLA (1964.)
ADRESA : Gospinica 9, Split
E-MAIL : info@arhitekturajelavic.com
WEB : www.arhitekturajelavic.com
PROJEKT : Sveučilišna knjižnica Split

NIKOLA ŠKARIĆ (Zagreb, 1975.)
ADRESA : EA STUDIO / Reljkovićeva 8, Zagreb
E-MAIL : nikolaskaric@gmail.com
PROJEKT : Art container, umjetnička akademija u Splitu

MILAN ŠTRBAC (Petrinja, 1976.)
ADRESA : Dražena Petrovića 18, Petrinja
E-MAIL : mstrbac@inet.hr
PROJEKT : Višestambeno naselje Sopnica jug

EMIL ŠVERKO (Opatija, 1950.)
ADRESA : Atelier Šverko, Bukovčeva 13, Split
E-MAIL : emil@ateliersverko.hr
WEB : www.ateliersverko.hr
Projekt : Poljička developement

IDIS TURATO (Rijeka, 1965.)
ADRESA : Randic-Turato / Delta 5, Rijeka
E-MAIL : info@randic-turato.hr
WEB : www.randic-turato.hr
PROJEKTI : Poslovni kompleks Adris grupe /
Poslovno stambena zgrada u Agatićevoj ulici /
Hotel Rovinj / Aula Ivana Pavla II /
Muzej Apoksiomena

ANDREJ UCHYTIL (1956.)
ADRESA : Arhitektonski fakultet,
Kačićeva 26, Zagreb
E-MAIL : andrey.uchytil@arhitekt.hr
PROJEKT : Leksikon arhitekata atlasa Hrvatske
arhitekture XX. Stoljeća / Župni sklop Sv. Ivana
Evanđelista

UPI2M
ADRESA : Krajiška 10, Zagreb
E-MAIL : info@upi-2m.hr
WEB : www.upi-2m.hr
PROJEKT : Višenamjenska sportska dvorana
Arena Zagreb

MIRANDA VELJAČIĆ (Zagreb, 1976.)
ADRESA : Platforma 9,81/ARP, Kliška 15, Split
E-MAIL : miranda@platforma981.hr
PROJEKT : Dom mladih Split

HRVOJE VIDOVIĆ (Vinkovci, 1979.)
ADRESA : Crkvenička 37, Zagreb
E-MAIL : hvidovic@gmail.com
PROJEKT : Idejno urbanističko – arhitektonsko
rješenje područja Trsteničke uvale u Splitu

IRENA VITASOVIĆ (Pula, 1968.)
ADRESA : Studio A, Trg žrtava fašizma 14
E-MAIL : studioa@gin.hr
WEB : www.gin.hr
PROJEKT : Rekonstrukcija i dogradnja
Državnog arhiva u Sisku

LUKA VLAHOVIĆ (Zagreb, 1983.)
ADRESA : Ivanec Bistranski, Zaprešić
E-MAIL : luka.vlahovic@mail.inet.hr
PROJEKT : Forest city

TOMISLAV VREŠ (Zabok, 1979.)
ADRESA : Mikelić - Vreš arhitekti /
Frane Petrića 5/1, Zagreb
E-MAIL : info@mva.hr
PROJEKTI : Dječji vrtić Maslačak / Uređenje Kaptola

ROMAN VUKOJA (Zagreb, 1972.)
ADRESA : Projekting / Čikoševa 2, Zagreb
E-MAIL : roman.vukoja@zg.t-com.hr
PROJEKT : Župna crkva Sv. Luke Evanđelista

RENATA WALDGONI (Zagreb, 1957.)
ADRESA : AF - Arhitektonski fakultet /
Kačićeva 26
E-MAIL : renata.waldgoni@arhitekt.hr
PROJEKT : Župni sklop Sv. Ivana Evanđelista

ZORAN ZIDARIĆ (Šibenik, 1962.)
ADRESA : Antuna Baura 2, Zagreb
E-MAIL : dva-arhitekta@zg.t-com.hr
WEB : www.dva-arhitekta.hr
PROJEKT : Obiteljska kuća Varaždin

JASNA ZMAIĆ (Zagreb, 1968.)
ADRESA : Schrottova 5, Zagreb
E-MAIL : jasna.zmaic@zg.t-com.hr
PROJEKT : Obiteljska kuća „Dugi dol"

LEONID ZUBAN (1976.)
ADRESA : URBIS 72 / Sv. Teodora 2, Pula
E-MAIL : urbis@urbis72.hr
WEB : www.urbis72.hr
PROJEKT : Idejno rješenje turističkog punkta
Krnja Loža

IVANA ŽALAC (Zadar, 1977.)
ADRESA : Braće Domany 6, Zagreb
E-MAIL : ivanazalac@gmail.com
PROJEKT : Labin – Pijacal

X3M : ARHITEKTURA + URBANIZAM
ADRESA : Mesnička 6, Zagreb
E-MAIL : mirko@x-3m.hr
WEB : www.x-3m.hr
PROJEKT : Spomen obilježje Domovinskog rata –
vodotoranj Vukovar / VUKO – WAR HEMISPHERE

NAKLADNIK *PUBLISHER*
Udruženje hrvatskih arhitekata (UHA)
Croatian Architects' Association (CAA)

ZA NAKLADNIKA *FOR THE PUBLISHER*
Goran Rako, predsjednik (UHA)
Goran Rako, president (CAA)

UREDNICI KATALOGA *EDITORS*
Miranda Veljačić, Dubravko Bačić

IZVRŠNA UREDNICA *EXECUTIVE EDITOR*
Ana Šilović

ASISTENTICA UREDNIKA *ASSISTANT EDITOR*
Monika Hrubi

GRAFIČKO OBLIKOVANJE *GRAPHIC DESIGN*
Damir Gamulin

PRIJELOM *DTP*
Dejan Kutić

LEKTURA *LANGUAGE REVISION (CROATIAN)*
Suzana Nenadić

PRIJEVOD (ENGLESKI JEZIK) *TRANSLATION (ENGLISH)*
Andy Jelčić

TISAK *PRESS*
Printera grupa, Sveta Nedjelja

NAKLADA *PRINT RUN*
700

SPONZORI I MEDIJSKI PARTNERI
Sponsors and Media Partners

Pokrovitelji

GRAD ZAGREB

Partneri

Sponzori

ZUMTOBEL  z/k/m/

gecko  ıntra lıghtıng **20**
light for perfection

 Zagreb Montaža Grupa

Medijski pokrovitelji

HIŠE

ZM - VIKOM

Proizvodi | Usluge | Djelatnosti

▸ Čelične konstrukcije raznih namjena

▸ Komplet postrojenja za pročišćavanje izgarajućih plinova (elektrofilteri, vrećasti filteri)

▸ Podvozja za kamione i industrijska vozila

Certifikati

▸ ISO 9001:2000

▸ Certifikat EN 729-3

▸ Veliko uvjerenje o sposobnosti za zavarivanje DIN 18800-7

▸ EWE, EWT svjedodžbe za specijaliste za zavarivanje

▾ Hala ZM Vikoma Podi Šibenik

Partneri:

Austrian Energy & Environment Austria, Gea Bischoff, Balcke Duerr, F.X.Meiller, Fisia Babcock Environment, Alstom Power Service, LurgiLentjes Service, Krauss Maffei i Austrian Energy & Environment INOVA, Von Roll, Accerbi-Viberti...

Sladorana Nova Gradiška ▸

ZM-VIKOM d.o.o.

Industrijska zona Podi

22000 Šibenik

tel. +385 (0)22 493 333

fax. +385 (0)22 492 698

e-mail: info@zm-vikom.hr

▾ Trgovački centar Dalmare Šibenik

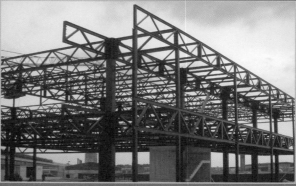

ZM - DAL

Proizvodi | Usluge | Djelatnosti

▸ Projektiranje, proizvodnja, izrada i montaža aluminijskih, keramičkih i limenih fasada

▸ Projektiranje, izrada i montaža lakih metalnih konstrukcija

▸ Inženjering, konzalting i izvedba projekta

▸ Tehnički nadzor nad radovima

▸ Izvođenje investicijskih radova

▾ Poslovni centar VMD Zagreb

◂ Poslovni toranj Hoto Zagreb

Poslovna zgrada Plinacro Zagreb ▸

ZM-DAL d.o.o.

Brodarica bb

22000 Šibenik

tel. +385 (0)22 493 300

fax. +385 (0)22 493 320

e-mail: zm.dal@si.t-com.hr

_ SE ➤ MA ing d.o.o.

 fasadni sustavi

Upotreba

Vlaknocementne fasadne ploče su visokokvalitetne ploče iz prirodnog materijala. Namijenjene su oblaganju fasada kod sustava ventiliranih fasada.

Bogata paleta boja i jednostavan izbor dimenzija nudi moderna rješenja za sve vrste građevina, za novogradnje, kao i za sanacije objekata.

Proizvođač ravnih fasadnih ploča je tvrtka Eternit AG iz Švicarske

Boje

Boja fasada nije samo ukras građevine, već postaje dio arhitekture.

Crna, bijela, siva i osnovne boje: crvena, žuta i plava tvore bazu za paletu boja fasadnih ploča.

Odabir se može izvršiti iz sljedećih serija: **Carat** bojane u masi // **Natura** 15 standardnih boja, struktura materijala je vidljiva // **Tectura** 15 standardnih površinskih boja, struktura materijala je prekrivena // **Basic** 6 osnovnih boja / serija boja Tectura // **Xpressiv** tekstura prirodnog sivog materijala // Reflex ploče s odsjajnom površinom, zbog koje se odbljesak boje mijenja ovisno o upadnom kutu svjetlosti

Kvaliteta

Izvanredna mehanička svojstva, zajedno s kemijskom stabilnošću i prije svega otpornosti na atmosferske utjecaje, daju proizvodima visoko upotrebnu vrijednost.

Najbitnija fizička i mehanička svojstva su tvrdoća i gustoća i otpornost na lom.

 gecko

Distributer za Hrvatsku **Gecko** d.o.o. / Vranička 52 / HR-10040 Zagreb
tel.: +385 1 2920 314 / fax: +385 1 2920 315
e-mail: gecko@gecko.hr / www.gecko.hr

MI VAŠE SNOVE PRETVARAMO U STVARNOST

IDRYMA
gradnja